EL E[
B[

LA BIBLIA,
LIBRO POR LIBRO

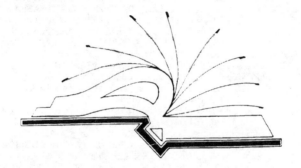

2

EXODO, LEVITICO, NUMEROS,
LOS HECHOS

52 Estudios intensivos de la Biblia
para alumnos adultos

CASA BAUTISTA DE PUBLICACIONES

CASA BAUTISTA DE PUBLICACIONES

Apartado Postal 4255, El Paso, TX 79914 EE. UU. de A.

Agencias de Distribución

ARGENTINA: Rivadavia 3474, 1203 Buenos Aires, Teléfono: (541)863-6745. **BOLIVIA:** Casilla 2516, Santa Cruz, Tel.: (591)-342-7376, Fax: (591)-342-8193. **COLOMBIA:** Apartado Aéreo 55294, Bogotá 2, D.C., Tel.: (57)1-287-8602, Fax: (57)1-287-8992. **COSTA RICA:** Apartado 285, San Pedro Montes de Oca, San José, Tel.: (506)225-4565, Fax: (506)224-3677. **CHILE:** Casilla 1253, Santiago, Tel/Fax: (562)672-2114. **ECUADOR:** Casilla 3236, Guayaquil, Tel.: (593)4-455-311, Fax: (593)4-452-610. **EL SALVADOR:** Apartado 2506, San Salvador, Fax: (503)2-218-157. **ESPAÑA:** Padre Méndez #142-B, 46900 Torrente, Valencia, Tel.: (346)156-3578, Fax: (346)156-3579. **ESTADOS UNIDOS:** 7000 Alabama, El Paso, TX 79904, Tel.: (915)566-9656, Fax: (915)565-9008; 960 Chelsea Street, El Paso TX 79903, Tel.: (915)778-9191; 3725 Montana, El Paso, TX 79903, Tel.: (915)565-6234, Fax: (915)726-8432; 312 N. Azusa Ave., Azusa, CA 91702, Tel.: 1-800-321-6633, Fax: (818)334-5842; 1360 N.W. 88th Ave., Miami, FL 33172, Tel.: (305)592-6136, Fax: (305)592-0087; 8385 N.W. 56th Street, Miami, FL 33166, Tel.: (305)592-2219, Fax: (305)592-3004. **GUATEMALA:** Apartado 1135, Guatemala 01901, Tel: (5022)530-013, Fax: (5022)25225. **HONDURAS:** Apartado 279, Tegucigalpa, Tel. (504)3-814-81, Fax: (504)3-799-09. **MEXICO:** Vizcaínas Ote. 16, Col. Centro, 06080 México, D.F., Tel/Fax: (525)510-3674, 512-4103; Apartado 113-182, 03300 México, D.F., Tels.: (525)762-7247, 532-1210, Fax: 672-4813; Madero 62, Col. Centro, 06000 México, D.F., Tel/Fax: (525)512-9390; Independencia 36-B, Col. Centro, 06050 México, D.F., Tel.: (525)512-0206, Fax: 512-9475; Matamoros 344 Pte., 27000 Torreón, Coahuila, Tel.: (521)712-3180; Hidalgo 713, 44290 Guadalajara, Jalisco, Tel.: (523)510-3674; Félix U. Gómez 302 Nte. Tel.: (528)342-2832, Monterrey, N. L. **NICARAGUA:** Apartado 2340, Managua, Tel/Fax: (505)265-1989. **PANAMA:** Apartado E Balboa, Ancon, Tel.: (507)22-64-64-69, Fax: (507)228-4601. **PARAGUAY:** Casilla 1415, Asunción, Fax: (595)2-121-2952. **PERU:** Apartado 3177, Lima, Tel.: (511)4-24-7812, Fax: (511)440-9958. **PUERTO RICO:** Calle 13 S.O. #824, Capparra Terrace, Tel.: (809)783-7056, Fax: (809)781-7986; Calle San Alejandro 1825, Urb. San Ignacio, Río Piedras, Tel.: (809)764-6175. **REPUBLICA DOMINI-CANA:** Apartado 880, Santo Domingo, Tel.: (809)565-2282, Fax: (809)565-6944. **URUGUAY:** Casilla 14052, Montevideo 11700, Tel.: (598)2-394-846, Fax: (598)2-350-702. **VENEZUELA:** Apartado 3653, El Trigal 2002 A, Valencia, Edo. Carabobo, Tel/Fax: (584)1-231-725, Celular (581)440-3077.

Ediciones: 1993, 1995
Tercera edición: 1996

Clasificación Decimal Dewey 220.6 B471a

Temas: 1. Biblia—Estudio
2. Escuelas dominicales—Currículos

ISBN: 0-311-11262-5
C.B.P. Art. No. 11262

6 M 11 96

Impreso en EE. UU. de A.

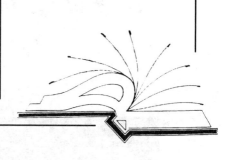

EL EXPOSITOR BIBLICO

**PROGRAMA:
"LA BIBLIA, LIBRO POR LIBRO"
MAESTROS DE
JOVENES Y ADULTOS**

DIRECTOR GENERAL
José T. Poe

**DIRECTOR DE LA
DIVISION DE DISEÑO Y DESARROLLO
DE PRODUCTOS**
Ananías P. González

**DIRECTORA DEL DEPARTAMENTO
DE EDUCACION CRISTIANA**
Nelly de González

ESCRITORES
Exodo, Levítico, Números:
Concepción de Vargas
Los Hechos:
Alfredo Ballesta

EDITORES
Mario Martínez L.
Jorge Enrique Díaz F.

REIMPRESIONES
Violeta Martínez

CONTENIDO

CBP
Casa Bautista de Publicaciones
Apartado 4255
El Paso, Texas, 79914
EE. UU. de A.

La Biblia, Libro por Libro

Descripción General

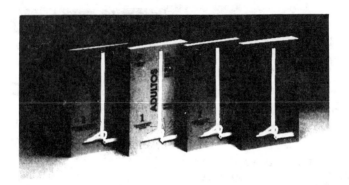

El objetivo general del programa *La Biblia, Libro por Libro* **es** facilitar el estudio de todos los libros de la Biblia, durante nueve años, en 52 estudios por año.

El objetivo educacional del programa *La Biblia, Libro por Libro* es que, como resultado de este estudio el maestro y sus alumnos puedan: (1) conocer los hechos básicos, la historia, la geografía, las costumbres, el mensaje central y las enseñanzas que presentan cada uno de los libros de la Biblia. (2) Desarrollar actitudes que demuestren la valorización del mensaje de la Biblia en su vida diaria de tal manera que puedan ser mejores discípulos de Jesucristo.

El programa *La Biblia, Libro por Libro* está diseñado para que los jóvenes al estudiar un pasaje de la Biblia, tengan los materiales que ofrecen enfoques, procedimientos de enseñanza y aplicaciones que toman en cuenta los intereses en esta etapa de la vida.

Un detalle a tomar en cuenta es que las referencias directas o citas de palabras del texto bíblico son tomadas de la Biblia Reina-Valera Actualizada, pero cuando la palabra o palabras son muy diferentes en la Biblia RVR-60 se citan ambas versiones. La primera palabra viene de RVA y la segunda de RVR-60 divididas por una línea diagonal. Por ejemplo: que Dios le dio para mostrar/manifestar... este detalle enriquece la comprensión del texto bíblico y usted puede sentirse cómodo con la Biblia que ya posee.

Cada uno de los estudios está organizado teniendo a la vista el objetivo educacional del programa *La Biblia, Libro por Libro*.

El libro del alumno tiene seis secciones bien definidas:

1. Información General. Aquí encuentra el tema-título del estudio, el pasaje que sirve de contexto, el texto básico, el versículo clave, la verdad central y las metas de enseñanza aprendizaje.

2. Estudio panorámico del contexto. El propósito de esta sección es ubicar el estudio en el marco histórico en el cual se llevó a cabo el evento o las enseñanzas del texto básico. Aquí encuentra datos históricos, fechas de eventos, costumbres de la época, información geográfica y otros elementos de interés que enriquecen el estudio de la Biblia.

3. Estudio del texto básico. Está dividido en dos partes. La primera le instruye: *Lee tu Biblia y responde.* Se espera que con la Biblia abierta responda a una serie de preguntas que le guían a familiarizarse y comprender el pasaje. La segunda parte le instruye: *Lee tu Biblia y piensa.* Aquí se provee la interpretación del mensaje básico del pasaje en relación con todo el libro bajo estudio. Se emplea el método de interpretación conocido como gramático-histórico con la técnica exegético-expositiva del texto. Aunque la base de la exégesis son las versiones Reïna-Valera Actualizada y Reina-Valera Revisada 1960, también se usan otras versiones de la Biblia o se citan palabras de los idiomas originales cuando ayudan a dar claridad a la interpretación del texto. Sinceramente creemos que el estilo narrativo, didáctico y lógico de esta sección hará disfrutar el estudio de la Palabra de Dios.

4. Aplicaciones del estudio. El propósito de esta sección es guiar al estudiante a aplicar el estudio de la Biblia a su vida diaria con la intención de que todos se decidan a actuar de acuerdo con las enseñanzas bíblicas. Aseguramos que no son pequeños "sermoncitos" o "moralejas", sino verdaderos desafíos para actuar en obediencia al Señor Jesucristo.

5. Prueba. En esta sección se da la oportunidad de demostrar de qué manera se han alcanzado las metas de enseñanza y aprendizaje para el estudio correspondiente. Hay dos actividades, una que "prueba" conocimientos de los hechos presentados y la otra, que "prueba" sentimientos o afectos hacia las verdades encontradas en la Palabra de Dios durante el estudio. La actividad que "prueba" sus conocimientos puede hacerla en el aula, durante la hora de clase; la actividad que "prueba" sus sentimientos generalmente tiene que hacerla en el laboratorio de la vida cotidiana. Al fin y al cabo, es en la realidad de todos los días que uno demuestra la calidad de discípulo de Cristo que verdaderamente es.

6. Lecturas bíblicas para el siguiente estudio. Estas lecturas forman el contexto para el siguiente estudio. Si uno las lee con disciplina, sin duda alguna leerá toda su Biblia, por lo menos una vez, en nueve años. Le animamos a leerlas, estudiarlas y meditarlas en su cita diaria con la Palabra de Dios y con el Dios de la Palabra.

Este libro es el segundo del programa de nueve años de *La Biblia, Libro por Libro* que nos conducirá a leer, aprender, meditar y poner en práctica todos los días la Palabra de Dios.

PLAN GENERAL DE ESTUDIOS

Año / Libro	Enero-Marzo	Abril-Junio	Julio-Septiembre	Octubre-Diciembre
1992 1	Génesis	Génesis	Mateo	Mateo
1993 2	Exodo	Levítico Números	Los Hechos	Los Hechos
1994 3	1, 2 Tesalonicenses Gálatas	Josué Jueces	Hebreos Santiago	Rut 1 Samuel
1995 4	Lucas	Lucas	2 Samuel (1 Crónicas)	1 Reyes (2 Crón. 1-20)
1996 5	1 Corintios	Amós Oseas Jonás	2 Corintios Filemón	2 Reyes (2 Crón. 21—36) Miqueas
1997 6	Romanos	Salmos	Isaías	1, 2 Pedro 1, 2, 3 Juan Judas
1998 7	Deuteronomio	Juan	Juan	Job, Proverbios, Eclesiastés Cantares
1999 8	Efesios Filipenses	Habacuc Jeremías Lamentaciones	Marcos	Ezequiel Daniel
2000 9	Esdras Nehemías Ester	Colosenses 1, 2 Timoteo Tito	Joel, Abdías, Nahúm Sofonías, Hageo, Zacarías, Malaquías	Apocalipsis

EXODO, LEVITICO Y NUMEROS
Una Introducción

El libro de Exodo. El nombre en hebreo es "Estos son los nombres" o simplemente "los nombres de" según la práctica de llamar a los libros por la primera palabra o frase. Cuando los ancianos en el siglo tres antes de Cristo, hicieron la traducción del hebreo al griego y produjeron la Septuaginta, ellos denominaron al libro "Exodo". Este título es una combinación de dos palabras: "ex" que significa salir y "odos" camino. Así se expresa en una buena palabra el contenido del libro. La palabra misma aparece por primera vez en Exodo 19:1 cuando dice: "Después de la salida de los hijos de Israel de la tierra de Egipto..." Cuando Jerónimo produjo la Vulgata Latina, escribió: "Libro de Exodo". Luego nuestras versiones en castellano generalmente usan un título largo: "El segundo libro de Moisés llamado Exodo." Con este título también se expresa el hecho de que la tradición reconoce a Moisés como el autor del libro de Exodo.

El libro de Levítico. El libro de Exodo nos dice cómo Dios libertó a su pueblo de la esclavitud en Egipto. El libro de Levítico nos cuenta cómo Dios dio a su pueblo las instrucciones para que lo adoraran y conocieran cómo debían caminar delante de él. El nombre del libro viene de su contenido: las instrucciones especiales que Dios dio a los sacerdotes de la tribu de Leví, pero que todo el pueblo debía observar. A través de todo el libro Dios se da a conocer como un Dios santo y por esta razón llama a todo su pueblo a ser "santo". Es decir, una nación separada para Dios en obediencia y servicio (Lev. 20:26).

A la gran pregunta: ¿Cómo puede un pecador acercarse a un Dios santo?, Dios responde, en Levítico, que es posible por medio del holocausto expiatorio. Por medio de la sangre derramada es posible el perdón de los pecados y una vida de compañerismo con Dios.

Paralelamente a los asuntos relacionados con el sacerdocio y la adoración en el tabernáculo, el libro de Levítico trata de temas de la vida pública y privada. Dios da leyes para la alimentación, las relaciones sexuales, las fiestas, los días y los años especiales. Indudablemente que en este libro observamos cómo Dios está preparando a su pueblo para caminar delante de él en preparación para la conquista y posesión de la tierra prometida.

El libro de Números. Este libro trata de los asuntos relacionados con la vida civil y política de Israel. Nos relata el viaje del pueblo desde el desierto del Sinaí hasta Moab, casi a la puerta de la tierra prometida. También nos cuenta de cómo se levantaron dos censos y la historia de dos generaciones que fueron dirigidas por hombres como Moisés, Caleb y Josué.

El autor de los libros de Exodo, Levítico y Números. Estos tres libros pertenecen a la colección que conocemos como el Pentateuco o los cinco libros de Moisés (los otros dos son Génesis y Deuteronomio). Como evidencias de que Moisés fue el autor de ellos encontramos: (1) Cristo citó a Moisés como la fuente de la ley (Mar. 10:4, 5; Luc. 24:44; Juan 5:46, 47). (2) Ciertos pasajes no pudieron haber sido escritos por otra persona que no fuera Moisés (Exo. 17:14; 24:4-7; 34:27, 28; Núm. 33:2; Deut. 31:9, 24-26). (3) La expresión "la ley de Moisés" es sinónima de "Antiguo Testamento" (como refiriéndose a los primeros cinco libros de la Biblia) tanto en el Antiguo como en el Nuevo Testamentos. (4) Tradiciones muy antiguas, tales como las conservadas en el "Talmud", sostienen que Moisés es el autor. (5) Los descubrimientos arqueológicos confirman que los eventos, nombres y costumbres mencionados en el libro fueron escritos por alguien que estuvo personalmente en ese escenario.

Algunos estudiantes de la Biblia no están de acuerdo con estas conclusiones, pero el hecho de que la frase: "Y el Señor habló a Moisés..." o palabras semejantes, aparecen casi 150 veces en Levítico y Números, no se puede negar.

La situación histórica. El libro de Exodo comienza con las palabras: "Y estos son los nombres de...", como una continuación natural del libro de Génesis y nos relata la salida de Israel de Egipto. El libro de Levítico comienza su relato después de la salida y nos cuenta los eventos que ocurrieron durante el mes en que se construyó el tabernáculo (Exo. 40:17) y el comienzo del viaje de Israel por el desierto desde el monte Sinaí hasta la tierra prometida (Núm. 10:11). El libro de Números, por su parte nos dice de los 38 años de viaje que siguieron como resultado de la falta de confianza en Dios.

El mensaje de Exodo, Levítico y Números. Puede ser que a nosotros nos parezca un poco fuera de actualidad el relato de la historia, costumbres, ceremonias y leyes dadas en estos libros del Pentateuco. Sin embargo, hay ciertas verdades, principios y conceptos válidos para nuestra nación, comunidad y vida personal.

Así, por ejemplo, aprendemos que es posible, bajo ciertas condiciones, mantener una relación de compañerismo y amistad con Dios. Aprendemos la importancia de la dependencia y confianza en las promesas de Dios a pesar de que las circunstancias parecieran dictar otra cosa. Observamos los trágicos resultados de la desobediencia y de la falta de confianza en Dios. También es notable la fidelidad de Dios y la manera tan generosa como constantemente bendice a sus hijos.

Comprender el mensaje de estos libros del Antiguo Testamento nos da el cimiento y el trasfondo adecuados, para comprender la obra de Cristo, cómo él cumplió la ley y era apto para servir como holocausto en expiación por nuestros pecados. La verdad es que es muy difícil comprender la obra y la muerte de Cristo en la cruz sin un buen entendimiento de todo el ritual y ceremonias del Antiguo Testamento.

EXODO, LEVITICO Y NUMEROS

Es importante que escriba, antes del número de cada estudio, la fecha en que lo usará.

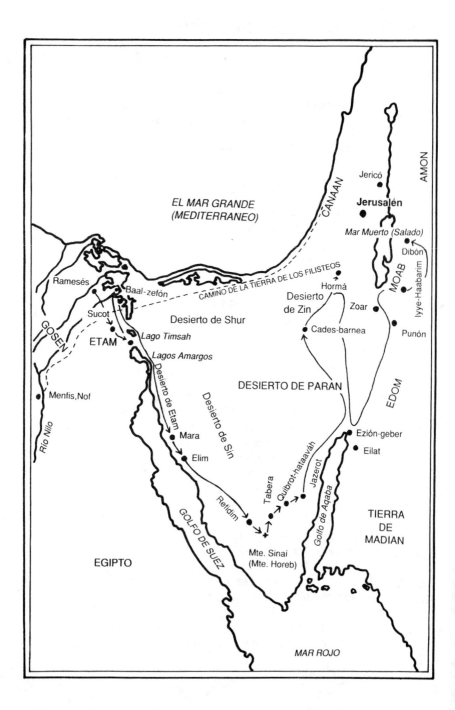

Unidad 1

Desde Egipto hasta Canaán

Contexto: Exodo, Levítico y Números
Texto básico: Exodo 3:7-17; Levítico 6:8-13; Números 33:53; 34:13-15
Versículo clave: Números 33:53
Verdad central: El relato de los actos poderosos de Dios para llevar a Israel desde la esclavitud en Egipto hasta la posesión de Canaán nos muestra a un Dios de poder que ama, salva y guía a aquellos que obedecen sus mandamientos.
Metas de enseñanza-aprendizaje: Que el alumno demuestre su conocimiento general de los lugares por los cuales pasó el pueblo de Israel desde Egipto hasta Canaán, y su actitud hacia el compromiso de Dios de cuidar y bendecir a quienes le obedecen y guardan sus mandamientos.

―――――――― *Estudio panorámico del contexto* ――――――――

A partir de Génesis 46 encontramos el relato de la llegada de los hebreos a Egipto. Jacob y su familia moraron en Gosén. José llegó a ser gobernador en Egipto, situación favorable para los hebreos. Esa situación cambió al subir un nuevo rey, para quien José era desconocido (Exo. 1:8). La actitud del nuevo rey hacia los israelitas fue hostil: les esclavizó y utilizó para construir ciudades y monumentos. Para evitar la sublevación de los israelitas les impuso duras tareas y trató de controlar el crecimiento de la población hebrea a través de una ley que impedía su reproducción. En medio de esta situación nació Moisés.

El sufrimiento y la opresión hicieron que los israelitas clamaran a Dios por su liberación. Dios escuchó su clamor y recordó su pacto con su pueblo (Exo. 2:24) levantando a Moisés como su libertador.

La tarea no fue fácil porque al rey egipcio no le convenía dar libertad a un pueblo que representaba la mano de obra para sus construcciones. Sin embargo, Dios envía 10 plagas para debilitar la resistencia del faraón, entre ellas la muerte de los primogénitos egipcios, después de la cual, se les permitió a los hebreos la salida de Egipto. A la vez, se da la institución de la Pascua (Exo. 12), fiesta que conmemora la esclavitud de Israel y celebra su liberación.

―――――――― *Estudio del texto básico* ――――――――

Lea su Biblia y responda

1. Exodo 3:7-18. Responda las siguientes preguntas:

a. ¿Quién expresó las siguientes palabras: "He visto la aflicción de mi pueblo en Egipto, y he oído su clamor"?_____

b. ¿Cuál fue la respuesta de Moisés al mandato divino? _____
_____

c. ¿Cuáles fueron las respuestas de Dios a las disculpas de Moisés?
_____

2. Levítico 6:8-13. Coloque "V" si es verdadero y "F" si es falso.
    a. _____ Jehovah le dio a Moisés las instrucciones para el holocausto.
    b. _____ El fuego sobre el altar debía apagarse todos los días.
    c. _____ El sacerdote debía usar vestidos confeccionados con lino.
    d. _____ El fuego habría de arder permanentemente en el altar.

3. Complete la frase. Números 33:53; 34:13-15
    a. "Tomaréis posesión de la tierra, y _____ en ella,
    porque a vosotros os he _____ la tierra para que la _____ en
    _____."
    b. "Esta es la tierra que _____ por _____ la
    cual Jehovah ha _____ dar a las _____ tribus y a
    la media _____."
    c. "Las dos tribus y media _____ su
    _____ al otro lado del _____, frente a
    _____, hacia el oriente, hacia la salida del sol."

Lea su Biblia y piense

1 Dios promete liberar a su pueblo, Exodo 3:7-17.
V. 7. Dios no ignoraba la condición de Israel y constantemente se preocupó por la situación de su pueblo. Es interesante notar las expresiones verbales: *he visto, he oído, he conocido*, que indican que estaba consciente de lo que le pasaba a Israel. Cuando Dios se refiere a Israel como su pueblo, se puede captar no sólo la idea de propiedad, sino también de su interés y amor por él. Dios decide involucrarse directamente en la liberación de Israel.

V. 8. Este versículo refleja la actuación de Dios en forma decisiva y firme para liberar a Israel del yugo egipcio. Podemos notar que Dios se muestra a sí mismo como el libertador, en la expresión *he descendido para librarlos de la mano de los egipcios*. Pero, además, se puede ver que su interés no es sólo su libertad, sino también el bienestar integral del pueblo: *sacarlos de aquella tierra a una tierra buena y amplia, una tierra que fluye leche y miel*, indicando así, que los llevaría a una tierra fértil y próspera.

V. 9. El clamor de los israelitas llega hasta Dios. Cuando los hebreos deciden clamar a Dios, ya él conocía la situación, sólo esperó a que ellos le buscaran para tomar la decisión de enviarles un libertador.

V. 10. Dios se manifiesta a Moisés y le revela que le ha elegido a él para llevar a cabo la liberación del pueblo hebreo.

V. 11. Encontramos aquí la primera excusa de Moisés para no ir a realizar la misión que Dios le da. Consideraba que no era la persona indicada para dicha tarea porque sencillamente era un pastor de ovejas.

V. 12. Dios no discute con Moisés. En lugar de reprochar su actitud, le asegura su compañía y le da una señal que le permitirá demostrar que él lo ha enviado.

V. 13. Moisés presenta una segunda excusa: afirma no saber cuál es el nombre de Dios, indicando con esto, que desconocía la naturaleza de Dios. Conocer el nombre de alguien significaba conocer a esa persona en su totalidad. Lo que Moisés estaba pidiendo era la revelación de la naturaleza íntima de Dios.

Vv. 14-17. La respuesta de Dios es: *YO SOY EL QUE SOY*. Con esta respuesta Dios explica su nombre como el Dios de Israel. Y aunque es muy incierto el significado completo de esta respuesta, es interesante saber que con este nombre, Dios se muestra como eterno, Señor y presente. Después de responderle, Dios ordena a Moisés que vaya a Egipto y convoque a los ancianos y les diga el plan de liberación; también, que les afirme que quien le envía es el *Dios de vuestros padres*, el Dios que había sido revelado a los patriarcas y el cual había prometido convertirles en una gran nación. De esta manera se establecería una relación en la que Jehovah sería el Dios de Israel y éste sería su pueblo. Recibiendo además, instrucciones de la forma cómo debían relacionarse con él.

2 Dios instruye a su pueblo acerca de cómo adorarlo, Levítico 6: 8-13.

Estos versículos contienen la legislación acerca del holocausto, el cual constituyó el sacrificio más importante del culto a Dios. El significado del término es: "sacrificio que sube en humo". La ofrenda era quemada por completo en el altar. Eran dos ofrendas al día: una en la mañana y otra al atardecer. El énfasis de este sacrificio era la consagración a Jehovah. La víctima era consumida a fuego lento.

Vv. 8, 9. El mandato directo a Aarón y a sus hijos indica que la familia sacerdotal era la encargada de todas las actividades y los rituales religiosos. El sacerdote debía velar porque el holocausto ardiera durante toda la noche; lo que se hacía colocando cada parte del cuerpo de la víctima de forma que alimentaba el fuego.

Vv. 10, 11. Hallamos aquí las instrucciones relacionadas con el vestido que debía llevar el sacerdote durante la ceremonia. Este vestido era símbolo de la santidad que la persona que realizaba alguna actividad dentro del santuario debía llevar.

Vv. 12, 13. De acuerdo con Levítico 9:24, el fuego del altar fue encendido por Dios. La labor de los sacerdotes era mantener el fuego encendido; para lo cual, era necesario tener una buena reserva de leña. De acuerdo con la tradición, el fuego estuvo encendido hasta que el templo fue destruido en el año 587 antes de Cristo. Antes de ser construido el templo, los sacrificios eran ofrecidos en el tabernáculo. Esta práctica se mantuvo a través de toda la peregrinación de los israelitas por el desierto, tiempo en que Dios fue su guía y protección.

3 Dios conduce a Israel hasta Canaán, Números 33:53; 4:13-15.

Números 33:1-49 es el resumen de todo el viaje de peregrinación de Israel. Los versículos 50 a 56 presentan las instrucciones para conquistar la tierra prometida. Los hebreos al posesionarse de Canaán tenían que sacar a sus habitantes y acabar con todos sus ídolos y altares. El establecimiento de las tribus se hizo a través de un sorteo, y la distribución de la tierra fue en forma proporcional a la cantidad de integrantes de cada tribu.

33:53. *Tomaréis posesión de la tierra.* Dios ratifica su promesa a los hebreos y éstos deben confiar en él como lo hizo Abraham. Dios quiere afirmar en el pueblo la convicción de que ellos serán los propietarios únicos de aquella tierra a través de la historia de la humanidad.

34:13-15. La distribución de la tierra debía ser por sorteo de una manera justa y equitativa. Eleazar y Josué harían la distribución (v. 17), debido a que Moisés no podría entrar a la tierra prometida por orden divina. La tierra se distribuiría entre nueve tribus y media, dado que al oriente del Jordán estaban establecidas las tribus de Rubén, Gad y Manasés (Núm. 32:33).

—————————— *Aplicaciones del estudio* ——————————

1. Dios tiene interés en nosotros. Así como Dios se preocupó por la situación de Israel, su pueblo, también está interesado en nosotros, y está dispuesto a suplir nuestras necesidades y ayudarnos.

2. Dios tiene un ministerio hoy para cada uno de sus hijos. Es necesario estar dispuestos a realizar la tarea que él nos ordena.

————————————— *Prueba* —————————————

1. Viendo el mapa y con la lectura de Números 33:1-49 enliste los nombres de los lugares más significativos en la ruta del pueblo de Israel desde Ramesés hasta Moab. _____

_____

_____

2. Describa dos formas de cómo puede confiar en las promesas de Dios y por qué debe hacerlo._____

_____

Lecturas bíblicas para el siguiente estudio

Lunes: Exodo 1:1-22   **Jueves:** Exodo 2:16-22
Martes: Exodo 2:1-10   **Viernes:** Exodo 2:23-25
Miércoles: Exodo 2:11-15   **Sábado:** Exodo 3:1-10

Unidad 1

Dios escucha al pueblo oprimido

Contexto: Exodo 1 a 3:10
Texto básico: Exodo 1:8-11a; 2:10-12; 3:2-6a, 9, 10
Versículo clave: Exodo 3:14
Verdad central: Dios escucha y responde a Israel en cumplimiento de sus promesas.
Metas de enseñanza-aprendizaje: Que el alumno demuestre su conocimiento de las maneras cómo Dios respondió a las necesidades de Israel, y su actitud hacia las evidencias de la fidelidad de Dios a sus promesas en el día de hoy.

Estudio panorámico del contexto

Los israelitas que llegaron a Egipto eran sólo 70. Estos se multiplicaron de tal manera que se constituyeron en una amenaza para la nación egipcia, puesto que podían sublevarse en caso de que Egipto entrara en guerra con alguno de sus enemigos. Como consecuencia, les fue impuesto trabajo duro y pesado y se ordenó quitar la vida a los bebés del sexo masculino. Aún así Israel se seguía multiplicando a tal grado que llegó a alarmar a los egipcios. Durante esta época se da el nacimiento de Moisés, a quien Dios le preserva la vida por medio de la astucia de la madre. Moisés creció en la corte del faraón, gozando y participando de los privilegios de la familia real. Probablemente mientras estuvo al lado de Jocabed, su madre, llegó a conocer su origen. Quizá esto fue lo que lo motivó a defender a uno de los suyos cuando un egipcio lo maltrataba. En este acto podemos ver reflejado el amor de Moisés hacia su pueblo y el deseo de hacer justicia. Como consecuencia, tiene que huir a Madián, donde una vez más, lucha contra la injusticia, defendiendo al débil. Durante su estadía en Madián contrae nupcias con Séfora, hija de un sacerdote. Allí le nació su hijo primogénito Gersón.

Mientras esto sucedía en Madián, en Egipto los israelitas elevaban a Dios su voz de sufrimiento por la opresión. Dios les escuchó, pues él siempre está atento a escuchar el clamor de los oprimidos para darles ayuda. Se puede ver claramente que el autor del libro de Exodo quiere enfatizar la respuesta divina, al utilizar las siguientes expresiones: "Dios oyó", "se acordó", "miró a los hijos de Israel" y "reconoció su condición". Dios responde a las necesidades de los hebreos llamando a Moisés para que fuera el instrumento para libertar al pueblo del yugo egipcio.

Estudio del texto básico

Lea su Biblia y responda
1. Responda brevemente:

a. ¿Cuál fue el motivo para que el rey de Egipto ordenara la opresión de los hebreos? (1:8-11a) _____

b. ¿Cuál fue la actitud de Moisés ante la injusticia cometida contra uno de los suyos? (2:10-12) _____

c. Relate brevemente los detalles importantes del llamado de Moisés. (3:3-6)_____
_____

2. Complete los versículos. Exodo 3:7-10.
   a. "Y le dijo Jehovah: Ciertamente he _____ la _____
   de mi pueblo que está en Egipto, y he _____ su _____
   a causa de sus opresores, pues he _____ sus sufrimientos."
   b. "Yo he _____ para _____ de la mano de los egipcios y para _____ de aquella tierra a una tierra _____ y
   _____, una tierra que fluye _____ y _____."
   c. "Pero ahora vé, pues yo te _____ al faraón para que
   _____ de Egipto a mi _____, a los hijos de _____."

3. Exodo 3:1-13. Coloque una "V" si es verdadero y una "F" si es falso.
   a. ____ Moisés fue enviado al faraón para libertar al pueblo de Israel por orden de Dios.
   b. ____ Moisés sabía para qué había sido escogido y cuál era su misión.
   c. ____ El pueblo de Israel fue esclavizado por ser considerado una amenaza para los egipcios.
   d. ____ Moisés respondió al llamado de Dios sin hacer ninguna objeción.

Lea su Biblia y piense

1 Los israelitas esclavos en Egipto, Exodo 1:8-11a.
V. 8. Parece que José llegó a Egipto en la época de los hiksos, quienes fueron condescendientes y favorecieron a los hebreos. Sin embargo, cuando llega al poder un nuevo rey, para quien José es un desconocido y quien ignora por completo la labor de José en Egipto; en lugar de acogerle, olvida la deuda de gratitud y le rechaza, propiciando una situación de opresión y sufrimiento para él y su pueblo.
V. 9. El crecimiento de la población hebrea sorprendió a los egipcios tanto, que ya no se consideraba una familia sino un pueblo. El pueblo hebreo fue considerado como una amenaza, a tal grado, que el rey y sus súbditos estaban convencidos de que era más fuerte y numeroso que ellos. A pesar de ser una idea falsa, fue la base sobre la cual se aprobó la esclavitud de los israelitas.
V. 10. El faraón actúa inteligentemente, con astucia y cautela tratando de

evitar la sublevación israelita y la pérdida de la mano de obra para sus proyectos.

V. 11a. La primera precaución fue hacerlos esclavos y cargarlos con duras tareas, colocando capataces que les hicieron cumplir con las labores impuestas. Durante esta época nació Moisés. A pesar de esta situación Dios usó la casa real para proteger al futuro libertador de Israel: Moisés.

2 Moisés en la corte del faraón, Exodo 2:10-12.

V. 10. Moisés sólo tenía tres meses cuando su madre se separó de él por primera vez. En esta segunda ocasión no podemos precisar qué edad tenía al regresar al palacio, pero lo que sí es seguro es que la educación que recibió quedó grabada en su mente de tal forma que jamás olvidó su origen hebreo. En el palacio del faraón Moisés recibió las instrucciones y enseñanzas que se daban a los príncipes egipcios, que de acuerdo con los historiadores, era muy amplia y profunda.

Vv. 11, 12. La posición de Moisés en el palacio no le hizo olvidar que era hebreo. Al llegar a la edad adulta opta por apoyar a los suyos en lugar de colocarse en favor de los opresores. Se conmovió e indignó al ver la situación de opresión en que se encontraban sus hermanos. Fue tanta su indignación, que optó por hacer justicia con sus propias manos, cuando vio a un egipcio maltratando a un hebreo. Aunque su actuación no es justificable, se puede afirmar que desde este instante Moisés empieza a perfilarse como un individuo apto para llevar a cabo la liberación de su pueblo.

3 Moisés es enviado para liberar a Israel, Exodo 3:2-6a, 9, 10.

V. 2. Encontramos aquí la aparición del ángel de Jehovah a Moisés. Cabe destacar la importancia de la figura del ángel en el Antiguo Testamento, el cual era un representante o enviado de Dios que tenía una misión específica que cumplir.

Vv. 3, 4. Tal acontecimiento asombró a Moisés, de tal manera que decidió acercarse a ver por qué la zarza ardía y no se consumía. Dios le vio y le llamó por su nombre: *Moisés, Moisés.* El hombre respondió con prontitud: *Heme aquí,* demostrando su obediencia y disponibilidad a la voz divina. Moisés no podía imaginar cuál sería la misión para la cual había sido llamado, y al ser consciente de su magnitud trata de evadirla.

V. 5. *Quita las sandalias de tus pies, porque el lugar donde tú estás tierra santa es.* Esta era una costumbre que Moisés conocía muy bien, porque se utilizaba para entrar a un santuario, templo, o casa particular, indicando así respeto y sumisión. El lugar donde estaba Moisés fue santificado por la presencia de Dios. Podemos notar que en el Antiguo Testamento Dios no está limitado a un lugar, por el contrario, apoya la idea de Jehovah como Dios universal y soberano de todos los reinos.

V. 6a. El Dios conocido. Dios se presenta a Moisés como el Dios de sus padres: El Dios de Abraham, Isaac y Jacob. Con esta afirmación le recuerda la promesa que le hizo a sus antepasados.

V. 9. Dios le dice a Moisés que él es consciente del sufrimiento de su pueblo y que ha escuchado su clamor. También le hace ver que él ha visto la opresión con la cual los egipcios tratan a Israel.

V. 10. Este versículo es culminante en toda la experiencia de la visión de la zarza que ardía. Después de la manifestación divina Moisés es enviado por Dios para liberar a su pueblo de la esclavitud egipcia. *Yo te envío,* fue el mandato claro y conciso de Dios a Moisés.

Aplicaciones del estudio

1. El ser cristiano no elimina la posibilidad del sufrimiento. Algunas personas al compartir el evangelio ofrecen una vida "de rosas" y olvidan decir que éstas también tienen espinas. El creyente debe ser consciente de que hay dificultades y problemas que se presentarán en su vida, pero que con la ayuda de Dios saldrá victorioso.

2. El que tiene un encuentro con Dios, queda marcado para toda su vida. Encontrarse con Dios es una experiencia que jamás se puede olvidar, además, de una manera natural, es compartida con otros por medio de cierto estilo de vida. La experiencia de la salvación es un acontecimiento trascendental en la vida del creyente, de tal manera, que éste debe anunciarlo y compartirlo a los que viven a su derredor.

3. La disposición para obedecer al Señor es muy importante para llevar a cabo el ministerio que él nos ha dado. Moisés es un ejemplo para nosotros porque respondió con prontitud al Señor: "Heme aquí." Sin embargo, debemos tener en cuenta que no es sólo decir: "Aquí estoy", además de esto, debemos cumplir obedientemente con la misión que nos sea encomendada. Hacer la tarea va a exigir mucha responsabilidad, honestidad y dedicación de nuestra parte.

Prueba

1. Mencione dos factores que influyeron para que Dios interviniera en la situación del pueblo de Israel.

(1) _____

(2) _____

2. Escriba brevemente tres experiencias de su vida que le sirven como evidencias de la fidelidad de Dios hacia usted.

_____

_____

_____

Lecturas bíblicas para el siguiente estudio

Lunes: Exodo 3:11-22   **Jueves:** Exodo 5:1-21
Martes: Exodo 4:1-17   **Viernes:** Exodo 6:1-27
Miércoles: Exodo 4:18-31   **Sábado:** Exodo 6:28 a 7:13

Unidad 1

Moisés responde al llamado de Dios

Contexto: Exodo 3:11 a 7:13
Texto básico: Exodo 3:11, 12; 5:1, 2, 22 a 6:4; 7:4, 5
Versículos clave: Exodo 7:4, 5
Verdad central: El llamamiento y confirmaciones de Dios a Moisés nos enseñan que el pueblo de Dios debe ser obediente a su llamado y depender de la fuerza del Señor.
Metas de enseñanza-aprendizaje: Que el alumno demuestre su conocimiento de cómo Dios ayudó a Moisés a superar sus dudas en cuanto a las posibilidades de la tarea a la cual le estaba llamando, y de cómo Dios nos ayuda a superar nuestras propias dudas acerca de la obediencia a Dios y la necesidad de depender de su poder.

--------- *Estudio panorámico del contexto* ---------

Las objeciones de Moisés y la promesa de Dios, Exodo 3:11-22. Moisés considera que no es apto para llevar a cabo la tarea que Dios le ha dado y lo expresa en los versículos 11 y 13. Sin embargo, Dios le trata con amor y le asegura estar con él. Le da tres señales: (1) los hebreos adorarán al Señor en el Monte Horeb al ser libres; (2) Dios herirá a los egipcios con plagas y (3) hará que ellos les entreguen sus objetos de plata y oro y vestidos.

Dios demuestra su poder, Exodo 4:1-17. Moisés sigue pensando en que no puede cumplir con la tarea y presenta tres argumentos: (1) considera que no le creerán que es enviado de Dios; (2) que es tardo de boca y de lengua; (3) que es mejor que envíe a otra persona. A pesar de esto, Dios le muestra su poder, le ratifica su compañía y le permite ser acompañado por Aarón.

Moisés en camino a Egipto, Exodo 4:18-31. Moisés consulta a su suegro para regresar a Egipto. En el viaje, él y su esposa comprenden la importancia de obedecer a Dios y ante el peligro de muerte de Moisés, Séfora circuncida a su hijo Gersón. Moisés y Aarón se encuentran en Horeb; van juntos a Egipto y reúnen a los ancianos de Israel. Aarón relata lo que Dios dijo a Moisés y el pueblo cree y adora a Dios.

Moisés y Aarón ante el faraón, Exodo 5:1-21. El faraón se resiste a dejar salir a los hebreos e intensifica la opresión. Moisés y Aarón son culpados por la situación aún más difícil a la que han sido sometidos.

Jehovah anuncia su actuación directa, Exodo 6:1-27. Dios asegura que sólo por su mano podrá ser librado Israel de la opresión y ratifica su promesa de llevarlo a cabo, pero el pueblo, por estar desanimado no creyó a Moisés.

Dios recalca la misión de Moisés, Exodo 6:28 a 7:13. Moisés siguió considerándose incapaz de comunicarse con el faraón. Dios le recuerda a

Moisés la compañía de Aarón y le advierte que el faraón va a endurecer su corazón y no escuchará su mensaje, pero que él actuará en favor de la liberación de su pueblo.

Estudio del texto básico

Lea su Biblia y responda

1. Exodo 3:11-13. Responda las siguientes preguntas:
   a. ¿Cuáles fueron las objeciones que Moisés presenta a Dios?

   _____

   _____

   b. ¿Cuál es la promesa de Dios a Moisés? _____

   _____

   c. ¿Cuál fue la señal que Dios le dio a Moisés según el v. 12?

   _____

   _____

2. Exodo 5:1, 2. Coloque "V" si es verdadero y "F" si es falso.
   _____ Moisés y Aarón fueron ante el faraón para pedirle que dejara salir al pueblo hebreo.
   _____ El faraón dejó que los hebreos celebraran la fiesta a Jehovah en el desierto.
   _____ Faraón afirmó no conocer a Jehovah y dijo que no dejaría ir a los israelitas .

3. Exodo 5:22 a 6:4. Relate en breves palabras la situación del pueblo hebreo después que Moisés le dijo al faraón que les dejara en libertad.

   _____

4. Exodo 4:10; 5:1, 2; 7:4, 5. Relacione los nombres con las frases.
   _____ a. Faraón   a. Sacaré a mi pueblo.
   _____ b. Moisés   b. Yo no conozco a Jehovah.
   _____ c. Jehovah   c. Soy hombre falto de elocuencia.

Lea su Biblia y piense

1 Las objeciones de Moisés y la promesa de Dios, Exodo 3:11, 12.

V. 11. Primera objeción. Moisés, al ser consciente de la magnitud de la tarea a realizar trata de evadirla. *¿Quién soy yo...?* Moisés cree que no es la persona indicada para realizar tal misión y piensa que puede convencer a Dios de que ha elegido a la persona equivocada pues él es simplemente un pastor de ovejas. La segunda objeción podría expresarse así: "¿Y si me preguntan que quién me envió?" Una tercera objeción la encontramos en 4:1: "¿Y si ellos no me creen?"

V. 12. A las dudas de Moisés Dios le responde afirmándole su compañía: *estaré contigo*. Estas palabras son la promesa que Dios le da a sus siervos cuando les delega una misión, les garantiza su apoyo y protección de tal manera que todo saldrá bien. Dios afirma a Moisés con una promesa que le servirá de evidencia: una vez libre Israel tanto el pueblo como Moisés van a adorar a Dios y a servirle en este monte.

2 Moisés y Aarón ante el faraón, Exodo 5:1, 2.

V. 1. Luego de haber reunido a los ancianos, Moisés y Aarón fueron ante el faraón y le dieron el mensaje enviado por Dios. Jehovah, el Dios de Israel, dice así: *Deja ir a mi pueblo para que me celebre una fiesta en el desierto.* Se puede notar en la expresión "el Dios de Israel", la vinculación de Dios con su pueblo, algo diferente de la de Génesis 33:20 donde se identifica como el Dios de Jacob. La fiesta a celebrar será sin duda un acto de adoración a Dios por sus grandes obras de salvación. Posiblemente fue la fiesta de la cual se nos cuenta en Exodo 23:13-17.

V. 2. La respuesta del faraón. *Yo no conozco a Jehovah*, es una manera de decir que no había tenido una experiencia personal con él. Al no conocerle, no podía imaginar cuán poderoso era, y se atrevió a desafiarle no dejando ir a los israelitas. Estos eran la mano de obra del faraón, dejarles ir implicaba no llevar a cabo sus proyectos de construcción. A la solicitud de Moisés y su hermano, el faraón respondió negativamente y aumentó el trabajo de los hebreos. El faraón endureció su corazón como lo había advertido Dios, pero su resistencia cedería al conocer la actuación de Dios.

3 Jehovah anuncia su actuación directa, Exodo 5:22 a 6:4.

Vv. 22, 23. Moisés ora a Dios. Al ver que la situación se agrava para el pueblo y que él es acusado de ser el causante de la decisión del faraón, Moisés clama a Dios buscando una respuesta adecuada a lo que está sucediendo, pues en su mente limitada no podía alcanzar a comprender que todo estaba bajo el control divino y que aunque todo parece marchar mal, Dios es quien tiene la última palabra.

6:1-4. La respuesta de Dios. Dios responde las incógnitas de Moisés, afirmándole que todo va a salir bien. Moisés tiene la respuesta de un Dios que no sólo promete sino que actúa. Y Dios le afirma que tratará con mano dura al faraón para que deje salir a su pueblo. Dios le recuerda a Moisés que él es el Dios de sus padres, y la promesa que les hizo a ellos de darles la tierra de Canaán. También le dice que a pesar de la oposición del faraón él llevará a cabo sus planes de libertar a Israel hasta llevarlo a la tierra prometida.

4 Dios cumplirá su propósito a pesar de la oposición del faraón, Exodo 7:4, 5.

V. 4. El faraón no escuchará. Dios tenía conocimiento de la actitud que el faraón tomaría, pero también sabía que éste se doblegaría al experimentar su poder y su soberanía a través de los castigos severos que le enviaría.

V. 5. *Así sabrán los egipcios que yo soy Jehovah.* Si el faraón se atrevió a decir que no conocía a Jehovah, ahora tendrá que arrepentirse de sus palabras, porque no sólo él le conocerá sino todo el pueblo; además, sabrán que él es el único Dios verdadero a quien nadie puede resistir. Finalmente, el faraón no tiene otra alternativa que dejar ir a Israel.

Aplicaciones del estudio

1. Cuando Dios nos envía a realizar una tarea, él va con nosotros. Uno de los principios de trabajo que Dios sigue como una constante, es que cuando él llama a alguien para hacer algo él lo capacita, le da las instrucciones concretas y además se compromete a acompañarlo. Con toda confianza podemos aceptar las tareas que Dios nos asigna, pues llevamos todas las de triunfar.

2. Nuestras debilidades no son excusas para desobedecer al Señor. Dios mejor que nadie conoce y sabe cuáles son nuestras limitaciones, y si en su grande misericordia y amor desea usar nuestras vidas, entonces, nuestro deber es obedecer y permitirle bendecir a otros a través de los dones y de las capacidades que él nos ha dado.

Prueba

1. Diga los tres elementos de apoyo que Dios le dio a Moisés para superar sus dudas en cuanto a su capacidad para cumplir con la misión de liberar al pueblo de Israel.

1. _____

2. _____

3. _____

2. Piense por un instante y responda brevemente:
1. ¿Ha sido llamado a hacer una tarea específica para la obra del Señor? ¿Cuál es esa tarea? _____

_____

2. ¿Cuáles son dos de sus objeciones para hacer esa tarea para el Señor?

_____

3. ¿Qué señal especial de parte de Dios quiere tener para obedecerle? Escriba:

_____

_____

_____

Lecturas bíblicas para el siguiente estudio

Lunes: Exodo 7:14-24   **Jueves**: Exodo 9:1-35
Martes: Exodo 7:25 a 8:15   **Viernes:** Exodo 10-1:29
Miércoles: Exodo 8:16-32   **Sábado:** Exodo 11:1-10

Unidad 1

Dios envía las diez plagas

Contexto: Exodo 7:14 a 11:10
Texto básico: Exodo 8:16-19; 9:27-30, 34 a 10:2; 11:1
Versículo clave: Exodo 10:9
Verdad central: Dios envió las plagas sobre Egipto para demostrar cómo él, algunas veces, usa su poder para dar a conocer su soberanía.
Metas de enseñanza-aprendizaje: Que el alumno demuestre su conocimiento de cómo las diez plagas demuestran la soberanía y el poder de Dios sobre la creación en general y sobre el hombre en particular, y su actitud hacia las maneras cómo Dios nos da a conocer su poder y soberanía en nuestras vidas.

Estudio panorámico del contexto

Este estudio nos familiariza con los actos de Dios en relación con el faraón de Egipto ante su resistencia de obedecer la voluntad de Dios de libertar a su pueblo. Estos actos reflejan el poder de Dios a través de las señales y de los castigos que envió a los egipcios por medio de las plagas. En medio de todos estos eventos Dios fue misericordioso con el faraón y con los egipcios, porque les dio la oportunidad de aceptar sus órdenes enviándoles castigos poco severos, los cuales fue aumentando poco a poco.

Primera plaga: el agua convertida en sangre, Exodo 7:14-24. Muchos estudiantes de la Biblia y de los fenómenos naturales dicen que en esta plaga se ve una conjugación de un evento natural intensificado por la acción divina. Nos dicen que hay ciertas sustancias en la región montañosa de Africa que son recogidas por el río Nilo y hacen que sus aguas se tornen rojas. Sin embargo, en esa ocasión el fenómeno se dio de una forma poco usual, porque las aguas se volvieron insalubres produciendo la muerte de los peces, lo que a su vez, hizo que aquéllas apestaran.

Segunda plaga: las ranas, Exodo 7:25 a 8:15. Este anfibio era sagrado para los egipcios y le rendían culto. La diosa Hequet a quien le atribuían poder creador tenía cabeza de rana. De tal manera que lo que era objeto de culto para los egipcios fue convertido en algo repugnante. Con este acto, Dios pisoteó su fe, pero aún así, los magos hicieron lo mismo. El corazón del faraón se endureció aún más.

Tercera plaga: los piojos, Exodo 8:16-19. Esta plaga no pudo ser imitada por los magos y tuvieron que reconocer que era evidente la actuación de Dios en este suceso.

Cuarta plaga: las moscas, Exodo 8:20-32. En esta ocasión aparece una excepción: en Gosén no fueron afectados por esta plaga. El faraón quiso negociar con Moisés permitiendo que los israelitas hicieran sus sacrificios a

Jehovah dentro del país, pero Moisés no aceptó. Entonces el faraón promete a Moisés libertar al pueblo si Moisés intercede por él, pero al desaparecer el problema, se endurece de nuevo.

Quinta plaga: la peste, Exodo 9:1-7. Sólo el ganado de los egipcios fue afectado y aunque el faraón averiguó que era cierto, parece que no le dio mayor importancia a pesar de que causó una gran mortandad en el ganado.

Sexta plaga: las úlceras, Exodo 9:8-12. Tanto animales como personas fueron afectados por esta plaga, aunque no se sabe con exactitud qué tipo de úlceras fueron. Esta plaga afectó aun a los magos egipcios quienes no podían estar ante la presencia de Moisés. Aun así, el faraón continuó resistiéndose a obedecer la voluntad de Dios.

Séptima plaga: el granizo, Exodo 9:13-35. Esta plaga destruyó los cultivos, los árboles y mató personas y a los animales que estaban en el campo. Algunos egipcios creyeron y obedecieron a la palabra de Dios.

Octava plaga: la langosta, Exodo 10:1-20. Al anuncio de esta plaga los servidores del faraón trataron de hacerlo razonar, pero éste no quiso. Esta plaga es temida por su capacidad de destrucción. El faraón ofrece dejar ir a los hombres a adorar a Dios, indicio de que la resistencia del faraón se estaba debilitando.

Novena plaga: las tinieblas, Exodo 10:21-29. Después de 3 días de absolutas tinieblas, el faraón accede a que los hebreos vayan a adorar a Dios pero dejando su ganado en Egipto.

Anuncio de la décima plaga, Exodo 11:1-10. La muerte de los primogénitos es anunciada. Este último castigo hará que el faraón apresure a los israelitas a salir de Egipto, porque toca profundamente a su casa y a todo el pueblo.

————————————— *Estudio del texto básico* —————————————

Lea su Biblia y responda

1. Exodo 8:16-19. En pocas palabras:
   a. ¿De dónde salió la plaga de los piojos?
   _____

   b. ¿Por qué los magos reconocieron la mano de Dios en este suceso?
   _____

2. Exodo 9:17-30. ¿Cuál declaración es correcta en cada conjunto?
   a. Yo no he pecado; Jehovah es injusto; mi pueblo y yo somos inocentes.
   b. Yo he pecado. Jehovah es el justo; mi pueblo y yo somos los culpables.

3. De acuerdo con Exodo 10:1, 2 hay dos propósitos esenciales por los cuales Dios endureció el corazón del faraón. ¿Cuáles son?
   a _____
   b. _____

4. Según Exodo 11:1, el faraón dejaría salir al pueblo después de una última plaga. ¿Cuál sería esa plaga? _____

1 La plaga de los piojos, Exodo 8:16-19.

Las plagas fueron un medio que Dios usó para que el faraón aprendiera a obedecer. La acción de Dios se describe con cuatro expresiones: "actos justicieros" (Exo. 6:6), enviados como castigos por desobedecer a Dios. "Señales" (Exo. 7:3), medios de enseñanza. "Maravillas" o "prodigios" (Exo. 11:9-10), muestras del poder de Dios. Por último, las "plagas" (Exo. 11:1), utilizadas para debilitar la resistencia del faraón.

V. 16. *Extiende tu vara.* La vara fue uno de los símbolos de su presencia que Dios le dio a Moisés cuando éste argumentó que el pueblo no le creería. Este instrumento, al parecer sin importancia, se tornó prodigioso. Dios, por este medio, demostró a los egipcios su poder y dominio sobre ellos y sus dioses. Con toda claridad les dijo que él es el único Dios verdadero. Bastó golpear la tierra con la vara para que la plaga de los piojos llegara sobre los egipcios sin previo aviso.

V. 17. Moisés y Aarón obedecían la orden que Dios les daba y al golpear la tierra con la vara de Moisés se produce una asombrosa cantidad de piojos que afecta no sólo a los humanos sino también a los animales.

V. 18. *Los magos también intentaron hacer piojos con sus encantamientos, pero no pudieron.*

V. 19. *¡Esto es el dedo de Dios!* Al fracasar en su intento de hacer piojos, tienen que admitir que el poder de Dios está por encima de sus habilidades. Así reconocen que Dios es más poderoso que los dioses de ellos. El faraón a pesar de ver la actitud de los magos continúa con su insensatez y obliga a Dios a usar su mano fuerte contra él.

2 La plaga del granizo, Exodo 9:27-30, 34, 35.

La misericordia de Dios hacia los egipcios se puede notar en que, al principio, les envió plagas poco severas dándoles la oportunidad de acatar sus órdenes; sin embargo, la dureza del faraón hizo que Dios fuese aumentando su severidad.

V. 27. El faraón, impresionado por la plaga de granizo que causó la muerte de algunas personas, reconoce que su actitud es equivocada, y que Dios es el único justo; sin embargo, su arrepentimiento no dura mucho tiempo y vuelve a endurecer su corazón.

V. 28. El faraón al darse cuenta de que Dios es más poderoso que él y sus dioses pide a Moisés que interceda por él y por su pueblo, haciendo una promesa que después no cumplió.

V. 29. Moisés sabe que tiene un recurso que no posee el faraón: la comunicación directa con Dios. Extenderé mis manos, muestra una actitud de oración, pero además de seguridad en la respuesta de parte de Dios.

V. 30. Moisés advierte que el faraón y los egipcios no cumplirán su promesa.

Vv. 34, 35. Tal como lo había pensado Moisés, una vez libres el faraón y su pueblo continuaron en su desobediencia.

3 Dios trabaja por medio del corazón endurecido del faraón, Exodo 10:1, 2.

V. 1. *Yo he endurecido su corazón.* Los escritores del Antiguo Testamento atribuían todas las cosas a Dios. Sin embargo, al resaltar la soberanía de Dios, no omitieron la responsabilidad del hombre al pecar. Dios trabajó a través de la dureza del corazón del faraón. Tenía un propósito didáctico: primero, deseaba enseñar a través de las señales que Jehovah, el Dios de los israelitas, es el verdadero Dios.

V. 2. En segundo lugar, Dios quería enseñar a las generaciones futuras de Israel la forma cómo se manifestó al faraón y cómo liberó a su pueblo de la esclavitud. De este modo también su pueblo conocería que él es Jehovah.

4 Anuncio de la décima plaga, Exodo 11:1.

V. 1. La resistencia del faraón no daba para más: primero estuvo dispuesto a dejar que los hebreos hicieran sus sacrificios dentro de Egipto (Exo. 8:25). Luego aceptó dejarlos ir a adorar al desierto, pero cerca de Egipto (Exo. 8:28). Después reconoció su pecado y prometió dejar salir al pueblo, pero no cumplió su palabra (Exo. 9:27, 28, 35). Más tarde, ofrece dejar ir a los hombres únicamente (Exo. 10:11). En 11:24 accede a dejarlos ir a todos, con la excepción de su ganado. La décima plaga sería el final de la lucha entre el faraón y Dios.

—————————————— Aplicaciones del estudio ——————————————

1. Dios provee la salvación para todos, pero cada uno debe aceptarla voluntariamente. El Señor no obliga a nadie pero cada uno recibe el justo pago a su decisión.

2. El arrepentimiento genuino produce cambio. Muchos se acercan a Dios por el temor de ir al infierno y no porque se arrepientan de haber pecado contra Dios.

—————————————— Prueba ——————————————

1. ¿Cuáles fueron las plagas que más impresionaron al faraón?

_____

2. ¿Cuál fue la enseñanza que Dios le dio a los israelitas a través de las muestras de su poder contra el faraón?

_____

3. ¿Cómo responde usted hoy al poder y la soberanía de Dios?

_____

Lecturas bíblicas para el siguiente estudio

Lunes: Exodo 12:1-13   **Jueves:** Exodo 12:25-32
Martes: Exodo 12:14-20   **Viernes:** Exodo 12:33-51
Miércoles: Exodo 12:21-24   **Sábado:** Exodo 13:1-16

Unidad 2

Desde Egipto hasta el Sinaí

Contexto: Exodo 12:1 a 13:16
Texto básico: Exodo 12:21-24, 29-32, 35, 36, 50, 51
Versículos clave: Exodo 12:50, 51
Verdad central: Los eventos que rodearon la primera Pascua llaman la atención al hecho de que el pueblo de Dios debe adorarlo por sus actos de salvación.
Metas de enseñanza-aprendizaje: Que el alumno demuestre su conocimiento de los eventos que rodearon la primera Pascua, y su actitud de alabar a Dios por las maneras en las cuales ha guardado y salvado su vida.

──────────── *Estudio panorámico del contexto* ────────────

En el relato contenido en Exodo 12 podemos notar la relación entre la salida del pueblo de Israel de Egipto y la muerte de los primogénitos. Además, encontramos las instrucciones para la celebración de la Pascua: debían escoger un cordero sin mancha, de un año. Tenía que elegirse el día 10 y el 14 sería santificado. Esta era una celebración familiar; sin embargo, permitía la unión de dos familias que fuesen pequeñas. En esta fiesta debían participar todos los israelitas, los esclavos adquiridos por dinero y extranjeros que habían sido circuncidados. Esta celebración se realizó en el mes de Abib es decir, en marzo-abril (según nuestro calendario).

Dentro de la fiesta de la Pascua se da la institución de otra fiesta: la de los panes sin levadura. Esta fiesta se inicia un día después de la Pascua y se prolonga por siete días, durante los cuales no se puede ingerir comida leudada, el hacerlo significaba ser expulsado de la congregación.

Después de sacrificar al cordero debían rociar su sangre en los dinteles de las puertas, la cual serviría de protección a los primogénitos israelitas (Exo. 12:21, 24). Instrucción que los hebreos cumplieron fielmente, de tal manera que el destructor no causó ningún daño a sus primogénitos, suerte que no corrieron los egipcios porque todos sus primogénitos murieron aquella noche. No hubo excepción, ni los primogénitos de sus animales se salvaron. Después de esto, el faraón permitió a los israelitas salir de Egipto. Y no sólo eso, pues Dios hizo que les entregaran los objetos de oro, plata y vestidos (Exo. 3:21, 22).

La conmemoración de la Pascua. Se debía consagrar a todos los primogénitos, tanto de los hombres como de los animales (Exo. 13:1, 16). La fiesta de la Pascua celebra la libertad de los israelitas de la esclavitud y marca el nacimiento de la vida de Israel como nación.

Lea su Biblia y responda

1. Exodo 12:5, 6, 17 y 44. Conteste las siguientes preguntas.

   a. ¿Cuáles eran las características del cordero pascual?

   _____

   b. ¿Quiénes podían participar en la fiesta de la Pascua?

   _____
   _____

   c. ¿Qué conmemoran los hebreos en la fiesta de la Pascua?

   _____

2. Exodo 12:3-8. Lea las instrucciones que Jehovah dio a los israelitas acerca del sacrificio del cordero y numérelas según el orden cronológico (1 a 5).

   _____ comerán la carne asada al fuego.

   _____ el cordero será sin defecto, macho de un año.

   _____ lo guardaréis hasta el día 14 cuando habrá de ser degollado por el pueblo.

   _____ cada uno tome para sí un cordero en cada casa paterna.

   _____ pondrán parte de la sangre en los dinteles de las puertas y en los postes.

3. Exodo 12:12-14. Complete la frase.

   a. "La misma noche yo pasaré por la tierra de Egipto _____ de muerte a todo _____ en la tierra de Egipto."

   b. "La _____ servirá de _____ en las casas donde estéis."

   c. "Habréis de _____ este día. Lo habréis de _____ como _____ a Jehovah a través de vuestras _____."

4. Exodo 12:29-51. Coloque "V" si es verdadero y "F" si es falso.

   _____ Entre los egipcios cada familia tuvo un muerto.

   _____ Los israelitas fueron expulsados de Egipto.

   _____ Los egipcios no tenían temor de morir.

   _____ Todos los extranjeros no podían participar de la Pascua.

Lea su Biblia y piense

1 La sangre en los dinteles y los postes de las puertas, Exodo 12:21-24.

V. 21. Moisés convocó a los ancianos de Israel para revelarles el plan libertador de Dios y para darles las instrucciones acerca de la Pascua. "Anciano" no indicaba necesariamente la edad. El anciano tenía autoridad debido a que era la cabeza de la familia o de una tribu. Moisés les da la orden de tomar y sacrificar al cordero pascual. Este debía ser macho, de un año y sin defecto. Por ser una fiesta familiar, se les ordena tomar al cordero para la familia. Esta fiesta celebraba la liberación de los hebreos, por eso, deben realizarla cada año.

V. 22. El *hisopo* es una planta usada para purificar a los leprosos, las casas y a las personas que tocaban un muerto (Lev. 14:6, 7, 49). La noche en que los egipcios fueron castigados con la muerte de los primogénitos, los israelitas empaparon el hisopo en la sangre del cordero pascual y la untaron en los dinteles de las puertas y en los postes. Ninguno podía salir de la casa hasta el siguiente día. Esta orden de Moisés era también una medida de seguridad, porque el salir podía traer la muerte o el no estar a tiempo para recibir la orden de partida.

V. 23. *Jehovah pasará.* Al parecer, nos encontramos ante una afirmación contradictoria porque dice que es Jehovah quien pasará matando a los egipcios, y después que no dejará que el destructor toque a ninguno de los primogénitos hebreos. Esto nos muestra sencillamente que Dios es el soberano y es él quien determina el castigo, pero puede ejecutarlo por mano propia o enviar a uno de sus mensajeros.

V. 24. *Guardaréis estas palabras.* La orden es para celebrar la Pascua perpetuamente. Es decir, que deberán guardar la Pascua desde aquel día de su liberación hasta que el pueblo israelita desaparezca totalmente. Esta celebración fue la preparación para la salida de los hebreos de tierra egipcia, la cual se realizaría después de la décima plaga que vendría sobre los egipcios.

2 La décima plaga: muerte de los primogénitos, Exodo 12:29-32.

V. 29. La décima plaga tocó a todos los primogénitos egipcios. No hubo excepciones, tanto ricos como pobres experimentaron el dolor. Tocó tanto a los humanos como a los animales, nadie escapó aquella noche del castigo. Se puede ver el contraste: mientras los israelitas están celebrando, los egipcios están sufriendo la más terrible desgracia. Todas las familias estaban enlutadas por la muerte de sus primogénitos. Es bueno recordar que en años pasados el faraón había hecho sufrir a los hebreos cuando ordenó matar a todos los varones que nacían.

V. 30. La tragedia fue terrible: aquella noche se levantaron el faraón, todos sus servidores y todos los egipcios. El dolor fue general. No podían consolarse entre sí pues todos habían sido tocados por la muerte. La expresión había un *gran clamor* indica que el dolor era intenso, pero además, la fuerza con la cual gemían por su dolor.

Vv. 31, 32a. Por fin los israelitas podían salir de Egipto. El faraón tuvo que experimentar la fuerza de la mano de Dios para comprender que contra Dios no se puede luchar. Y al experimentarlo fue tal su temor, que apresuró a Moisés a sacar a los hebreos de su territorio: *Levantaos y salid... Id y servid a Jehovah...* El tono imperativo del faraón es más un ruego que una orden.

V. 32b. *Y bendecidme a mí también.* El faraón implora una bendición para él. El faraón arrogante, ahora es humilde y sumiso. Después de haber afirmado no volver a llamar a Moisés, no sólo le llama sino que le pide que interceda por él. Luego, él y su pueblo les piden a los hebreos que se marchen de su tierra.

3 Los israelitas salen de Egipto, Exodo 12:35, 36.

V. 35. Los israelitas pidieron a los egipcios objetos de plata, oro y vestidos, según Moisés les había instruido que hicieran. Esto era justo, porque los egipcios habían despojado a los hebreos de sus derechos por mucho tiempo, de modo que Dios hizo justicia de esta manera. Este fue el cumplimiento de la promesa que Dios hizo a Moisés (Exo. 3:21, 22).

V. 36. *Jehovah dio gracia al pueblo ante los ojos de los egipcios.* Es decir, Dios hizo que los hebreos se ganaran el favor de los egipcios, para que éstos les dieran con agrado y generosamente lo que los hebreos solicitaran. La frase: así despojaron a los egipcios, nos guía a aprender que Dios tuvo en cuenta hasta el más mínimo detalle para cubrir las necesidades de su pueblo.

4 Dios saca a su pueblo de Egipto, Exodo 12:50, 51.

V. 50. Los hebreos siguieron todas las instrucciones recibidas a través de Moisés y Aarón. Se enfatiza la obediencia de los hebreos en la frase: *así lo hicieron.*

V. 51. *Aquel mismo día, Jehovah sacó de la tierra de Egipto a los hijos de Israel.* Dios es el héroe del éxodo y Moisés fue sólo un instrumento en las manos de Dios para llevar a cabo la liberación de su pueblo.

Aplicaciones del estudio

1. El cristiano debe ofrecer lo mejor al Señor. Cuando Dios pidió a los hebreos sacrificar al cordero pascual, les pidió un cordero sin mancha, ni defecto (Exo. 12:5). Hoy lo único que podemos ofrecerle es nuestra vida, debemos hacerlo de la mejor manera posible, entregando lo mejor de nuestro tiempo, dinero y talentos a su servicio, presentando también nuestra vida lo más pura y limpia posible delante de él.

2. Es importante enseñar a nuestros hijos la Palabra de Dios. Es importante compartir con nuestros hijos lo maravillosa que ha sido nuestra experiencia con Jesucristo.

Prueba

1. ¿Cuáles fueron las razones por las que los israelitas no podían salir de sus casas la noche que celebraron la Pascua?_____

2. Mencione tres maneras en las cuales usted puede alabar al Señor por su cuidado y protección durante la semana pasada. _____

Lecturas bíblicas para el siguiente estudio

Lunes: Exodo 13:17-22	**Jueves:** Exodo 14:10-18
Martes: Exodo 14:1-4	**Viernes:** Exodo 14:19-31
Miércoles: Exodo 14:5-9	**Sábado:** Exodo 15:1-21

Unidad 2

Dios liberta a Israel

Contexto: Exodo 13:17 a 15:21
Texto básico: Exodo 14:10-14, 21-24, 27, 31
Versículo clave: Exodo 14:14
Verdad central: La manera milagrosa como Dios guió los eventos
para la liberación de Israel declara el poder que él tiene para proteger
y guiar a su pueblo.
Metas de enseñanza-aprendizaje: Que el alumno demuestre su
conocimiento de cómo Dios liberó a Israel de la esclavitud en Egipto,
y su actitud hacia una o dos ocasiones cuando Dios le ha librado a él
en una crisis de la vida.

──────── *Estudio panorámico del contexto* ────────

Dios guía a Israel de día y de noche, Exodo 13:17-22. Para llegar a
Canaán había dos caminos: Uno era la ruta de los filisteos, que era el camino
más corto; el otro más largo y difícil. Dios eligió el más largo,
aparentemente, por las siguientes razones: primero, para evitar el
enfrentamiento con los filisteos. Segundo, para que el pueblo aprendiera a
enfrentar las dificultades antes de entrar a la tierra prometida. A través del
peregrinaje, Dios les acompañó por medio de una columna de nube en el día
y por la noche con una columna de fuego, de esta forma estuvo presente en
medio de su pueblo y desde allí habló a Moisés (Exo. 16:10, 11).
Los israelitas acampan junto al mar, Exodo 14:1-4. La ruta que Dios
escogió les llevaría al mar Rojo y allí Dios demostraría su poder a los
hebreos destruyendo al ejército egipcio.
Los egipcios persiguen a los israelitas, Exodo 14:5-9. Después del
impacto por la pérdida de los primogénitos, los egipcios se dieron cuenta de
que la salida de los hebreos representaba una pérdida económica
considerable para el país. El faraón no estaba dispuesto a permitirlo, así que
arrepintiéndose de su decisión, sale a perseguir a los israelitas sin
imaginarse que se las vería por última vez con el Dios de Israel.
Moisés desafía al pueblo a superar su temor. Exodo 14:10-18. Al ver la
cercanía de los egipcios los israelitas tuvieron miedo y empezaron a
reprochar a Moisés por haberlos sacado de Egipto y llevado a morir en el
desierto. Sin embargo, Moisés instó al pueblo a mantener la fe en Dios.
Moisés trató de hacer ver al pueblo que por muy poderoso que fuera el
ejército del faraón, jamás podría igualarse a la omnipotencia de Dios.
Los israelitas cruzan el mar Rojo, Exodo 14:19-31. Una vez más se
muestra el poder de Dios. Cuando los israelitas creían que no había

salvación para ellos, Dios interviene separando las aguas y abriendo camino en medio del mar. Este acto maravilloso jamás sería olvidado por los hebreos, al contrario, en los momentos difíciles sería evocado en las peticiones de intervención de Dios a favor del pueblo.

Cántico a Jehovah por la liberación, Exodo 15:1-21. He aquí uno de los salmos de alabanza más hermosos y antiguos. Moisés elogió a Jehovah y le dio gracias por haberlos salvado. Además, María, su hermana, danzó y alabó a Dios junto con las otras mujeres, rindiéndole honor como lo hacían a los guerreros cuando regresaban victoriosos.

────────────── *Estudio del texto básico* ──────────────

Lea su Biblia y responda

1. Exodo 14:10-14. Brevemente escriba:
   a. ¿Qué vieron los israelitas que les hizo sentir muchísimo temor?
   _____

   b. ¿Cuáles fueron las tres preguntas que hicieron los hebreos para reprochar a Moisés por haberles sacado de Egipto?
   (1) _____
   (2) _____
   (3) _____

   c. Moisés le responde al pueblo de una manera poco usual en los líderes. ¿Qué le dijo Moisés al pueblo? _____
   _____

2. Exodo 14:21-24. Complete las siguientes frases.
   a. "Entonces Moisés extendió su _____ sobre el mar, y Jehovah hizo que éste se retirase con un_____ del oriente que sopló _____ aquella _____ e hizo que el mar se _____, quedando las aguas divididas."
   b. "Y los _____ entraron en medio del mar en _____, teniendo las _____ como _____ a su _____y a su _____."
   c. "Jehovah miró hacia el ejército de los egipcios, desde la columna de _____ y de _____, y _____ la confusión en el ejército de los egipcios."

3. Exodo 14:27-31. Diga cómo Dios salvó a los hebreos de la persecución del ejército egipcio. _____
   _____

Lea su Biblia y piense

1 Moisés desafía al pueblo a superar su temor, Exodo 14:10-14.

V. 10. Al ver los israelitas que los egipcios venían tras ellos, sintieron gran temor, se desesperaron y clamaron a Jehovah, pensando que todo estaba perdido.

V. 11. El pueblo protestó contra Moisés pues lo consideraron como el culpable de haberlos expuesto al peligro de muerte que enfrentaban. Ahora emergen dos preocupaciones: (1) no tendrán un sepulcro digno para sus cuerpos; (2) ¿sabía Moisés lo que estaba haciendo?

V. 12. *¡Mejor nos habría sido servir a los egipcios que morir en el desierto!* Los israelitas se habían conformado con su situación de esclavos y ahora que se les ofrecía la oportunidad de ser libres esperaban que fuese por medios fáciles y sin dificultades ni esfuerzos propios. Al ver el peligro, añoran la esclavitud en lugar de pensar en alguna forma de pelear por su libertad o con valor declarar: "¡Antes muertos que esclavos!"

V. 13. La actitud de Moisés es totalmente contraria a la del pueblo, mientras éstos se quejan y tienen miedo, Moisés tiene plena confianza en lo que Dios está haciendo. La orden *¡No temáis! Estad firmes*, parece ilógica, pero su fe estaba puesta en el Señor que les había sacado de Egipto después de haber mostrado su poder al faraón. Moisés estaba consciente de que su pueblo no estaba preparado para la guerra con el ejército egipcio; sus hombres no tenían mucha experiencia militar ni tenían las armas, pero con una atrevida confianza en Dios afirma: *Veréis la liberación que Jehovah hará a vuestro favor.* Como resultado de la acción poderosa de Dios Moisés afirma que "a los egipcios que ahora veis, nunca más los volveréis a ver."

V. 14. *Jehovah combatirá por vosotros.* Moisés está llamando la atención al pueblo porque sabe que Dios es quien llevará a cabo la liberación. Estas palabras alentaron al pueblo de tal manera que pudo marchar con Moisés hacia adelante y caminar a través del mar.

2 Los israelitas cruzan el mar Rojo, Exodo 14:21-24, 27, 31.

V. 21. Es fascinante el estilo con el que se narra el acontecimiento del paso del pueblo del Señor en medio del mar. Resalta la maravillosa acción divina en este impresionante milagro y mezcla tres acciones en una sola: la divina, Jehovah hizo que el mar se retirara con un fuerte viento; la humana, Moisés extendió su mano sobre el mar; y la de la naturaleza: el viento sopló toda aquella noche.

V. 22. En el momento menos esperado, cuando el pueblo creía que todo estaba perdido, cuando se imaginaba derrotado, Dios, con su poder les dio la victoria, les permitió pasar a través de un camino que él les abrió en el mar. En nuestros momentos más difíciles, penosos, críticos y obscuros intentemos recordar que Dios siempre puede abrir un camino, dar una salida, ofrecer la solución. El tiene el poder para manipular aun las fuerzas y leyes de la naturaleza a fin de proteger a sus hijos.

Vv. 23, 24. Los egipcios, en su afán por tomar cautivos a los esclavos fugitivos, los persiguieron, y entraron en el mar tras ellos. Allí comenzaron sus problemas: los soldados se confundieron, las ruedas de los carros se trabaron, el pánico los inundó al punto que se dieron cuenta de que lo mejor era huir. Alguien comenzó a gritar: "Jehovah combate por ellos."

V. 27. Moisés extendió su mano sobre el mar, después de haber pasado él y el pueblo. Las aguas volvieron a su cauce normal y al hacerlo provocó la muerte del ejército egipcio. Así finalizó la lucha entre el faraón y Dios.

V. 31. Cuando Israel vio la gran hazaña que Jehovah había realizado creyó que Dios era capaz de guiarles a la tierra prometida. Este milagro fue motivo para que los israelitas temieran a Jehovah porque se convencieron de su poder ilimitado, lo que les hizo asumir una actitud de reverencia ante él. Es importante reconocer que los israelitas creyeron después de ver la hazaña de Dios. La actuación de Dios no fue producida por la fe de los hebreos; la fe surgió como resultado de ver las proezas del Señor. Además, creyeron en Moisés al ver el cumplimiento de lo que él les había dicho.

Aplicaciones del estudio

1. Dios puede cambiar las situaciones difíciles en victorias. Cuando todo parecía ir mal, y se consideraba que todo estaba perdido, aun el pueblo estaba contra su dirigente, la fe de Moisés lo sostuvo. El estaba seguro de que Dios, quien le había asignado esta tarea tan singular de libertar a su pueblo, actuaría a su favor (Exo. 14:13, 14). Hoy podemos tener la misma seguridad y confianza. El hecho de que Dios nos asigne las tareas no evita que surjan los problemas, la incomprensión de nuestros hermanos, y que como Moisés, tengamos que correr a Dios para pedir su socorro. Mantengamos nuestra fe en Dios, él nos dará la victoria.

2. El creyente debe ser optimista. Al ver el pesimismo de los israelitas Moisés los desafió a confiar en Dios (Exo. 14:13, 14). El creyente en el Señor debe ser una persona que mire hacia el futuro con confianza y optimismo sabiendo que tiene un Dios que guía y cuida amorosamente su vida.

Prueba

1. Escriba una breve descripción de lo que hizo cada uno de los participantes en el evento del paso por el mar Rojo.

a. El Señor, _____

b. Moisés, _____

c. La naturaleza, _____

2. Si usted está pasando por un momento difícil en su vida, o debe tomar una decisión importante, o se siente "entre la espada y la pared". Escriba brevemente la situación.

_____

¿Cómo le ha ayudado este estudio? _____

_____

Lecturas bíblicas para el siguiente estudio

Lunes: Exodo 15:22-27   **Jueves:** Exodo 16:13-30
Martes: Exodo 16:1-5   **Viernes:** Exodo 16:31-36
Miércoles: Exodo 16:6-12   **Sábado:** Exodo 17:1-7

Dios provee en el desierto

Contexto: Exodo 15:22 a 17:7
Texto básico: Exodo 16:12-18; 17:3-6
Versículo clave: Exodo 15:26
Verdad central: La manera cómo Dios proveyó comida y agua para Israel en el desierto muestra que él siempre provee para las necesidades de su pueblo.
Metas de enseñanza-aprendizaje: Que el alumno demuestre su conocimiento de las maneras cómo Dios proveyó para las necesidades de su pueblo, mientras viajaban por el desierto, y su actitud hacia las maneras cómo Dios provee para sus necesidades personales.

Estudio panorámico del contexto

Las aguas de Mara son hechas dulces, Exodo 15:22-26. Después de haber cruzado el mar Rojo, Moisés y el pueblo se dirigieron a Sinaí a través del desierto. Caminaron durante tres días sin agua, lo cual hizo más difícil el viaje. Después de este tiempo encontraron un oasis, pero sus aguas eran amargas. Llamaron al lugar: Mara, cuyo significado es amargura. El pueblo comenzó a murmurar contra Moisés debido a esta situación. Ya se les había olvidado que contaban con el Dios omnipotente que les había dado la victoria sobre los egipcios. La experiencia en el desierto sería el método que Dios usaría para enseñar a su pueblo a confiar en él en cualquier circunstancia, pero el proceso de aprendizaje tomó mucho tiempo. Moisés intercede por el pueblo ante Dios, quien manifiesta su misericordia proveyendo un árbol que al ser arrojado al agua, ésta se volvió dulce.

Jehovah envía codornices y maná, Exodo 15:27 a 16:36. Después del agua, les faltó el alimento. Sus provisiones se iban agotando y comienzan a recordar cuando comían juntos la comida que tenían en Egipto. Se puede notar la deformación mental y emocional a la cual se habían acostumbrado como esclavos: no les importaba ser esclavos con tal de tener comida, vestido y un poco de descanso, aunque para recibirlo tuviesen que trabajar duro y renunciar a la libertad. Aun así, Dios tiene amor y misericordia con ellos y les envía provisiones para satisfacer sus necesidades.

Dios provee agua de la peña de Horeb, Exodo 17:1-7. Después de esto, partieron al desierto de Refidim, donde no había agua. Las quejas no demoraron. Otra vez el pueblo se enoja contra Moisés, reprochándole por haberlos sacado de Egipto y traerlos a un lugar donde morirían de sed. El aprendizaje es muy lento. Otra vez se han olvidado de las hazañas de Dios en el mar Rojo, en el Mara y del maná. Sin embargo, Dios vuelve a proveer agua para los israelitas. Esta vez, después de ser golpeada una roca por la vara de Moisés.

Lea su Biblia y responda

1. Exodo 15:22 a 16:5. Subraye la respuesta correcta.
   a. Los israelitas caminaron durante tres días por:
      Mara   el desierto   Egipto
   b. No podían beber las aguas de Mara porque eran:
      saladas   dulces   amargas
   c. Los israelitas se quejaron en el desierto por falta de:
      árboles y flores zapatos adecuados agua y alimento
   d. Cuando el pueblo encontraba una dificultad:
      confiaba en Dios   adoraba a Dios   murmuraba

2. Exodo 15:27 a 16:14. ¿Cuáles fueron las provisiones que Dios le dio a Israel para satisfacer sus necesidades?
   a._____b._____c. _____

3. ¿Cuál era la actitud del pueblo frente a las dificultades que se presentaban mientras viajaban hacia la tierra prometida?
   _____
   _____

Lea su Biblia y piense

1 Dios provee codornices y maná, Exodo 16:12-18.

V. 12. Dios escuchó las peticiones de su pueblo cuando estaba en la opresión, ahora también escucha las murmuraciones y los reproches. Su pueblo, a pesar de haber visto sus proezas, no ha aprendido a confiar plenamente en él, pues, se había adaptado a la esclavitud al grado de que sólo sabía quejarse y esperar a que se le diera lo que necesitaba sin hacer ningún esfuerzo. No habían aprendido a depender de Dios. Dios responde a la oración humilde tanto como a la oración de protesta. En este caso, su respuesta fue que les iba a demostrar que él es un Dios bueno y generoso y que les proporcionaría pan todas las mañanas y carne para la tarde.

V. 13. *Al atardecer, vinieron las codornices.* Dios les cumplió la promesa: satisfizo la necesidad de carne por medio de aquellas aves. El relato nos guía a observar que las codornices no aparecieron, sino que *vinieron* de alguna parte. Algunos conocedores de estas regiones dicen que estas aves emigran en ciertas épocas del año y por las distancias que deben recorrer sobre el mar, al llegar a tierra firme están cansadas y es fácil tomarlas con la mano. Si tal fuera el caso, nos damos cuenta de que una vez más el Señor hace una conjugación de los elementos de la naturaleza para que de esa manera tan oportuna, su pueblo pudiera cubrir su necesidad de tener carne en su alimentación.

V. 14. *Una sustancia menuda, escamosa y fina como la escarcha.* Este era el aspecto del maná cuando el rocío se evaporaba. En el versículo 31, encontramos más detalles, dice que el maná era semejante a la semilla de cilantro, de color blanco; y su sabor, como de galletas con miel.

V. 15. *¿Qué es esto?* Fue la pregunta que se hicieron unos a otros, pues no sabían qué era. Maná, es el nombre que se le dio al alimento que Dios le dio a su pueblo para que saciara el hambre.

V. 16. El maná era recogido cada día antes de la salida del sol, porque se derretía con el calor. Sólo el sexto día podían recoger doble porción, porque el séptimo día era de reposo. De esta manera, Dios estaba enseñando a su pueblo a depender de él. Siglos después, Jesús haría lo mismo con sus discípulos, enseñándoles: "Vosotros, pues, oraréis así... el pan nuestro de cada día, dánoslo hoy" (Mat. 6:9a-11). La cantidad de maná que cada persona necesitaba por día, era de un gomer, esta medida equivalía a 2,2 litros aproximadamente.

Vv. 17, 18. El pueblo obedeció la instrucción dada por Dios, recogiendo sólo lo que necesitaban para cada familia. Dios proveyó para el sostenimiento de todos sin ninguna distinción. Así, Dios alimentó a su pueblo en el desierto, proveyéndole pan y carne.

2 Dios provee agua de la peña, Exodo 17:3-6.

Los israelitas salieron del desierto de Sin a Refidim. Allí volvieron a enojarse, porque no tenían agua. Esta situación les desesperó tanto que Moisés imaginó que le apedrearían.

V. 3. *¿Por qué nos trajiste de Egipto para matarnos de sed...?* La paciencia de Moisés es digna de admirar pues fue mucho lo que tuvo que soportar del pueblo. Por esta cualidad es descrito como "el hombre más manso que había sobre la tierra" (Núm. 12:3). Dios, por su parte, muestra su misericordia, pues no les trata como se merecen, aun sabiendo que son ingratos, que añoran la esclavitud en Egipto y que acusan a Moisés de llevarlos a morir de sed en el desierto.

V. 4. Moisés clama a Jehovah en busca de una solución a la necesidad, pero también para contarle su frustración por la manera cómo el pueblo enfrenta el problema y la inminente posibilidad de que lo apedreen.

V. 5. Dios le ordena a Moisés que lleve con él a algunos de los ancianos del pueblo y su vara. El propósito era tener a ciertos testigos del evento maravilloso que Dios se proponía hacer.

V. 6. *Yo estaré delante de ti.* Una vez más Dios reitera a Moisés su compañía, recordándole la promesa hecha en Exodo 3:12, donde le dice que su presencia jamás se apartará de él.

Dios le pide que vaya al monte Horeb, llamado también monte de Jehovah y conocido como el monte Sinaí. En este lugar, contempló Moisés la visión de la zarza, recibió el llamado de Dios, además, allí, recibiría las tablas de la Ley, a este mismo lugar, se dirigiría Elías, el profeta, después de una crisis inmensa (1 Rey. 19), para renovar su experiencia con Dios.

Moisés hizo lo que Dios le había ordenado, golpeó la roca y Dios hizo que de ella brotara el agua. Moisés, cuando escribió este relato tuvo el cuidado de dejar claro que los milagros no eran obra de él sino del Señor. Cuando Moisés golpeó la roca, Dios hizo que brotara el agua de ella. Fue tanta la satisfacción que sintió el pueblo al beber y calmar su sed, que en Deuteronomio 32:13b, ésta, es comparada con la miel y con el aceite.

Moisés no dudó en cumplir la orden divina. El sabía que Dios podía hacer brotar un manantial de una roca, pues él había visto muchos de sus prodigios. Al instante de ser tocada la roca, salió el agua. Los ancianos presenciaron el milagro. De nuevo, Dios había provisto para la necesidad de su pueblo, mostrando una vez más su infinito amor.

Aplicaciones del estudio

1. La ingratitud es una de las actitudes más frecuentes en el hombre. Los israelitas, ante las dificultades, descargaron su ira contra Moisés, quien era sólo un instrumento que Dios estaba utilizando para guiarles. Por el otro lado, no encontramos datos que muestren que el pueblo haya sido agradecido con Moisés. De la misma manera, hoy, la gente no es agradecida con las personas que el Señor usa para bendecirla. Como cristianos, debemos ser agradecidos con el Señor y con todos aquellos que de una u otra forma son bendición para nuestra vida.

2. La tentación de volver a la vida anterior es constante, Exodo 16:3; 17:3. Fue una constante lucha de Moisés con el pueblo, porque siempre consideraron que su situación en la esclavitud, era mejor que afrontar las dificultades que se les presentaban durante su viaje hacia la tierra prometida. A veces sucede lo mismo al creyente, quien es tentado a volver a la vida antigua, cuando encuentra dificultades en su nuevo cometido como cristiano, pero, es importante recordar que tenemos un Dios omnipotente que nos guiará siempre hacia una vida mejor.

Prueba

1. Describa cómo proveyó Dios para las necesidades de los israelitas durante el viaje hacia la tierra prometida.

_____

2. Diga cómo puede el cristiano demostrar su dependencia de Dios en los momentos de dificultad en la vida diaria.

_____

_____

Lecturas bíblicas para el siguiente estudio

Lunes: Exodo 17:8-16   **Jueves:** Exodo 18:13-16
Martes: Exodo 18:1-6   **Viernes:** Exodo 18:17-23
Miércoles: Exodo 18:7-12   **Sábado:** Exodo 18:24-27

Unidad 2

Dios respalda el ministerio de Moisés

Contexto: Exodo 17:8 a 18:27
Texto básico: Exodo 17:9-13; 18:14-18, 21-23
Versículo clave: Exodo 18:23
Verdad central: El respaldo que Dios dio al ministerio de Moisés ilustra que el ministerio más eficiente y que él bendice se basa en el concepto de un ministerio compartido.
Metas de enseñanza-aprendizaje: Que el alumno demuestre su conocimiento de la manera por la cual el ministerio de Moisés llegó a ser más efectivo, y su actitud hacia la oportunidad que tiene de apoyar y participar en el liderazgo de su iglesia.

-------- *Estudio panorámico del contexto* --------

El escritor no da cuenta de incidentes anteriores entre amalecitas (descendientes de Esaú) e israelitas. En esta ocasión el pueblo no se queja sino que se dispone a batallar contra ellos. Josué irrumpe en el escenario como líder militar cuya función era escoger a los hombres de guerra.

Jetro visita a Moisés en Refidim, Exodo 18:1-6. Al conocer Jetro acerca de la liberación de Israel, fue a visitar a Moisés llevando con él a sus dos hijos. No se sabe cuándo Moisés dejó a su suegro a cargo de su familia. Pudo haber sido mientras luchaba contra la soberbia del faraón en su afán por libertar a su pueblo.

Moisés cuenta a Jetro acerca de la liberación, Exodo 18:7-12. Apreciamos aquí el encuentro de dos personajes orientales. Con modales característicos de la época, Moisés se inclina y besa a su suegro en señal de reverencia. Aunque aparentemente ignora a su esposa e hijos, la verdad es que, la costumbre no le permitía besarla públicamente. Jetro se complace con el relato de Moisés sobre la victoriosa batalla desde Egipto hasta Canaán, llegando, incluso, a afirmar su fe y su alabanza al Dios verdadero.

Jetro asesora acerca de la elección de los jueces, Exodo 18:13-23. Deseoso de cumplir cabalmente su liderazgo, Moisés lleva a cabo toda la administración de los asuntos civiles y religiosos del pueblo. Jetro, se percata de su falta de sabiduría al actuar así y le exhorta a hacer mejor uso de los recursos humanos.

Moisés sigue el consejo de su suegro, Exodo 18:24-27. Moisés escucha y atiende humildemente el consejo de Jetro. Así, dividiendo al pueblo en grupos va asignando jueces según el caso.

-------- *Estudio del texto básico* --------

Lea su Biblia y responda

1. Exodo 17:9-13. Seleccione los acontecimientos importantes de este pasaje.

a. _____

b. _____

c. _____

2. Exodo 18:14-18, 21-23. Encuentre cinco pasos que nos ayudan a mejorar la administración de nuestro tiempo y trabajo. La clave está en los versículos 16, 18, 19b, 20-22.

    a. _____

    b. _____

    c. _____

    d. _____

    e. _____

3. Exodo 18:14-23. Encuentre cinco aspectos importantes. para aconsejar en forma adecuada a una persona, tomando como base la táctica usada por Jetro:

    a. _____

    b. _____

    c. _____

    d. _____

    e. _____

Lea su Biblia y piense

1 Victoria de Israel sobre Amalec, Exodo 17:9-13.

V. 9. Moisés conocía muy bien a sus colaboradores y al ser atacados por los amalecitas, encargó a Josué de la defensa del pueblo. El nombre de Josué significa "Jehovah salva" y equivale en el Nuevo Testamento a "Jesús". Era hijo de Nun y colaborador de Moisés (Exo. 33:11). Moisés le cambió su nombre que era Oseas por Josué (Núm. 13:16). Su aporte fue de gran importancia en el proceso de liberación y conquista. Entre otras de sus grandes contribuciones podemos recordar que él integró la comisión que reconoció la tierra prometida; juntamente con Caleb alentó al pueblo para poseer la tierra de Canaán (Núm. 13 y 14). Al morir Moisés, Josué asumió el liderazgo del pueblo y lo llevó la conquista de Canaán.

Ante el ataque sorpresivo de los amalecitas, Josué debe seleccionar a los hombres con los cuales formará el ejército para combatir contra los de Amalec. Génesis 36:15, 16 muestra que éstos eran descendientes de Elifaz, hijo de Esaú, es decir, parientes de los israelitas. A pesar de esto, trataron de estorbar el paso de Israel hacia Canaán, aprovechando su posición en la ruta que va de Arabia a Egipto al sur de Judá. Aliados con los cananeos un año después derrotaron a los israelitas en Cades-Barnea (Núm. 14:15). En tiempos de los jueces fueron derrotados por Gedeón después de causar muchos problemas (Jue. 7:9-25). Aún persistieron durante los reinados de Saúl y David, pero fueron exterminados durante el reinado de Ezequías (1 Crón. 4:41-43).

V. 10. Moisés, Aarón y Hur fueron juntos a la montaña aquella mañana. Se conoce poco de Hur, pero según Exodo 24:14, ocupaba responsabilidades de dirección entre el pueblo durante la peregrinación. Hur era hijo de Caleb, del linaje de Judá. Su nieto Bezaleel fue escogido por Dios para la construcción del tabernáculo (Exo. 31:2-11). Una tradición judía sostiene que Hur era esposo de María, hermana de Moisés; y según otra, era su hijo. Moisés y Hur subieron a la colina mientras que Josué y su ejército combatían a los amalecitas.

V. 11. *Moisés alzaba su mano.* Las manos en alto han sido asociadas con la oración, aunque el texto no sugiere que Moisés estaba orando. Su gesto parecía más bien, la convicción de la victoria que Dios le concedería. Otro símbolo profético de este mismo estilo es el caso de Abraham (Gén. 15:9-16).

V. 12. La Biblia también revela las flaquezas de los grandes hombres. El líder se cansó de tener sus manos en alto y necesitó del apoyo de Aarón y Hur. Ellos toman una piedra, le sientan sobre ella y le sostienen los brazos dándoles firmeza hasta la puesta del sol.

V. 13. Israel, al mando de Josué venció a los amalecitas. En gratitud a Dios, Moisés edificó un altar. El pueblo permaneció un tiempo en Refidim, a donde Jetro fue para visitar a Moisés al enterarse de la victoria.

2 El problema de Moisés y el consejo de Jetro, Exodo 18:14-18, 21, 22.

V. 14. *¿Qué es esto que haces con el pueblo?* Al mirar el trabajo de Moisés, Jetro le observa mucho interés, mucha dedicación, pero poca eficiencia. Moisés atendía los problemas durante todo el día; pronto se cansaría y la gente se sentiría defraudada y desatendida, lo que aumentaría los problemas.

V. 15. *El pueblo viene a mí para consultar a Dios.* Esto muestra que la gente le consideraba como líder espiritual para guiarles en nombre de Dios. Moisés mismo aceptó este papel de mediador.

V. 16. *Yo juzgo entre uno y otro.* Como aún carecían de leyes, Moisés ayudaba a resolver los conflictos interpersonales; y para instruirles sobre asuntos morales, les daba a conocer las instrucciones que paso a paso recibía de Dios.

V. 17. *No está bien lo que haces.* Jetro emite su evaluación, alude a la manera cómo Moisés hace las cosas. Observa que el resultado será negativo para todos.

V. 18. Moisés sufriría cansancio físico y agotamiento emocional al grado que pronto no podría continuar con el trabajo. Sus intenciones eran buenas, su dedicación era admirable, su resistencia parecía ilimitada, pero un esfuerzo así no podría durar mucho.

V. 21. Jetro menciona a Moisés un antiguo y siempre válido principio de la administración: delegar responsabilidades. A renglón seguido le dice algunos de los criterios que debe seguir para hacer la elección de sus colaboradores: 1. capaces, es decir, que sean aptos para la tarea que van a hacer. 2. Temerosos de Dios, es decir, que dependan del Señor para la toma de sus decisiones. 3. Integros, que desprecien las ganancias deshonestas. Aquellos hombres no debían dejarse sobornar porque el soborno "ciega los ojos de los sabios, y pervierte las palabras de los justos" (Deut. 16:19b). El Antiguo Testamento nos relata de varias ocasiones cuando tanto los jueces como los líderes de Israel por no ser íntegros causaron mucho mal al pueblo. En tiempos de Amós hacían perder su causa a los pobres (Amós 5:12), vendiéndose a los ricos. Cuánto bien haría a nuestras naciones y a nuestras iglesias seleccionar a sus líderes con los mismos criterios que Jetro sugirió a Moisés.

Jetro pasa a un segundo principio de administración: la organización. Con sencillez recomienda a Moisés que a los hombres seleccionados los ponga como jefes de grupos de diez, de cincuenta, de cien y de mil. Así habría una cadena de mando bien definida y específica.

V. 22. Jetro pasa a un tercer principio de administración. La descripción de tareas o responsabilidades. Cada jefe de grupo debía cumplir con ciertas fases del trabajo y elevar a su supervisor inmediato los asuntos más difíciles. De esa manera, los asuntos verdaderamente difíciles y trascendentales serían sometidos a la consideración de Moisés. El consejo de Jetro fue muy sabio. Moisés inteligentemente oyó y puso en práctica el procedimiento con excelentes resultados.

Aplicaciones del estudio

1. Para seguir al Señor, es necesario estar dispuestos a enfrentar dificultades, Exodo 17:8-13. La tarea de la conquista de Canaán no sería fácil. Tendrían que luchar contra los pueblos que ya estaban habitando la tierra. De igual manera, los creyentes deben saber que la vida cristiana no es fácil, que vendrán dificultades y problemas, pero Dios está atento y dará la solución en el momento indicado.

2. En la obra del Señor, es necesario aprender a confiar en las capacidades de los hermanos y delegarles responsabilidades, Exodo 18:14-26. Las tareas de la iglesia no pueden ser realizadas por un solo individuo. Es necesario que el líder permita a otros que le ayuden.

Prueba

1. En esta lección hemos visto dos pasajes muy importantes, que destacan dos eventos sobresalientes, ¿cuáles son?

   a._____

   b._____

2. Hay, además, dos enseñanzas centrales en esta lección relacionadas con la consejería y la administración.

¿Cómo puedes hacer que sean útiles a tu vida y ministerio?

_____

_____

Lecturas bíblicas para el siguiente estudio

Lunes: Exodo 19:1-9   **Jueves:** Exodo 20:3-11

Martes: Exodo 19:10-25   **Viernes:** Exodo 20:12-17

Miércoles: Exodo 20:1, 2   **Sábado:** Exodo 20:18-21

Unidad 3

Dios presenta las bases del pacto

Contexto: Exodo 19:1 a 20:21
Texto básico: Exodo 19:4-6, 8; 20:3-8, 11-17
Versículos clave: Exodo 19:5, 6
Verdad central: Los Diez Mandamientos proveen las bases para relacionarnos con Dios y con nuestros semejantes.
Metas de enseñanza-aprendizaje: Que el alumno demuestre su conocimiento de las relaciones para con Dios y para con el hombre que se establecen en los Diez Mandamientos, y su actitud hacia las relaciones dadas en los Diez Mandamientos que, en su caso personal, necesitan ser mejoradas.

Estudio panorámico del contexto

Dios pone sus condiciones y el pueblo responde, Exodo 19:1-9. Los israelitas llegaron a las laderas del Sinaí, tres meses después de haber salido de Egipto. Allí sería entregada la Ley a Moisés. Dios toma la iniciativa para establecer su pacto con el pueblo israelita. Pero antes, Dios marca algunas pautas al pueblo, las cuales son aceptadas por éste. Dios haría de Israel un pueblo especial si éste escuchaba su voz y guardaba su pacto.

El pueblo se prepara para encontrarse con Dios, Exodo 19:10-25. Dios instruyó a Moisés para que preparara al pueblo para el encuentro con él. La santificación del pueblo era importante. Debían lavar sus vestidos, abstenerse de relaciones sexuales y no pasar los límites que serían colocados por Moisés alrededor del monte. Con estas instrucciones Dios enseña al pueblo que debe acercarse con una actitud reverente a él.

Dios establece su posición como libertador, Exodo 20:1, 2. La entrega de la Ley fue un evento trascendental para los hebreos. Jehovah es el dador de la Ley, de esta manera afirma su autoridad sobre el pueblo. Este acto de la entrega de la Ley enfatiza la gracia divina, mostrando que la iniciativa para establecer las relaciones con Israel viene de Dios. Pero además, Dios se muestra como el libertador: te saqué de la tierra de Egipto, de la casa de esclavitud. El pueblo es propiedad de Jehovah, por eso debe ser leal y obediente.

Mandamientos para relacionarse con Dios, Exodo 20:3-11. La primera parte del decálogo da instrucciones sobre la forma de relacionarse con Dios, quien reclama el primer lugar en la vida de cada hebreo, por lo tanto, no debían inclinarse ante ninguna imagen, ni tener otro dios. Además, debían guardar el séptimo día para adorarlo.

Mandamientos para relacionarse con otras personas, Exodo 20:3-11. La segunda sección contiene las normas de relaciones interpersonales: los derechos y deberes que cada uno tiene para con los demás y para sí mismo.

El pueblo teme ante la voz de Dios, Exodo 20:18-21. Los fenómenos naturales que acompañaban la presencia de Dios produjeron temor en el pueblo, quien pidió a Moisés que se comunicara él con ellos, en lugar de Dios.

─────────── *Estudio del texto básico* ───────────

Lea su Biblia y responda

1. Exodo 19:4-8. Brevemente:

a. ¿Cuál fue la condición que Dios puso a los hebreos para hacer de ellos un pueblo especial? _____

_____

b. ¿Qué bendiciones recibiría el pueblo de Israel?

_____

_____

c. ¿De qué manera respondió el pueblo a las condiciones de Dios?

2. Exodo 20:3-8, 11. Escriba el versículo donde aparece cada uno de los mandamientos dados.

a. *No tendrás dioses ajenos delante de mí.* _____

b. *No te harás imagen, ni ninguna semejanza...* _____

c. *No te inclinarás ante ellas, ni les ...* _____

d. *No tomarás en vano el nombre de Jehovah tu Dios* _____

e. *Acuérdate del día del sábado...* _____

f. *... Jehovah bendijo el día del sábado y lo santificó* _____

3. Exodo 20:12-17. Diga cuáles son los mandamientos que nos ayudan en la relación con otras personas.

a._____

b._____

c._____

d._____

e._____

f._____

Lea su Biblia y piense

1 Dios pone sus condiciones y el pueblo responde, Exodo 19:4-6, 8.

V. 4. Los hebreos no podían dudar del poder de Dios, porque habían sido testigos de sus hazañas, y fueron libertados por su mano. El escritor usa una figura literaria que resalta la rapidez y el propósito con el cual Dios liberó a Israel: *Os he levantado a vosotros sobre alas de águilas y os he traído a mí.*

V. 5. Aquí se da el cumplimiento de la señal que Dios había dado a Moisés como evidencia de que él deseaba librar a Israel de la esclavitud. El pueblo adoró en el monte santo. *Un pueblo especial*, indica que Dios en su soberanía reservó a Israel como un tesoro especial. El significado de pueblo especial va más allá de ser una simple expresión, significa que el pueblo sería estimado y apreciado por Dios más que los otros pueblos. Pero, había una demanda: guardar el pacto hecho con Dios.

V. 6. *Un reino de sacerdotes y una nación santa.* El privilegio de Israel era ser un sacerdote para las demás naciones, intercediendo por ellas e instruyéndoles en la Palabra de Dios. Otra de las bendiciones de Israel, es que sería una nación santa. Es decir, consagrada y apartada para Dios, para ser bendición para otros.

V. 8. *¡Haremos todo lo que Jehovah ha dicho!* Esta fue la respuesta más natural y elocuente que surgió de los labios del pueblo ante las propuestas que Dios les hacía. No había nada que perder y mucho que ganar. Después de esto, Dios les entregó a través de Moisés los mandamientos o condiciones del pacto. Estos principios están contenidos en dos grupos: el primer grupo dicta cómo deben relacionarse con Dios; el segundo, acerca de las relaciones con el prójimo.

2 Los mandamientos para relacionarse con Dios, Exodo 20:3-8, 11.

V. 3. El decálogo tiene como preámbulo el versículo 2. Cada mandamiento adquiere sentido ante la declaración: "Yo soy Jehovah tu Dios que te saqué de Egipto, de la casa de esclavitud." Indica, con esta expresión, que no espera obediencia basada en el miedo, sino en la gratitud.

El primer mandamiento: *No tendrás otros dioses.* Dios sabía que Israel se relacionaría con naciones paganas y que había estado en contacto con los dioses de los egipcios. Por eso, le demanda que tenga comunión con él y le rinda culto sólo a él.

Vv. 4-6. *No te harás imagen.* Dios no puede ser representado por el hombre con una imagen, concepto o ideología. Hay dos razones fundamentales para exigir que el hombre no haga imágenes de Dios: (1) Dios hizo al hombre a su imagen (Gén. 1:26, 27). (2) El Nuevo Testamento afirma que Jesús es la imagen de Dios. El hacerse una imagen no es sólo en el sentido material, sino también en el de elaborar un concepto filosófico de Dios.

V. 7. *No tomarás en vano el nombre de Jehovah tu Dios.* Este mandamiento enfatiza el hecho de no hacer uso del nombre de Dios, en falsos juramentos o cometiendo injusticias en su nombre.

Vv. 8, 11. *Acuérdate del día del sábado.* El motivo que se da para descansar el sábado es que Dios descansó el séptimo día. Encontramos dos aspectos en este mandamiento: Primero, el descanso, después de trabajar, es justo y necesario. Segundo, este día debe ser dedicado a la adoración a Dios. De esta manera se fortalece espiritualmente el adorador.

3 Los mandamientos para relacionarse con otras personas, Exodo 20:12-17.

V. 12. *Honra a tu padre y a tu madre.* Este mandamiento, generalmente, es usado para la enseñanza de la obediencia de los niños hacia los padres, pero originalmente está dirigido a adultos para exhortarlos a cuidar de sus padres. Este mandamiento tiene la promesa de que quienes lo obedezcan recibirán una vida más larga en años y de mayor satisfacción.

V. 13. *No cometerás homicidio.* Este mandamiento trata con el derecho y respeto a la vida.

V. 14. *No cometerás adulterio.* Este principio protege a la familia y conserva la unidad del matrimonio.

V. 15. *No robarás.* Es una medida de protección de la propiedad privada. Se puede aplicar al secuestro, porque éste roba la libertad de la persona (Exo. 21:16).

V. 16. *No darás falso testimonio contra tu prójimo.* Es un mandamiento para proteger la dignidad de la persona. Demanda honestidad y veracidad de parte de los testigos que se presentan ante una corte. Además, prohíbe todo aquello que empañe la imagen de una persona.

V. 17. *No codiciarás.* Este mandamiento igual que el octavo, protege la propiedad privada. Los deseos ilícitos de obtener lo que otros poseen pueden amargar la vida de la persona y eventualmente conducirla a pensar en la manera de conseguirlos aun utilizando procedimientos que Dios no aprueba. Lo mejor es apartar de la mente cualquier sentimiento de codicia y ocupar el lugar con ideales y metas personales que no giren alrededor de cosas o bienes materiales solamente.

Aplicaciones del estudio

1. Los Diez Mandamientos contienen las instrucciones para la vida. El objetivo de las leyes de Dios para el hombre, es enseñarle a vivir en libertad y a disfrutar la vida plenamente.

2. La base para las buenas relaciones interpersonales es una buena relación con Dios. Cuando nos relacionamos en forma correcta con Dios, podemos relacionarnos adecuadamente con el prójimo.

Prueba

1. Los mandamientos tienen dos grandes divisiones de acuerdo con dos tipos de relaciones. ¿Cuáles son?

(1) _____

(2) _____

2. Después de este estudio piense con cuál de los Diez Mandamientos es que usted tiene más dificultad para ponerlo en práctica. Escriba qué puede hacer para superar esa dificultad. _____

_____

Lecturas bíblicas para el siguiente estudio

Lunes: Exodo 20:22 a 21:11   **Jueves:** Exodo 23:1-9
Martes: Exodo 21:12 a 22:17   **Viernes:** Exodo 23:10-33
Miércoles: Exodo 22:18-31   **Sábado:** Exodo 24:1-18

Unidad 3

Instrucciones para la justicia social

Contexto: Exodo 20:22 a 24:18
Texto básico: Exodo 22:22-27; 23:6-9, 27-30; 24:3, 4
Versículos clave: Exodo 22:22, 23
Verdad central: Las instrucciones acerca de la justicia social que Dios dio a Israel nos exigen mantenernos fieles a él y cuidar del oprimido.
Metas de enseñanza-aprendizaje: Que el alumno demuestre su conocimiento de las leyes religiosas y morales que Dios dio a su pueblo, y su actitud hacia los principios de justicia y misericordia que Dios espera de él.

―――――――― *Estudio panorámico del contexto* ――――――――

Instrucciones acerca de los esclavos, Exodo 21:1-11. Se ha denominado al pasaje de Exodo 20:22 a 23:33 como "Libro del Pacto". El comportamiento de Israel frente a la esclavitud indica que su ética superaba a la de sus contemporáneos paganos. Israel aprende, por la ley divina, que los esclavos son personas creadas a semejanza de Dios y que sus amos deben respetar sus derechos.

Instrucciones acerca de las ofensas, compensaciones y penas, Exodo 21:12 a 22:17. Esta legislación ampara la vida, la dignidad de los padres, la propiedad y honra de las doncellas. El homicidio accidental permitía refugiarse en el altar y en las ciudades de refugio. La "ley del talión" fue dada para limitar y controlar la venganza.

Instrucciones sobre moral y religión, Exodo 22:18-31. Las leyes civiles y religiosas no están divididas en el Antiguo Testamento. El auténtico israelita ha de llevar una vida que se relaciona con Dios en todos los detalles del diario quehacer. De ahí las leyes acerca de la hechicería, bestialismo, justicia social, y respeto a los jueces. Las tres normas iniciales se dan como mandadas por Dios y no admiten otra interpretación. En los versículos 21 al 24 se prohíbe la explotación de los débiles y de los desamparados. Los versículos 25 al 27 advierten sobre el abuso contra los necesitados. Al prójimo menesteroso se le debe socorrer. El versículo 28 demanda respeto a la autoridad. Los versículos del 29 al 31 llaman a la santidad y la consagración de las primicias a Dios.

Instrucciones acerca de la bondad y la honestidad, Exodo 23:1-9. Esta sección contiene normas sobre el procedimiento judicial: prohibición del falso testimonio, no apoyar a la mayoría para entorpecer la justicia, la parcialidad en los juicios, el ser sobornado, y estimula a la misericordia para con los enemigos y extranjeros.

Instrucciones sobre la prosperidad, Exodo 23:10-33. Aquí se instruye acerca del descanso sabático para la tierra y para el hombre. Lo primero con un fin social y lo segundo, con el fin de renovar fuerzas. Los versículos 14-17 mencionan las fiestas agrícolas o de la peregrinación. Eran tres al año: 1) ázimos, o panes sin levadura; 2) siega de las primicias o Pentecostés, y 3) cosecha o recolección. Los versículos 18 y 19 instruyen sobre los sacrificios pero al final se advierte contra la práctica cananea de cocinar el cabrito en la leche de la madre. El culto a Jehovah no debe contener este elemento cultural pagano. Los versículos 20-33 contienen normas sobre la prosperidad, cuyo requisito es la fidelidad a Jehovah.

Confirmación del Pacto en el Sinaí, Exodo 24:1-18. Esta ceremonia ratifica el pacto de Dios con su pueblo. Consiste en: Levantar un monumento de conmemoración que se conoce como "estela", dar lectura al Libro del Pacto, y rociar la sangre sobre el altar y la gente.

─────────────── *Estudio del texto básico* ───────────────

Lea su Biblia y responda

1. Exodo 22:22-27. Complete las siguientes frases:
   a. "No _____ ninguna _____ ni _____." (v. ___)
   b. "Porque si llegas a _____ y él _____ a mí, ciertamente oiré su clamor, y mi _____ se encenderá, y os _____ a espada; y vuestras _____ quedarán _____, y vuestros hijos _____." (Vv. _____)

2. Seleccione la respuesta correcta. Las instrucciones dadas en Exodo 23:6-9 están relacionadas con:
   a. El matrimonio_____ b. La justicia_____ c. La higiene_____

3. Escriba un breve resumen de Exodo 23:27-30.
   _____
   _____

4. Reflexione sobre las instrucciones que Dios le dio al pueblo de Israel acerca de la justicia social. ¿Cuáles son pertinentes para el pueblo hoy? Luego compártalas con el resto de la clase. _____
   _____

Lea su Biblia y piense

1 Instrucciones sobre moral y religión, Exodo 22:22-27.

V. 22. La situación de las viudas, huérfanos y extranjeros generalmente es de desventaja social o económica. La protección es para evitar toda clase de maltratos y atropellos contra ellos. Esta norma fue acogida por el Nuevo Testamento (Stg. 1:27), y en ella se basa la ética cristiana.

V. 23. He aquí a Jehovah, el vengador de los indefensos. El verbo clamar utilizado aquí para *oiré su clamor*, pone más énfasis sobre la necesidad que sobre la intensidad del sonido de las palabras. Es un grito por alguien que está en crisis y solicita socorro con angustia. Dios acude a socorrer a los desvalidos que le claman. El verbo escuchar quiere dar a entender que no es simplemente oír una petición, sino actuar, tomar una decisión. Esto implica que cuando Dios escucha una petición, actúa respondiendo a la plegaria de sus hijos.

V. 24. Dios se enoja contra el opresor del débil. En el Antiguo Testamento lo civil y lo religioso se confunden. Agradar a Jehovah conlleva a respetar al prójimo. De acuerdo con el daño que se haga a la persona indefensa, Dios actuará contra el ofensor.

V. 25. *No te portarás con él como usurero, ni le impondrás intereses.* Se protege al pobre de la voracidad de los prestamistas. No se debía cobrar interés al "hermano" que prestaba dinero para sobrevivir.

V. 26. Como sucede hoy en muchos lugares del mundo, en Israel se prestaba dinero sobre la garantía de objetos o pertenencias (menos sobre herramientas de trabajo, Deut. 24:6). Cuando se trataba de un manto, que era la única cubierta del deudor obligaba a que se le devolviera la prenda al ponerse el sol.

V. 27. Esto es lo que ordena Jehovah, abogado del pobre. El Libro del Pacto enseña el comportamiento ante un juicio y ante los extranjeros, ya que la vida social y religiosa van unidas.

2 Instrucciones sobre la bondad y la honestidad, Exodo 23:6-9.

V. 6. El mandato exhorta a ser honesto en el juicio para que se haga justicia a la persona aunque sea un pobre y necesitado.

V. 7. El juez no ha de tolerar falso testimonio. Ni debe condenar a morir al inocente y al justo, pues Dios toma el partido de ellos y va a castigar la injusticia.

V. 8. *No recibirás soborno.* Las dádivas pueden inclinar al juez a favor de quien se las ofrece. Dice que el soborno ciega a los que de otra manera podrían ver con claridad y distorsiona el testimonio de los justos para favorecer al culpable.

V. 9. *No oprimirás al extranjero.* Como en 22:21, el mandato es tratar con bondad al extranjero. EL sufrimiento de Israel como extranjero no debe pagarse con la misma moneda.

3 Instrucciones sobre la prosperidad, Exodo 23:27-30.

Es bueno leer los versículos 20-26 para comprender mejor la sección de los vv. 27 al 30. En los primeros tres versículos, Dios promete proteger a su pueblo mediante su ángel hasta que llegue a la tierra prometida. Por su parte, el pueblo debe estar sometido a Dios. En los vv. 24 y 26, se demanda la adoración al único Dios, Jehovah. Esta obediencia será retribuida con una vida llena de satisfacción y plenitud para el pueblo y fertilidad para sus mujeres.

V. 27. Para guiarles en el camino hacia Canaán Dios envió su ángel; en el momento de ingresar a ella, envía su "terror" (vea el cumplimiento en Núm. 22:3; Jos. 2:9, 11; 9:24).

V. 28. La avispa será el tercer emisario, figuradamente es cualquier medio de castigo divino para hacer salir a quienes ocupaban la tierra prometida.

Vv. 29, 30. *Poco a poco los echaré.* La tierra de Canaán no fue conquistada y gobernada por Israel inmediatamente. Las fronteras señaladas en el v. 31 sólo se lograron hasta cuando gobernaron David y Salomón. Dios tuvo sus razones: 1) para evitar la desolación de la tierra por ausencia de moradores que la trabajasen, y 2) para evitar la proliferación de fieras. Leído el Libro del Pacto por Moisés, el pueblo ratificó su sometimiento a Jehovah.

4 Confirmación del pacto, Exodo 24:3, 4.

V. 3. Moisés, a su regreso de la presencia del Señor, hizo conocer las leyes del Libro del Pacto (20:22 a 23:33), a todo el pueblo. La respuesta fue: *Haremos todas las cosas que Dios ha dicho.*

V. 4. Se requería de ceremonia con sacrificio para que el pacto fuera oficialmente obligatorio. Este se podía hacer de varias formas: 1) como en esta ceremonia, usando la sangre de la víctima; 2) ingiriendo sal (Núm. 18:19); 3) pasando por en medio de un animal sacrificado partido por la mitad (Gén. 15:10), o 4) comenzando el sacrificio (Gén. 31:54). Las doce piedras representaban las doce tribus de Israel, simbolizando el compromiso de cada una de ellas con Dios.

─────────── *Aplicaciones del estudio* ───────────

1. El creyente no debe hacer división entre la vida religiosa y la secular. El verdadero israelita se distinguía por tener un comportamiento de acuerdo con las normas de Dios en todos los aspectos de su vida, aún en los que hoy llamamos seculares.

2. La conducta moral del cristiano debe ser más elevada que la conducta del no creyente. La ética de Israel estaba por encima de la conducta de los pueblos circunvecinos, sin embargo, era inferior a la cristiana. Del mismo modo, la conducta del cristiano en la actualidad debe ser superior a la de aquellos que no tienen el conocimiento de la Palabra de Dios.

─────────────── *Prueba* ───────────────

1. Las normas dadas en Exodo 21 hasta 24:1-18 abarcan varios aspectos de la vida. ¿Cuáles son? _____

2. ¿Qué sentimientos surgen dentro de usted al leer los principios de justicia y misericordia que Dios enseñó a Israel? Describa sus emociones. _____

───

Lecturas bíblicas para el siguiente estudio

Lunes: Exodo 25:1-40	**Jueves:** Exodo 29:1-46
Martes: Exodo 26:1 a 27:21	**Viernes:** Exodo 30:1 a 31:11
Miércoles: Exodo 28:1-43	**Sábado:** Exodo 31:12-18

Dios instruye sobre cómo adorarlo

Contexto: Exodo 25:1 a 31:18
Texto básico: Exodo 25:1, 2, 8, 9, 19-22; 29:42-46
Versículo clave: Exodo 25:2
Verdad central: Las instrucciones que Dios dio a Israel para que conocieran cómo adorarlo nos enseñan la clase de relación que él desea tener con cada persona.
Metas de enseñanza-aprendizaje: Que el alumno demuestre su conocimiento del significado del tabernáculo en relación con la adoración a Dios, y su actitud hacia los medios y maneras que puede desarrollar para crecer en su adoración a Dios.

Estudio panorámico del contexto

Ofrendas y muebles para el tabernáculo, Exodo 25:1-40. Este y los próximos capítulos contienen instrucciones acerca de la construcción del tabernáculo y los implementos sagrados. Son ellos: el arca, el propiciatorio, la mesa de la presencia y el candelabro de oro.

La estructura, el altar y el aceite, Exodo 26:1 a 27:21. El tabernáculo estaba construido con 48 tablones de 4,20 metros de largo por 60 cms. de ancho. La dimensión total era de 12 metros de largo por 5 de ancho, aproximadamente. Estaba dividido por dos velos, resultando una sección de 4 metros cuadrados aproximadamente, llamado el "lugar santísimo". Allí estaban el Arca del Testimonio, la mesa del pan de la presencia y el candelero de oro.

En el altar se inmolaban los animales para el sacrificio. De sus ángulos emergían los cuernos, lo más sagrado del altar. La medida del atrio del santuario era de 2 metros por 21, aproximadamente. Estaba separado del sitio dedicado a otros actos, por una cortina. Los últimos versículos hablan del aceite puro de oliva que se debería usar en el "lugar santísimo".

Las vestiduras sacerdotales, Exodo 28:1-43. Los ministros de Jehovah deben distinguirse hasta en su indumentaria. Esta la conformaban: el pectoral usado para entrar al santuario o para decidir sobre asuntos de trascendencia; el efod, era la parte más sagrada de todo el atuendo y sostenía el pectoral, y el Urim Tumin, medios por los cuales el sacerdote conocía la voluntad de Dios en determinados asuntos. La túnica era de una sola pieza. El sacerdote Aarón portaría un turbante con esta leyenda en lámina de oro: "Consagrado a Jehovah", recordándole su responsabilidad.

Consagración de los sacerdotes, Exodo 29:1-46. Mediante el sacerdocio aarónico se mediaba el acceso del pueblo hacia Dios. Aarón y sus hijos son ungidos con aceite y consagrados al sacerdocio. En la ceremonia se ofrecía una res y dos carneros. Moisés debía untar la sangre del segundo carnero en el lóbulo de la oreja de los sacerdotes y rociar sus vestidos.

Instrucciones varias sobre los artesanos del tabernáculo, Exodo 30:1 a 31:11. Estas son instrucciones sobre la manera de construir el altar del incienso, la fuente de bronce y la elaboración del incienso aromático y el aceite de la santa unción. Se especifica el impuesto del rescate con ocasión del censo.

El sábado como señal del Pacto, Exodo 31:12-18. El sábado simboliza la estrecha vinculación de Jehovah con su pueblo que ha sido sellada con el pacto.

Estudio del texto básico

Lea su Biblia y responda

1. Exodo 25:1-9. En pocas palabras:

   a. Haga una lista de los materiales que podían ofrecer los israelitas a Dios como ofrenda para el tabernáculo.

_____

   b. ¿Cuál es la condición básica que debe tener la persona que entrega su ofrenda a Dios? _____

_____

2. Exodo 25:19-22. ¿Cuáles son las funciones del propiciatorio?

_____

_____

3. Exodo 29:42-46. Brevemente:

   a. ¿Cuál es la palabra que Dios menciona tres veces en este pasaje?_____

_____

   b. ¿Qué significado tiene para usted esta palabra y cómo puede dar evidencias de ella en su vida?_____

_____

_____

Lea su Biblia y piense

1 Ofrendas para el tabernáculo, Exodo 25:1, 2, 8, 9.

V. 1. _Jehovah habló a Moisés._ Esta frase abre una sección que abarca hasta Exodo 30:10. Luego, vienen las normas acerca del tabernáculo.

V. 2. _Di a los hijos de Israel que tomen para mí una ofrenda._ El deseo de Dios es que cada israelita tome parte en la construcción del lugar donde él morará. _De todo hombre cuyo corazón le mueva a hacerlo tomaréis mi ofrenda._ La ofrenda debe ser espontánea. Dios no la quiere de otra manera. Fue tanta la generosidad del pueblo, que Moisés debió suspenderla según Exodo 35:20 a 36:7.

V. 8. _Que me hagan un santuario._ La religión de Israel se distinguió de las demás por el culto de adoración que es un testimonio de la unión con

Jehovah. Dios mismo ideó la forma como su pueblo había de reunirse para adorarle. El por su parte se compromete a estar en medio de ellos, no como un peregrino, sino como alguien que habita todos los días al lado de ellos. Como un miembro de primera importancia en la comunidad.

V. 9. La construcción del tabernáculo con sus implementos, incluyendo el propiciatorio debía seguir el plan de Dios.

2 El propiciatorio, Exodo 25:19-22.

V. 19. *Harás un querubín.* Para el pueblo de Israel, los querubines representaban a seres celestiales al servicio de Dios. No así para los paganos que los consideraban como seres divinos menores y que protegían los templos y los palacios. Según Génesis 3:24 los querubines guardaron "el camino del árbol de la vida".

Los dos querubines y el propiciatorio formaban una sola pieza. La palabra *propiciatorio* significa perdonar, expiar. La ceremonia del día de la expiación demuestra que el propiciatorio no era una simple tapa para cubrir el arca. Levítico 16 muestra al sumo sacerdote esparciendo sangre sobre el propiciatorio para la expiación de los pecados. Todo el conjunto formado por el arca y el propiciatorio constituían la morada desde donde Jehovah se manifestaba al pueblo (Exo. 25:22; Lev. 16:2).

V. 20. Las alas desplegadas de los querubines cubrían el propiciatorio. Mirando de frente hacia el mismo, expresaban tanto respeto y sumisión a Dios como vigilancia de su trono.

V. 21. *Dentro del arca pondrás el testimonio que yo te daré.* Esto es, las dos tablas de la ley que Dios daría a Moisés para regular el pacto.

V. 22. *Allí me encontraré contigo.* En una nube Dios iba a descender al propiciatorio para dar a conocer su voluntad al pueblo. El sumo sacerdote realizaría sobre él la ceremonia de expiación con actitud de arrepentimiento, fe y consagración pensando en la liberación recibida. Dios se compromete a estar presente y comunicar todo lo que sea necesario para la instrucción del pueblo.

3 El holocausto continuo, Exodo 29:42-46.

V. 42. El estatuto que Israel observaría perpetuamente, está contenido en los vv. 38-41. Dos corderos se ofrecían diariamente: Uno al amanecer y otro al atardecer. A cada animal se añadía la décima parte de un hin de aceite puro de oliva y la cuarta parte de un hin de vino. El efa equivalía a 22 litros y el hin a 3,7 litros. En el holocausto se quemaba totalmente la víctima, por eso el nombre de sacrificio es "ofrenda del todo quemada". La víctima era un animal macho, o una paloma sin defecto. El que ofrecía la ofrenda debía estar purificado. Al colocar las manos sobre la cabeza de la víctima indicaba que el sacrificio era en su favor. La sangre del animal era esparcida por el sacerdote en torno al altar. Las aves no se degollaban, eran ofrecidas directamente por el sacerdote. Este sacrificio se hacía a la entrada del tabernáculo de reunión.

V. 43. *Y el lugar será santificado por mi gloria.* No hay santidad propia en el tabernáculo, sino que la presencia de Dios lo santifica.

V. 44. *Santificaré a Aarón y a sus hijos.* Asimismo, no es la vestimenta la que santifica al sacerdote, sino Dios, quien le aparta para su servicio.

V. 45. *Yo habitaré en medio de los hijos de Israel.* Esto confirma la promesa de Exodo 25:8. Y la gran bendición para el pueblo: Seré su Dios.

V. 46. *Conocerán que yo soy Jehovah su Dios, que les saqué de la tierra de Egipto.* La liberación del pueblo se afianza en la permanente compañía de Dios. Sólo así tiene sentido el éxodo.

Aplicaciones del estudio

1. Un factor importante en el servicio al Señor es la consagración, Exodo 28:36. Una vida dedicada exclusivamente al servicio de Dios es bendición no sólo para el siervo mismo, sino también para los que viven a su derredor.

2. Dios, en su bondad, nos ofrece la oportunidad de acercarnos a él. Dios es quien proveyó al pueblo de Israel, y ahora a nosotros la oportunidad de comunicarnos con él. En el Antiguo Testamento lo hizo por medio de los sacerdotes; en el Nuevo Testamento lo hace por medio de su Hijo Jesucristo.

3. Debemos dar nuestras ofrendas voluntariamente al Señor. No debemos esperar que alguien nos exhorte para dar al Señor nuestras ofrendas, éstas deben ser el resultado de nuestra gratitud y amor hacia Dios y su obra.

4. Las ofrendas no necesariamente deben estar representadas en dinero. También podemos ofrendar materiales que pueden ser usados por la iglesia; un poco de nuestro tiempo, o de nuestro trabajo para mejorar la obra del Señor en el lugar donde estamos.

Prueba

1. Explique en sus propias palabras el significado espiritual del tabernáculo para el pueblo de Israel.

2. Piense en otras ofrendas que puede presentar al Señor; que sean diferentes de su ofrenda en dinero, como por ejemplo:
a. Dar algo de su tiempo para arreglar el salón de clases, o un desperfecto en el edificio del templo.
b. Obsequiar un cuadro, una pintura, un macetero para las plantas o un pizarrón para una clase, un espejo para el cuarto de baño.

Lecturas bíblicas para el siguiente estudio

Lunes: Exodo 32:1-6   **Jueves:** Exodo 32:30 a 33:6
Martes: Exodo 32:7-14   **Viernes**: Exodo 33:7 a 34:9
Miércoles: Exodo 32:15-29   **Sábado:** Exodo 34:10-35

Unidad 3

Ruptura y renovación del pacto

Contexto: Exodo 32:1 a 34:35
Texto básico: Exodo 32:1-4, 30-33; 34:6, 7, 10, 11
Versículos Clave: Exodo 34:6, 7
Verdad central: El acto de Dios de renovar su pacto, después del pecado y la intercesión de Moisés, nos recuerda que Dios tiene misericordia y perdona a quienes le sigan.
Metas de Enseñanza-aprendizaje: Que el alumno demuestre su conocimiento de la misericordia y el perdón de Dios por medio de Jesucristo, y su actitud hacia la oportunidad de aceptar el perdón y la misericordia de Dios, por medio de la fe en Jesucristo.

Estudio panorámico del contexto

El pueblo adora un becerro de oro, Exodo 32:1-16. El pueblo experimenta un cambio brusco: su mente ya no recordaba la gloria de Dios que les había visitado en Sinaí. Volvieron a las prácticas egipcias pidiendo a Aarón que les hiciera un becerro de oro para adorar en forma desenfrenada a un dios visible.

Moisés implora por su pueblo, Exodo 32:7-14. El enojo de Dios es grande. Dice a Moisés: "tu pueblo", como si no fuera su propio pueblo. Moisés indignado, porque ama a su pueblo, intercede por él, confiando en la misericordia de Dios.

La ira de Moisés contra los idólatras, Exodo 32:15-29. Este pasaje enfatiza: La ira de Moisés, la excusa de Aarón y el castigo para el pueblo. Moisés deja ver su parte humana, muy enojado, rompe las tablas de la Ley. El pueblo no había recapacitado. Aarón se excusa de su participación, acusa al pueblo y pretende hacer creer a Moisés que el becerro se hizo solo. Los levitas ejecutaron el castigo de Dios sobre el pueblo.

Moisés intercede de nuevo por su pueblo, Exodo 32:30 a 33:6. Moisés implora el perdón para Israel, pero si Dios se niega a darlo, en su carácter de líder responsable, propone al Señor compartir el castigo con su pueblo. La misericordia de Dios se muestra en la suavidad del castigo y en la promesa de su ángel para guiarles hasta la posesión de Canaán.

Dios hace una promesa en respuesta a la oración de Moisés, Exodo 33:7 a 34:9. Moisés desea algo más que la compañía del ángel. Sólo la presencia de Dios le aseguraría la conquista de Canaán. La respuesta de Dios es: "mi presencia irá contigo, y te daré descanso". Además, le promete dejarle ver su gloria.

Lea su Biblia y responda

1. Escriba un breve resumen de Exodo 32:1-4.

_____
_____
_____

2. Exodo 32:30-33. Escriba, en el espacio dado, el versículo donde se encuentran las siguientes frases:
   a. "Pero ahora perdona su pecado; y si no, por favor, bórrame de tu libro que has escrito." _____
   b. "¡Al que ha pecado contra mí, a ése lo borraré de mi libro!" _____
   c. "Vosotros habéis cometido un gran pecado." _____

3. Exodo 34:6, 7. Diga qué enseñanza encuentra en este pasaje para su vida y la de sus compañeros de clase.

_____
_____
_____

4. Exodo 34:10, 11. Escriba las promesas que Dios le hizo a su pueblo.

_____
_____

5. Exodo 34:6, 7. Describa brevemente las virtudes de Dios que se mencionan en estos dos versículos.

_____
_____

Lea su Biblia y piense

1 El pueblo adora un becerro de oro, Exodo 32: 1-4.

V. 1. Al ver el pueblo que Moisés tardaba en volver quizá comenzaron a pensar que se había muerto, o se había extraviado. Cuarenta días eran muchos días de esperarlo; parece que no tenían esperanza de volverlo a ver. La ausencia de Moisés significaba cuando menos dos cosas: una, la ausencia de dirigente; dos, el medio por el cual se comunicaban con Dios. Decidieron buscar soluciones y una de ellas fue pedir que Aarón les hiciera una representación o imágen de Dios por medio de la cual pudieran avanzar el resto del camino hacia Canaán. Como lo hacían los pueblos paganos, ellos querían dioses que les acompañaran durante su peregrinación y les defendieran de los enemigos. Probablemente Israel no pretendía cambiar a su Dios, pero sí tener uno representado visiblemente.

V. 2. Contradictoriamente, el ministro escogido de Dios, Aarón, se adhiere a la apostasía del pueblo. La Biblia no oculta esta debilidad del líder que no pudo evitar que el pueblo violara el primer mandamiento. Para complacer al pueblo, Aarón ordena que le traigan todos los objetos de oro. Estas prendas eran parte del tesoro que los egipcios les habían entregado al iniciar el éxodo.

V. 3. Sin meditarlo mucho se quitaron los aretes de oro y los trajeron a Aarón.

V. 4. Con todo el oro Aarón hizo lo que le pidieron, un becerro. Los paganos hacían sus dioses de madera recubierta con oro, pero el becerro de Israel era todo de oro fundido. Ya sabemos que la figura de un becerro era familiar a los israelitas dado que un toro representaba el dios Apis de Egipto, otra imagen de oro puro. Al ver al becerro el pueblo exclamó: *¡Israel, éste es tu dios que te sacó de la tierra de Egipto!* Acto seguido se entregó a la orgía al estilo pagano. Dios se enoja fuertemente por esta apostasía.

2 Moisés intercede de nuevo por su pueblo, Exodo 32:30-33.

V. 30. Al día siguiente, después de la imposición del castigo ordenado por Dios, Moisés dijo al pueblo: *Vosotros habéis cometido un gran pecado.*

El pueblo ha aprendido la lección. Cumplir el primer mandamiento era esencial para obedecer los otros mandamientos del Señor. Debido al pánico que experimentan, su caudillo Moisés, quien les ama con todo y sus defectos, vuelve a interceder en su favor: *Pero yo subiré ahora hacia Jehovah; quizá yo pueda hacer expiación por vuestro pecado.* Gracias a su comunión con Dios, se le acercaba confiado para suplicar por el perdón para el pueblo apóstata.

Vv. 31, 32. Tanto ama Moisés al pueblo que prefiere sufrir con él si no obtiene el perdón de Dios. En el *libro* se llevan los nombres de los vivos y se borran los que mueren.

V. 33. *¡Al que ha pecado contra mí, a ése lo borraré de mi libro!* El deseo de Dios es enseñar al pueblo sobre la responsabilidad individual. Esta enseñanza se halla también en Deuteronomio 24:16 y 2 Reyes 14:6. Dios aplazó el castigo por la intercesión de Moisés. El ángel de Jehovah guiaría al pueblo, como muestra de la misericordia y el perdón de Dios.

3 Dios da a conocer su nombre, Exodo 34:6, 7.

V. 6. Moisés pidió ver la gloria de Dios y la respuesta fue: "Yo haré pasar toda mi bondad delante de ti y proclamaré delante de ti el nombre de Jehovah (33:18, 19). Así el Señor cumple la promesa hecha a su siervo.

Jehovah, Dios compasivo y clemente, lento para la ira y grande en misericordia y verdad. El nombre revela el carácter de Dios. Primero se dio a conocer como "Yo soy". Ahora asocia su nombre santo con: misericordia, gracia, justicia y verdad. Tener un concepto claro y adecuado de Dios facilita la relación con él. Sin duda que Moisés sabía todo esto de su Señor.

V. 7. *Que perdona la iniquidad, la rebelión y el pecado.* Gracias a la misericordia de Dios es que el pecador es perdonado. De ahí que el salmista exclama: "Ten piedad de mí, oh Dios, conforme a tu misericordia. Por tu abundante compasión, borra mis rebeliones" (Sal. 51:1). El hecho de que

Dios es justo, no significa que "dará por inocente al culpable". Su santidad y su justicia lo llevan a condenar el pecado; mientras que su misericordia y su gracia a perdonar al que se arrepiente. Por su misericordia retuvo su ira contra la idolatría del pueblo y renovó el pacto.

4 La renovación del pacto, Exodo 34:10, 11.

V. 10. *Yo hago un pacto frente a todo tu pueblo*, dice el Señor, gracias a la intercesión de Moisés y a la misericordia de Dios. Como consecuencia Dios promete hacer maravillas jamás vistas en la tierra. Se trata de los prodigios hechos por Dios cuando les guió hasta Canaán. Prodigios que les llenarían de gozo, paz y esperanza.

V. 11. *Guarda lo que yo te mando hoy.* Como un principio constante en la manera de obrar del Señor: todas las bendiciones y promesas tienen una condición. En este caso el pueblo debe guardar la ley para poder disfrutar las maravillas y bendiciones del pacto.

Aplicaciones del estudio

1. Nuestra mirada no debe estar en los líderes de la iglesia, sino en Dios, Exodo 32:1a. El pueblo comenzó a desesperarse cuando vio que Moisés tardaba en regresar. Las señales y prodigios hechos por Dios se olvidaron al no estar presente el líder. A veces, nuestra mirada está puesta en los líderes de la iglesia, olvidando que éstos son sólo instrumentos de Dios y que si ellos faltan, Dios continúa y él llevará adelante la obra.

2. Los cristianos debemos seguir el ejemplo de Moisés y tener amor y compasión por el pueblo de Dios. En los momentos cuando algún hermano falla los creyentes en lugar de condenarle y acusarle, deben ser bondadosos y ofrecerle su apoyo, procurando como Moisés restaurar la relación del hermano con el Señor, es decir, intercediendo ante el Señor por él.

Prueba

1. ¿Cuáles fueron las condiciones que Dios pidió de Israel para otorgarle su perdón y misericordia?

2. ¿Cómo puede usted obtener el perdón del Señor hoy?

Lecturas bíblicas para el siguiente estudio

Lunes: Exodo 35:1 a 36:7   **Jueves:** Exodo 39:1-31
Martes: Exodo 36:8-38   **Viernes:** Exodo 39:32 a 40:33
Miércoles: Exodo 37:1 a 38:1   **Sábado:** Exodo 40:34-38

El tabernáculo terminado

Contexto: Exodo 35:1 a 40:38
Texto básico: Exodo 35:4, 5; 36:2-5; 39:43 a 40:2; 40:34-38
Versículo clave: Exodo 40:38
Verdad central: La gloria de Dios llenando el tabernáculo demuestra que el pueblo de Dios experimenta la presencia de él cuando le obedece.
Metas de enseñanza-aprendizaje: Que el alumno demuestre su conocimiento de las condiciones bajo las cuales Dios llenaba con su gloria el tabernáculo, y su actitud hacia lo que él debe hacer para experimentar la presencia del Señor en su vida.

─────── *Estudio panorámico del contexto* ───────

Preparación para construir el tabernáculo, Exodo 35:1 a 36:7. Los capítulos 35 a 40 tratan de la construcción del tabernáculo y sus accesorios. Según Exodo 25:1-9 Jehovah solicita la ofrenda para dicha construcción. La respuesta generosa del pueblo fue tal que sobrepasaron lo necesario. Bezaleel y Oholiab dirigieron el trabajo de artesanía. La participación del pueblo con las ofrendas y el trabajo de los obreros simbolizan su compromiso con Dios y su pacto, así como su gratitud por la misericordia de Dios para con ellos.

La construcción del tabernáculo, Exodo 36:8-38. El relato es idéntico al de Exodo 26:1-37. Se observan las instrucciones acerca del tabernáculo, el velo del lugar santísimo y la cortina que cubre la entrada del tabernáculo, todo exactamente como el Señor lo había ordenado a Moisés.

Equipo para el tabernáculo, Exodo 37:1 a 38:31. En la construcción del equipo para el tabernáculo, los israelitas también siguieron exactamente el plan que Dios les había dado. Construyeron el arca y el propiciatorio, la mesa de la Presencia, el candelabro de oro, el altar para el incienso, el altar para las ofrendas quemadas, la fuente de bronce para los lavamientos y el atrio del tabernáculo. En este pasaje, también se da un cuidadoso sumario de todos los metales usados en la construcción del tabernáculo y su mobiliario.

El vestuario de los sacerdotes, Exodo 39:1-31. Las indicaciones para estos vestidos se dan en el capítulo 28.

El tabernáculo terminado, Exodo 39:32 a 40:33. Hasta 39:43 entendemos que la construcción del tabernáculo obedeció a las instrucciones de Dios. Ya en 40:1-15 Dios informa a Moisés sobre la ceremonia de dedicación del tabernáculo y el momento en que el pueblo se podría acercar a él. La sección culmina con la conocida declaración de que todo se hizo "conforme a las instrucciones" de Jehovah.

La gloria de Jehovah llena el tabernáculo, Exodo 40:34-38. Al presentarse Dios en la nube sobre el tabernáculo, se entiende que el pueblo disfruta su compañía y se dispone a obedecerle.

------------------------- *Estudio del texto básico* -------------------------

Lea su Biblia y responda

1. Exodo 35:4, 5; 36:2-5. Brevemente:
   a. ¿Cuál era el propósito de la ofrenda?

   _____

   b. ¿Cuál frase del pasaje dice que el pueblo dio generosa y liberalmente para construir el tabernáculo?

   _____
   _____

2. Exodo 39:43 a 40:2. Escriba "F" falso, o "V" verdadero.
   a. _____ Los objetos del tabernáculo son: Arca del Pacto, Altar del incienso, Candelero de oro, Mesa de la Presencia, la Fuente, Altar del holocausto.
   b. _____ Moisés vio que la obra no era como Dios mandó que fuese.
   c. _____ Jehovah ordenó a Moisés levantar el tabernáculo de reunión el primer día del mes primero.

3. Exodo 40:34-38. Describa en sus propias palabras la escena del tabernáculo cubierto por la gloria de Dios.

   _____
   _____

Lea su Biblia y piense

1 Preparación para construir el tabernáculo, Exodo 35:4, 5; 36:2-5.

V. 4. A su regreso del Sinaí, Moisés reúne *a toda la congregación de los hijos de Israel* y les comunica todas las instrucciones que Jehovah le dio (25:1 a 31:18). Esto sirve de introducción a la sección que trata de la obra de construcción del tabernáculo y el establecimiento del culto al Señor.

V. 5. *Tomad de entre vosotros una ofrenda para Jehovah.* Esta ofrenda no es una imposición, sino una dádiva voluntaria. Dios expresó que debía ser la participación espontánea del pueblo para el sostenimiento del culto. *Todo hombre de corazón generoso* que deseara participar podía hacerlo. Pablo expresó la misma idea cuando dijo: "Cada uno dé como propuso en su corazón, no con tristeza ni por obligación; porque Dios ama al dador alegre" (2 Cor. 9:7). El motivo para dar al Señor debe ser la gratitud y el gozo de dar.

36:2. Bezaleel y Oholiab eran dos hombres que habían sido dotados por Dios de sabiduría, entendimiento, conocimiento y habilidades de artesanos (Exo. 31:2-6). Moisés los nombró como maestros constructores y administradores de la construcción del tabernáculo. Además, Moisés llamó a *todo hombre sabio de corazón en cuyo corazón Jehovah había puesto sabiduría, y todos aquellos cuyo corazón les impulsó para acercarse y llevar a cabo la obra.* Todos ellos sirvieron con sus talentos en forma voluntaria y con gozo en la tarea.

V. 3a. *Y ellos tomaron de delante de Moisés toda la ofrenda.* No sólo se les confió la mano de obra, sino la custodia de los materiales por la confianza que merecían.

Vv. 3b-5. La ofrenda fue generosa y abundante. Los que dirigían la obra tuvieron que hablar con Moisés para que pidiera al pueblo que cesara de ofrendar. Así, fue posible construir el tabernáculo con la abnegación, dedicación y gozo de los israelitas.

2 El tabernáculo terminado, Exodo 39:43 a 40:2.

V. 43. Como responsable de la obra delante de Dios, Moisés vio toda la obra, inspeccionó los detalles y para su satisfacción, los artesanos habían hecho todo tal cual el Señor lo había mandado. La interesante expresión: "como Jehovah había mandado", aparece 7 veces en el capítulo 39. Esto enfatiza la exactitud con que se hizo la obra. Moisés, después de comprobar los detalles, bendijo a todos los obreros. La palabra "bendición" en este versículo, tiene el sentido de felicitación y probablemente de deseo porque Dios les recompensara por el buen servicio que prestaron.

40:1. Jehovah da instrucciones para levantar el tabernáculo con todos sus accesorios y acerca de cómo se haría la consagración de los sacerdotes.

V. 2. El evento de levantar la morada del Señor o el tabernáculo de reunión tendría lugar el primer día del mes primero. Esto es el día primero del mes de Abib o Nisán que equivale a marzo/abril de nuestro calendario. La expresión *tabernáculo de reunión* tiene una doble connotación: por un lado, dice el lugar alrededor del cual el pueblo de Israel va a reunirse como congregación para el acto de adorar a Dios; por el otro, dice el lugar donde Dios va a reunirse con su pueblo para recibir la adoración.

3 La gloria de Dios llena el tabernáculo, Exodo 40:34-38.

V. 34. *Entonces la nube cubrió el tabernáculo de reunión.* La nube, símbolo de la presencia de Jehovah entre su pueblo, la hallamos guiándolos desde Sucot (13:20-22), cubriendo el monte Sinaí cuando Moisés recibió la Ley (24:15-18), descendiendo sobre la tienda de reunión (33:9, 10). *Y la gloria de Jehovah llenó la morada.*

En el Pentateuco, la "gloria de Jehovah" se asocia con el fuego como símbolo del resplandor de la presencia de Dios. Dicha figura muestra al Dios poderoso, digno de respeto, que trasciende y manifiesta su majestad, invitando al hombre a la reverencia y adoración. Así, pues, la "gloria de Jehovah", es el resplandor que emana de Dios y que se hace visible a los hombres.

V. 35. *Moisés no podía entrar en el tabernáculo de reunión.* Tal era el resplandor de Jehovah, que aunque Moisés hablaba con él "cara a cara" y había sido llenado con su gloria (Exo. 34:29-35), en este momento, no podía entrar en el tabernáculo. Dios estaba tomando posesión de su morada y tal evento era demasiado para la capacidad de un hombre aun como Moisés. Dios, pues descendió a morar entre su pueblo. Mucho tiempo después Dios vino y plantó su tienda entre nosotros en la persona de su Hijo Jesucristo. Juan lo expresa así: "Y el Verbo se hizo carne y habitó entre nosotros, y contemplamos su gloria, como la gloria del unigénito del Padre, lleno de gracia y de verdad" (Juan 1:14). Gracias a ese hecho quienes hemos creído en Jesucristo podemos acercarnos a Dios confiadamente y vivir cada día con la seguridad de que él está con nosotros.

Vv. 36-38. Estos versículos presentan un sumario de cómo Dios guio a Israel por medio de la nube que se levantaba sobre el tabernáculo como señal de continuar el camino. Impresionantemente la nube estaba durante el día y el fuego durante la noche. Todo servía para asegurar a Israel que Dios estaba con ellos y que él les guiaba con mano firme y segura a la tierra prometida.

Aplicaciones del estudio

1. Debemos servir a Dios con todos los recursos, dones y talentos disponibles, Exodo 35:4 a 36:7. Dios nos ha provisto de todo lo que tenemos, y él es quien nos ofrece las oportunidades para adquirir lo que deseamos, por esto, debemos ser agradecidos con él, sirviéndole con gratitud y amor con todos los recursos, dones y talentos.

2. La presencia de Dios le da significado y trascendencia a nuestra vida. Los cristianos no recibimos la promesa de vivir cómodamente y sin dificultades, pero sí recibimos una promesa más valiosa que cualquier fortuna o riqueza: la presencia constante de Dios en nuestra vida.

Prueba

1. ¿Cuáles fueron las condiciones que Dios estableció para que su gloria pudiera manifestarse en el tabernáculo de reunión? _____

_____

2. ¿Cómo puedo yo experimentar la presencia del Señor en mi vida hoy?

_____

_____

Lecturas bíblicas para el siguiente estudio

Lunes: Levítico 1:1-17   **Jueves:** Levítico 4:1 a 5:13
Martes: Levítico 2:1-16   **Viernes:** Levítico 5:14-19
Miércoles: Levítico 3:1-17   **Sábado:** Levítico 6:1-7

Leyes para las ofrendas del altar

Contexto: Levítico 1:1 a 6:7
Texto Básico: Levítico 5:5, 6, 17, 18; 6:2-5
Versículo clave: Levítico 11:44a
Verdad central: Las leyes para las ofrendas del altar enseñan que, aun cuando el pecado conlleva un castigo, Dios perdona a los que confiesan y de buena voluntad hacen restitución.
Metas de enseñanza-aprendizaje: Que el alumno demuestre su conocimiento del significado de las ofrendas del altar, y su actitud hacia la necesidad de confesar sus pecados y hacer la debida restitución.

────────── *Estudio panorámico del contexto* ──────────

Ritual para la ofrenda de animales, Levítico 1:1-17. La primera ofrenda mencionada aquí es el holocausto. El holocausto significa ofrenda que sube. La víctima es quemada totalmente, por eso, también se le llama "Ofrenda del todo quemada". Para esta ofrenda se usaba ganado vacuno u ovejuno, o tórtolas o palomas si el oferente era muy pobre; en ambos casos, los animales debían ser sin defectos. El oferente degollaba al animal y el sacerdote hacía el ritual. La ofrenda era expresión de consagración del oferente a Jehovah.

Ritual para la ofrenda vegetal, Levítico 2:1-16. En ésta se ofrecían productos de la tierra, que simbolizaban el fruto de la labranza. Entre los cuales estaban: harina fina, pan sin levadura y espigas tostadas. Estos eran consagrados a Jehovah por ser él quien da fertilidad a la tierra. Estos frutos eran acompañados de aceite, incienso y sal; pero no levadura ni miel. Se quemaba una parte y la otra quedaba para el sacerdote.

Ritual para la ofrenda de paz, Levítico 3:1-17. En esta ofrenda la mayor parte del animal era comido por el oferente. Como era una ofrenda voluntaria, se podía ofrecer cualquier animal limpio, excepto aves. La sangre era rociada sobre el altar y se quemaban el sebo y los riñones. El sacerdote llevaba el pecho del animal y lo dedicaba a Jehovah. El significado de esta ofrenda era reconciliación y compañerismo con Jehovah.

Ritual para la ofrenda por el pecado, Levítico 4:1 a 5:13. Esta ofrenda expiaba los pecados por inadvertencia. Si el pecado lo cometía el sumo sacerdote, o el pueblo, se ofrecía un becerro; si era un dirigente, un macho cabrío, si era cualquier persona del pueblo, una cabra u oveja. Los pobres podían ofrecer dos tórtolas o pichones de paloma, o bien la décima parte de un efa de harina. Por el pecado del sumo sacerdote o del pueblo, se rociaba la sangre de la víctima siete veces ante el velo del santuario; si era cualquier persona del pueblo se rociaba sobre los cuernos del altar. Si era un sacerdote, quemaba todo la ofrenda sobre el altar.

Ritual para la ofrenda por la culpa, Levítico 5:14 a 6:7. Ofrecíase por ofensa contra las "cosas sagradas de Jehovah" o por robo al prójimo. El culpable debía restituir el daño más una quinta parte, y ofrecía un carnero como arrepentimiento.

———————————— *Estudio del texto básico* ————————————

Lea su Biblia y responda

1. Lea Levítico 5:5, 9 y responda las siguientes preguntas:
   a. ¿Qué debía acompañar a la confesión en el perdón de pecados?

   _____

   _____

   b. ¿En qué consistía la ofrenda por el pecado?

   _____

   _____

2. Lea Levítico 5:17, 18, y seleccione la respuesta correcta a la siguiente afirmación: La ofrenda por la culpa era por:
   _____ pecados cometidos a los padres.
   _____ haber tocado cosas inmundas: cadáveres, etc.
   _____ transgredir un mandamiento, respecto a cosas que no se deben hacer, aun sin saberlo.

3. Lea Levítico 6:2-5 y haga una lista de los pecados mencionados allí y una lista de las cosas que debía hacer la persona que cometía el pecado.

Pecado	Restitución
_____	_____
_____	_____
_____	_____
_____	_____

Lea su Biblia y piense

1 Ritual para la ofrenda por el pecado, Levítico 5:5, 6.

V. 5. *Y sucederá que cuando alguien peque respecto a cualquiera de estas cosas...* Se refiere a los pecados señalados en 5:1-4. El primer pecado mencionado llevaba un proceso contra un testigo de un delito, por negarse a declarar, ya fuese por miedo, o por encubrir al culpable. El siguiente es tocar cosa inmunda: cadáveres de animales o impureza humana. El objeto de la norma era prevenir enfermedades contagiosas, pues no contaban con los adelantos científicos actuales. El tercer pecado: hacer votos a la ligera, es decir, sin haber meditado las consecuencias. La palabra para el hebreo tenía un significado trascendental.

Confesará aquello en que pecó. Para recibir el perdón se requería hacer confesión, esto permitía tener paz consigo mismo, con Dios y por ende con el prójimo.

V. 6. *Y traerá a Jehovah como su sacrificio por la culpa, por su pecado cometido,...* Aunque inicialmente la persona no era consciente de su pecado, esto no le exoneraba de la culpa, debía confesar su falta, y ofrecer sacrificio de restitución a Jehovah. El oferente traía al sacerdote una cabra u oveja (si era pobre, dos tórtolas o dos pichones de palomas, o un hin de harina) para que éste, con el sacrificio mediara por él ante Dios. De esta manera, el culpable era perdonado. La ofrenda ofrecida por pecados cometidos conscientemente, se encuentra en el versículo 14.

2 Ritual para la ofrenda por la culpa, Levítico 5:17, 18; 6:2-5.

5:17. *Si alguien peca transgrediendo alguno de los mandamientos de Jehovah respecto a las cosas que no deben hacerse.* No es fácil determinar estos pecados. Quizá aluden a los versículos 14-16, que menciona pecados cometidos inadvertidamente contra las cosas sagradas, es decir, las primicias, los diezmos y todo lo referente al culto. Entonces, podía referirse a faltas relacionadas con el culto, o bien, a actos prohibidos en la Ley, desconocidos por el infractor. *Aun cuando no llegue a saberlo,... cargará con su culpa.* La ignorancia no exonera de culpabilidad, ni del sacrificio para expiación.

V. 18. La víctima para la expiación era un carnero del rebaño sin defecto. Jesucristo fue el cordero sin mancha, sacrificado para expiar nuestros pecados. Por eso en Hebreos encontramos que ya no necesitamos hacer sacrificios por nuestros pecados, sino que podemos llegar a Dios por medio de Jesucristo, para pedir su perdón y recibir la vida eterna. Antes de la expiación, el carnero se evaluaba en ciclos de plata, según el valor del ciclo de plata del santuario que era de más valor que el común.

6:2. Aquí se resalta la relación existente entre la vida religiosa y la secular. El israelita no tenía una ética para Dios y otra para el prójimo. La falta contra el prójimo era cometida también contra Dios.

V. 3. La ley romana (Pax Romana) también catalogaba como robo el apropiarse de algo que uno encontraba y que cuando el dueño lo reclamaba, lo negaba. *O jura con engaño respecto a cualquier cosa en que la gente suele pecar.* Se refiere a juramentos falsos.

V. 4. *Deberá restituir aquello que robó...* A la confesión seguía la restitución. La sola confesión o la restitución sola no eran suficientes, para hallar el perdón y la comunión con Dios y el prójimo.

V. 5. *Añadirá a ello la quinta parte.* Es decir, la quinta parte del valor de lo robado o retenido. De esta manera, se indemnizaba al ofendido por el daño causado. El valor del daño se pagaba el día del sacrificio, en el cual se presentaba un carnero sin defecto. El ritual era llevado a cabo por el sacerdote, quedando libre de culpa el ofensor.

--- **Aplicaciones del estudio** ---

1. La ignorancia no exonera de culpabilidad, Levítico 5:17. Cuando se comete un error por falta de conocimiento, de todas maneras se pagan las consecuencias del mismo. De igual modo sucede cuando ofendemos a Dios en forma inconsciente. Es necesario revisar nuestras actitudes hacia el Señor y nuestros hermanos, para darnos cuenta cuando le ofendemos y así arrepentirnos y reconciliarnos con él y con nuestros hermanos.

2. El arrepentimiento se muestra a través de la confesión y la restitución, Levítico 6:2-5. Reconocer nuestras faltas es el proceso hacia el arrepentimiento, y no se completa, si no las confesamos y buscamos la manera de enmendarlas. El decir que estamos arrepentidos no es suficiente, si no mostramos un cambio de actitud y un deseo verdadero de no seguir pecando.

3. Ofender a nuestro prójimo es ofender a Dios, Levítico 6:2-5. Los problemas con nuestros hermanos afectan nuestra relación con el Señor. De manera que ninguno puede tener comunión con el Señor cuando no tiene una buena relación con su prójimo. En el Nuevo Testamento se afirma esta enseñanza cuando dice que si alguien trae su ofrenda y se acuerda que su hermano tiene algo en contra suya que deje allí su ofrenda y vaya y se reconcilie con él (Mat. 5:23).

4. El encubrir a una persona, o no testificar a favor de alguien conociendo la verdad, es pecado, Levítico 5:1-4. El no declarar a favor de alguien que es inocente, es pecado porque atenta contra su integridad personal y las consecuencias de ser culpado por un delito que no cometió pueden ser fatales para su vida. Pero, además, es pecado porque es falta de honestidad y valor. Muchas personas inocentes han sido condenadas porque alguien tuvo miedo de decir la verdad o ha declarado encubriendo a otros.

--- *Prueba* ---

1. ¿Cuáles eran los tipos de ofrendas que se llevaban al altar, y cuál era su significado?

_____

_____

2. ¿Ha confesado usted sus pecados al Señor? ¿Cómo puede demostrar su arrepentimiento a Dios, y qué ofrece como restitución por sus faltas?

_____

_____

Lecturas bíblicas para el siguiente estudio

Lunes Levítico 6:8 a 7:38   **Jueves:** Levítico 10:1-7
Martes Levítico 8:1-36   **Viernes:** Levítico 10:8-11
Miércoles: Levítico 9:1-24   **Sábado:** Levítico 10:12-20

Unidad 4

Leyes para los sacerdotes

Contexto: Levítico 6:8 a 10:20
Texto básico: Levítico 8:6-9; 9:23, 24; 10:1-3, 8-11
Versículo clave: 10:3
Verdad central: Las leyes que conciernen a los sacerdotes enseñan que los que hacen actos de culto y sirven a Dios deben adoptar un estilo de vida que refleje el carácter santo de Dios.
Metas de enseñanza-aprendizaje: Que el alumno demuestre su conocimiento de los requisitos que Dios estableció para los sacerdotes, y su actitud hacia un estilo de vida que refleja la santidad de Dios.

―――――― *Estudio panorámico del contexto* ――――――

Instrucciones a los sacerdotes respecto a los sacrificios, Levítico 6:8 a 7:38. Dichas instrucciones se refieren más bien a los sacrificios de los capítulos 1 a 5. Dirigidas a Aarón y sus hijos, las instrucciones están relacionadas con sus deberes y derechos como sacerdotes. Se destacan aquí: (a) El fuego del altar debía arder permanentemente. (b) El tipo de vestido de acuerdo con los diferentes ritos. (c) La parte del sacrificio correspondiente al sacerdote y el lugar donde debía comerla. (d) Tanto lo puro como lo impuro eran igual de contagiosos.

Consagración de Aarón y de sus hijos, Levítico 8:1-36. Esta ceremonia se celebra públicamente, siendo dirigida por Moisés en tres etapas: (a) Lavamiento, (b) investidura y (c) unción. Como parte de la ceremonia se ofrecieron sacrificios por el pecado (14-17), holocausto (18-21) y de consagración (22-36).

Primeros sacrificios públicos en Israel, Levítico 9:1-24. A los ocho días de consagrados Aarón y sus hijos asumieron su función sacrificando y bendiciendo al pueblo. Este acto lo sella una teofanía: La gloria de Jehovah apareció ante el pueblo, y su fuego *consumió el holocausto.* Aarón ofreció sacrificio por su pecado, y por el pueblo ofreció holocausto, ofrenda vegetal y sacrificio de paz.

Prohibido el alcohol a los sacerdotes al oficiar, Levítico 10:8-11. El sacerdote debía diferenciar *entre lo santo y lo profano, entre lo impuro y lo puro...* a fin de enseñar bien las leyes a Israel. El alcohol hace perder la lucidez mental, y podía hacer que el sacerdote distorsionara alguna función del ritual cúltico.

Los sacerdotes yerran en el servicio, Levítico 10:12-20. En la ofrenda por el pecado, la sangre del macho cabrío se ponía sobre los cuernos del altar, en lugar de llevarla al santuario. La carne la comían los sacerdotes en un lugar santo. Eleazar e Itamar, hijos de Aarón usaron un macho cabrío en el sacrificio por el pecado, pero lo quemaron todo. Este error enojó a Moisés. Aarón se disculpa con el argumento de no estar en condiciones morales para cargar con el pecado del pueblo, por sentirse afectado por el pecado de sus hijos Nadab y Abihú. Moisés acepta la disculpa entendiendo a Aarón.

Estudio del texto básico

Lea su Biblia y responda

1. Lea Levítico 8:6-9 y relate la ceremonia de consagración de los hijos de Aarón.

_____

_____

_____

2. Lea Levítico 9:23, 24 y organice cronológicamente las frases siguientes:
   a. _____ El fuego consumió el holocausto y los sebos del altar.
   b. _____ Bendijeron al pueblo, y la gloria de Jehovah apareció.
   c. _____ El pueblo, al ver esto, gritó de gozo.
   d. _____ Moisés y Aarón entraron al tabernáculo de reunión.
   e. _____ El pueblo gritó de gozo, y se postraron sobre sus rostros.

3. Lea Levítico 10:1-3 y narre lo que sucedió con Nadab y Abihú.

_____

_____

_____

4. ¿Cuál es la aplicación actual de Levítico 10:8-11?

_____

_____

_____

Lea su Biblia y piense

1 Consagración de Aarón y de sus hijos, Levítico 8:6-9.

V. 6. Moisés reunió al pueblo a la entrada del tabernáculo de reunión e hizo acercar a Aarón y sus hijos, designados por Dios como sacerdotes, y los lavó con agua. Este era un rito de purificación al que se sometían también los vasos y los vestidos. Se suponía que el agua eliminaba la contaminación de lo santo. El sumo sacerdote al salir del lugar santísimo debía bañarse y cambiarse de vestidos. También la persona que dejaba ir el macho cabrío a "Azazel", como el que quemaba la piel, la carne y el estiércol del animal, tenían que lavar sus vestidos y cuerpos (Lev. 11:24-28; 16:4, 23-28; 22:4-6).

Vv. 7-9. Luego de la purificación siguió la investidura. Moisés procedió a vestir a Aarón y a sus hijos con los vestidos ordenados por Dios. Ningún detalle de la ceremonia podía omitirse. El escritor los recoge con fidelidad, dada su importancia. Se ha visto en el capítulo 11 que los vestidos eran de lino fino y dignamente confeccionados. Además, llevaba el sacerdote una túnica blanca, cinturón, faja y turbante. El sumo sacerdote llevaba sobre la túnica un manto azul que llegaba a las rodillas. En la orla del manto, campanillas de oro y granadas azules. El efod era el más importante. Sostenía el pectoral, las dos piedras de ónice con los nombres de los hijos de Israel, el Urim y el Tumim. Se sujetaba con un ceñidor y hombreras. El pectoral, sobre el efod, era una pieza cuadrada de 25 cms., llevaba doce piedras preciosas con los nombres de las tribus y el Urim y el Tumim, elementos usados para conocer la voluntad de Dios. Una lámina de oro sobre el turbante señalaba: "Consagrado a Jehovah".

2 Primeros sacrificios públicos en Israel, Levítico 9:23, 24.

V. 23. *Luego Moisés y Aarón entraron al tabernáculo de reunión, después de realizar los sacrificios (vv. 8-22).* No se da la causa de tal ingreso. Tal vez Moisés daría allí algunas instrucciones a Aarón. El tabernáculo se dividía en dos secciones. La entrada, al oriente llevaba al lugar santo. Al fondo estaba el lugar santísimo, separado por un velo de lino. En el lugar santo se hallaba la mesa de la presencia, el candelabro y el altar del incienso. En el tabernáculo había un atrio cuadrangular cercado por cortinas donde estaba el altar de los holocaustos. Entre el tabernáculo y el altar de los holocaustos se hallaba la fuente de bronce donde se purificaban los sacerdotes. El tabernáculo podía armarse y desarmarse con facilidad. Al salir, Moisés y Aarón *bendijeron al pueblo, y la gloria de Jehovah se apareció a todo el pueblo.*

V. 24. *Entonces salió fuego de la presencia de Jehovah y consumió el holocausto y los sebos del altar.* De nuevo, la gloria de Jehovah vuelve a manifestarse a través del fuego que consume el sacrificio. Parece que este fuego fue conservado hasta la destrucción del primer templo. Ante la manifestación divina *el pueblo gritó de gozo, y se postraron sobre sus rostros.*

3 Castigo de Nadab y Abihú, Levítico 10:1-3.

V. 1. *Nadab y Abihú... ofrecieron delante de Jehovah fuego extraño que él no les había mandado.* En los versículos 1-11 se suspende el relato del rito del octavo día, reanudándose en el versículo 12. El pecado señalado aquí no se especifica. Se quiere aclarar este suceso diciendo: que el incienso no se preparó según las instrucciones; que el fuego usado no era del altar; que la ofrenda no se hizo en el tiempo adecuado; que Nadab y Abihú estaban borrachos y por eso se equivocaron al tomar el fuego. De todas maneras, no actuaron según lo establecido por Dios.

V. 2. *Salió fuego de la presencia de Jehovah y los consumió.* El fuego de Jehovah que antes consumía el sacrificio ahora consumió a los transgresores, señalando la desaprobación de sus actos.

V. 3. El versículo se dirige a los sacerdotes como responsables de la situación espiritual del pueblo. A quien se le da más, más se le demanda. Si el sacerdote actuara responsable y humildemente, el pueblo glorificaría a Dios.

4 Prohibido el alcohol a los sacerdotes al oficiar, Levítico 10:8-11.

Vv. 8, 9. *Ni tú ni tus hijos contigo beberéis vino ni licor.* El sacerdote no podía ingerir vino antes de oficiar, pues, se exponía a morir, como castigo de Dios.

Vv. 10, 11. Esta sección trata de las razones por las cuales el sacerdote debía abstenerse de ingerir bebidas embriagantes antes de oficiar: (1) El sacerdote debía estar en sus cabales para distinguir entre lo santo y lo profano, lo puro y lo impuro. (2) Debían estar sobrios para enseñar a los hijos de Israel todas las leyes dadas por Dios. Estas normas dadas a los ministros, eran con el fin de que éstos reflejaran la santidad de Dios en su vida.

Aplicaciones del estudio

1. Los creyentes debemos reflejar a Dios en nuestra vida, Levítico 8:6. Los sacerdotes debían ser purificados para oficiar y tenían una serie de normas para que pudieran reflejar la santidad de Dios en su vida. De igual forma, los cristianos debemos actuar reflejando al Señor en todo. En el Nuevo Testamento, Pablo dice que somos cartas abiertas. Es desagrable leer una carta que tiene muchos errores o manchas, esto nos dice mucho acerca del escritor. De la misma manera, nuestros actos dicen mucho de lo que somos.

2. El pecado trae consecuencias funestas al creyente, Levítico 10:2. En el caso de los sacerdotes infractores, fueron consumidos por el fuego de Jehovah. En los cristianos, cuando andamos en pecado, no sólo perdemos la comunión con Dios y nuestros hermanos, sino también la tranquilidad y la paz interior. Debemos tener en cuenta que el pecado siempre trae sus consecuencias.

Prueba

1. Mencione dos de los requisitos que Dios estableció para los sacerdotes.

_____

2. ¿Qué está haciendo para reflejar a Cristo en su vida? ¿Se puede distinguir fácilmente que usted es cristiano?_____ ¿Por qué?

_____

Lecturas bíblicas para el siguiente estudio

Lunes: Levítico 11:1-47
Martes: Levítico 12:1-8
Miércoles: Levítico 13:1-59

Jueves: Levítico 14:1-57
Viernes: Levítico 15:1-33
Sábado: Levítico 16:1-34

Leyes para la purificación

Contexto: Levítico 11:1 a 16:34
Texto básico: Levítico 11:1-3, 44a; 16:6-8, 15, 16, 20-22
Versículo clave: Levítico 11:44a
Verdad central: Las leyes concernientes a la purificación muestran que Dios proporciona los medios para la purificación y perdón de pecados.
Metas de enseñanza-aprendizaje: Que el alumno demuestre su conocimiento de las leyes para la purificación y lo que ellas significan, y su actitud hacia el único medio que Dios provee para la purificación y el perdón de pecados: Jesucristo.

Estudio panorámico del contexto

Animales limpios e inmundos, Levítico 11:1-47. Se clasifican en cinco grupos: 1. Con pezuñas partidas, hendidas en dos y que rumian (1-8) 2. Acuáticos (9-12) 3. Aves (13-19) 4. Insectos (20-25) 5. Reptiles y roedores (29-36). La distinción está relacionada con la cultura y la higiene.

Purificación de la mujer que da a luz, Levítico 12:1-18. El parto era motivo de impureza temporal, lo mismo que la menstruación. Algunos consideran impuro el alumbramiento, por la caída del hombre. Otros lo atribuyen al misterio de la vida misma, y para otros, se debe a la hemorragia que produce el parto. Para el israelita la sangre era la fuente de la vida. Al dar a luz, la mujer perdía vitalidad y al recobrarla, debía purificarse.

Examen de lepra, Levítico 13:1-59. Este examen lo practicaba el sacerdote, no como médico, sino como juez de la ley. La lepra se presentaba también en objetos de lino y cuero. Porque se consideraba contagiosa, la persona se aislaba por razones higiénicas y cúlticas.

Ofrendas para la purificación de la lepra, Levítico 14:1-57. Tres partes se tratan en la sección: purificación del leproso (1-32), de las viviendas (33-53), y un breve sumario (54-57). El rito de purificación de personas o cosas era para confirmar la pureza de ellas. Se hacía en cuatro fases: (1) El sacerdote comprobaba fuera del campamento la lepra del afectado. (2) El leproso entregaba al sacerdote dos pájaros limpios, madera de cedro, tinte escarlata e hisopo para iniciar la ceremonia. (3) Declarada limpia, la persona lavaba su ropa, afeitaba todo su cuerpo, se bañaba, permanecía fuera de su tienda durante siete días, al fin de los cuales repetía el ritual. (4) Al octavo día se hacía sacrificio por su anterior impureza.

Purificación de persona con flujo, Levítico 15:1-33. Hay cuatro tipos de impurezas genitales: (1) Emisión anormal de semen (2-15); (2) Emisión normal de semen (16-18); (3) Flujo normal de sangre en la mujer (19-24); (4) Flujo anormal de sangre en la mujer (25-30). Sólo la emisión anormal de semen requería sacrificio de purificación, lo mismo que el flujo anormal de sangre en la mujer (no el de menstruación). Las leyes de purificación enfatizan: (1) No se puede separar lo físico de lo espiritual. (2) La impureza separa al hombre de Dios y de su comunidad. (3) Dios provee los medios para la purificación y reconciliación del hombre con él. (4) La santidad es básica para agradar a Dios. (5) Dios se interesa por la salud física de su pueblo.

El día de la expiación, Levítico 16:1-34. Era el día más importante para los judíos, porque este día el sacerdote hacía la expiación por su pecado y el del pueblo, y el día en que Dios entraba en comunión con su pueblo.

Estudio del texto básico

Lea su Biblia y responda

1. Lea Levítico 11:1-3 y conteste falso (F) o verdadero (V):
   a. Entre los animales inmundos están: el conejo, el camello, la liebre, el cerdo. _____
   b. Los animales inmundos se podían comer. _____
   c. Los animales acuáticos sin aletas no eran inmundos._____
   d. Entre las aves que no se podían comer está el águila, el búho y el cuervo. _____

2. Lea Levítico 16:6-8 y coloque el nombre de la persona que corresponde:
   a. "Presentará como sacrificio por el pecado el novillo que le corresponde a él"_____
   b. Se echaría suerte para _____
   c. y para_____

3. Describa el ritual de Levítico 16:15, 16, 20-22.
   _____
   _____
   _____

Lea su Biblia y piense

1 Animales limpios e inmundos, Levítico 11:1-3, 44a.

V. 1. Jehovah habló a Moisés y a Aarón, quienes después de ser ordenados en el sacerdocio disfrutaban de mayor prestigio.

V. 2. *Estos son los animales que podréis comer.* Este pasaje trata de la distinción entre animales limpios e inmundos. Distinción que se hizo porque muchos animales eran usados en cultos paganos, hechicería y sacrificios de los pueblos vecinos de Israel. Estos eran considerados inmundos. Esta norma era para evitar la contaminación de Israel de la idolatría de los paganos, pero además, como norma higiénica dada la repugnancia que producen ciertos

animales. Se puede notar que Dios se preocupa por la salud física de su pueblo. En aquel tiempo comer la carne de ciertos animales podía evitar epidemias que reducirían la población.

V. 3. *Podréis comer cualquier animal que tiene pezuñas partidas, hendidas en mitades y que rumia.* Esta regla es muy general y sólo servía como guía para que los israelitas pudieran distinguir entre los animales limpios de los inmundos.

V. 44a. *Seréis santos, porque yo soy santo.* Es debido a su propia santidad que Jehovah espera que su pueblo sea santo. Los israelitas, debido a su elección, debían evitar el mezclarse con los pueblos paganos, cuyas prácticas idolátricas atentaban contra la santidad del Señor. Esta demanda de santidad es, a la vez, una esperanza, pues el pueblo de Israel tiene la posibilidad de ser santo, debido a que su Dios es santo. Además, Jehovah le proporciona los medios para que se mantenga en santidad. Uno de esos medios era la expiación.

2 El día de la expiación, Levítico 15, 16:6-8, 15, 16, 20-22.

V. 6. *Aarón presentará como sacrificio por el pecado el novillo que le corresponde a él.* Las instrucciones son dadas a Aarón a través de Moisés. Este sacrificio se realiza en el lugar santísimo, al cual el sacerdote sólo podía entrar una vez al año. Después de purificarse y colocarse las vestiduras correspondientes, el sumo sacerdote tomaba la sangre del novillo degollado, el incensario y el incienso, y entraba en el lugar santísimo. Con la sangre del animal sacrificado rociaba el propiciatorio, para hacer expiación por sí mismo y por su familia. Era indispensable que Aarón y su familia estuvieran libres de culpa para poder proceder a hacer expiación por todo el pueblo.

V. 7. *Después tomará los dos machos cabríos y los presentará delante de Jehovah.* Los dos machos cabríos, aunque usados de distinta manera, hacían parte de una misma ofrenda.

V. 8. *Aarón echará sus suertes sobre los dos machos cabríos: una suerte para Jehovah y otra suerte para Azazel.* En la antigüedad el echar suertes se usaba con frecuencia para decidir sobre asuntos importantes. Las suertes que se usaban para decidir entre los dos machos cabríos fueron hechas originalmente en madera y luego en oro. En cada suerte iba una inscripción: "Para el Nombre", es decir, para Jehovah, y "para Azazel". Para los estudiosos de la Biblia, Azazel sigue siendo un misterio. Algunos lo identifican con un lugar, cuyo significado sería "abismo, precipicio o terreno escabroso". Otros lo identifican con "el cabrío que carga", "el cabrío que quita" o "el cabrío que se marcha". Ambas interpretaciones anulan el paralelismo personal que el escritor sagrado quiso resaltar. En el libro apócrifo de Enoc, Azazel es identificado con un demonio.

Vv. 15, 16. El macho cabrío que correspondía a Jehovah era degollado y su sangre se llevaba al lugar santísimo y rociada sobre el propiciatorio. Con este rito se hacía expiación por el pueblo, por el santuario, por el tabernáculo de reunión y por el altar.

V. 20. *Hará acercar el macho cabrío vivo.* Después de sacrificar el macho cabrío que correspondía a Jehovah, Aarón tomaba el segundo para enviarlo a un lugar desértico.

V. 21. Aarón colocaba sus manos sobre la cabeza del macho cabrío para Azazel, confesaba los pecados del pueblo, y lo enviaba al desierto.

V. 22. *Aquel macho cabrío llevará sobre sí, a una tierra inhabitada, todas las iniquidades de ellos.* El simbolismo de Azazel, sin importar la interpretación o identificación del mismo, es muy importante. El pecado era cargado y llevado por alguien distinto del pecador. De igual forma, Jesucristo fue cargado con nuestro pecado, aunque él no cometió pecado. A través del sacrificio de Cristo en el Calvario, el pecador tiene la oportunidad de recibir el perdón de sus pecados y volver al compañerismo con Dios.

--------------- *Aplicaciones del estudio* ---------------

1. El hijo de Dios debe evitar contaminarse con las costumbres del mundo, Levítico 11:1-57. Las leyes que Dios le dio a su pueblo eran para evitar que se contaminara con la idolatría de los pueblos vecinos. Hoy, el creyente debe evitar actuar como actúan los no creyentes. Diferenciándose como un verdadero hijo de Dios.

2. Dios provee los medios para que sus hijos sean santos, Levítico 11:44. Las normas impuestas por Dios no sólo eran una forma de evitar la contaminación espiritual, sino también moral. Estas leyes permitían que el pueblo se purificara. El cristiano encuentra en la Palabra de Dios las normas para llevar una vida santa y digna delante de Dios y es su deber ponerlas en práctica.

--------------- *Prueba* ---------------

1. ¿Cuál es el significado de las leyes de purificación? ¿Cómo podemos aplicarlas hoy a nuestra vida?

_____

2. Hoy sólo contamos con un medio para ser purificados y perdonados por Dios. ¿Cuál es este medio?

_____

3. ¿Qué significado tiene Cristo para su vida? ¿Es el medio que usted usa para llegar a Dios? ¿Ha depositado su fe en él?

_____

Lecturas bíblicas para el siguiente estudio

Lunes: Levítico 17:1-9 **Jueves:** Levítico 19:1-22
Martes: Levítico 17:10-16 **Viernes:** Levítico 19:23-37
Miércoles: Levítico 18:1-30 **Sábado:** Levítico 20:1-27

Unidad 4

Leyes para la santidad de la vida

Contexto: Levítico 17:1 a 20:27
Texto básico: Levítico 17:8-11; 18:20-22; 19:1-4, 16-18
Versículo clave: Levítico 19:18
Verdad central: Las leyes para vivir en santidad nos enseñan cómo vivir de tal manera que reflejemos la naturaleza santa de Dios.
Metas de enseñanza-aprendizaje: Que el alumno demuestre su conocimiento de las seis leyes relacionadas con Dios y las nueve leyes relacionadas con otras personas para vivir en santidad, y su actitud hacia las maneras cómo poner en práctica las leyes relacionadas con la vida santa para con Dios y con otras personas.

--------------- *Estudio panorámico del contexto* ---------------

Centralización de los sacrificios, Levítico 17:1-16. Los animales limpios que se usaban para los sacrificios, tenían que llevarse a la entrada del tabernáculo de reunión. Esto cambiaría las costumbres religiosas del pueblo israelita, pues el sacrificio ya no lo haría el padre de familia. En el versículo 7 está la orden de no ofrecer sacrificios a demonios, identificados con carneros salvajes. Israel conocía este rito idolátrico, pues los egipcios adoraban a las cabras.

Relaciones incestuosas e inmorales, Levítico 18:1-30. Este capítulo contiene las leyes que prohíben la relación sexual entre personas que tienen cierto grado de consanguinidad y afinidad. La expresión *descubrir su desnudez* significa "tener relaciones sexuales". Israel debe distinguirse de los otros pueblos en su comportamiento moral. Estas leyes en contra del mal uso del sexo fueron dadas para preservar la relación conyugal y familiar. La consecuencia de violarlas era la expulsión de Canaán.

Mandamientos relativos a las santidad, Levítico 19:1-37. Aquí se enfatiza el hecho de que la vida de los israelitas tenía que estar bajo la dirección de Jehovah, pues es la única manera de ser santos y agradar al Dios que es santo. Las implicaciones no eran sólo religiosas, involucraban todas las facetas de la vida. Para vivir en santidad es necesario cumplir las normas relacionadas con la religión, la justicia, la misericordia y el respeto al orden establecido por Dios. Además, se enseña el amor hacia el extranjero.

Penas contra la inmoralidad, Levítico 20:1-27. Aquí se estipulan los castigos para quienes incurrieran en las faltas mencionadas en el capítulo 18. La pena de muerte se aplicaba en los siguientes casos: sacrificio de niños a Moloc (vv. 2-6), brujería y adivinación (vv. 6, 27), maldecir a los progenitores (v. 9), adulterio (v. 10), relaciones sexuales con la madrastra (v. 11), relaciones sexuales entre suegro y nuera (v. 12), homosexualismo

(v. 13), matrimonio simultáneo con madre e hija (v. 14), bestialismo (vv. 15, 16). En casos como la relación sexual entre hermanos, o con una mujer menstruosa se aplicaba la expulsión del pueblo. En el caso de tener relaciones sexuales con una tía o cuñada, se les privaba de tener hijos. Se exhorta al pueblo de Israel a cumplir con los mandatos de Dios, para que no le ocurra lo que le ocurrió a los cananeos, quienes fueron expulsados de Canaán por su desenfreno sexual.

─────────── *Estudio del texto básico* ───────────

Lea su Biblia y responda

1. Lea Levítico 17:8-11 y complete la frase:
"... cualquier hombre de la casa de Israel, o de los extranjeros que habitan entre ellos, que ofrezca _____ o _____ y no lo traiga a la _____ del _____ para ofrecerlo a _____ tal hombre será _____ de entre su pueblo." Vv. 8, 9.

2. Lea Levítico 18:20-22 y diga en sus propias palabras qué bendiciones se pueden recibir obedeciendo estas leyes, a la vez las consecuencias por no obedecerlas:

Bendiciones   Consecuencias

_____   _____
_____   _____
_____   _____
_____   _____

3. Lea Levítico 19:1-4, 16-18 y conteste falso (F) o verdadero (V):
   a._____ Sed santos porque yo Jehovah vuestro Dios soy santo.
   b._____ La santidad no tiene nada que ver con la honestidad.
   c._____ La santidad tiene que ver con el respeto a los padres.
   d._____ La santidad implica no ser idólatra.
   e._____ La santidad no involucra el respeto al prójimo.

4. Lea Levítico 19:18 y haga la aplicación de este versículo a su vida.

_____
_____

Lea su Biblia y piense

1 Centralización de los sacrificios, Levítico 17:8-11.

V. 8. Cualquier hombre de la casa de Israel, o de los extranjeros que habitan entre ellos. La nueva disposición involucra a los extranjeros residentes, quienes se afiliaron voluntariamente al pueblo de Israel. Los hebreos al salir de Egipto, fueron acompañados por "una gran multitud de toda clase de gente" (Exo. 12:38) con sus costumbres y prácticas religiosas, que de dejarles continuar con ellas, serían una influencia negativa para la fe de Israel.

V. 9. *Tal hombre será excluido de entre su pueblo.* Este sería el castigo que recibiría el que no llevara el sacrificio a la entrada del tabernáculo de reunión. El hecho de no llevar al animal degollado al tabernáculo era considerado como un asesinato, pues, se le quitaba la vida a una criatura, sin tener derecho a hacerlo. Al instituirse el sacerdocio y establecer un lugar para culto, las funciones sacerdotales son privilegio de los levitas. No obedecer esta orden significa ser excluido de la comunidad israelita.

V. 10. *Si...come cualquier sangre,...* De nuevo, el mandato incluye tanto a israelitas como a extranjeros residentes. La prohibición de comer sangre es antiquísima. La hallamos en el pacto de Dios con Noé al finalizar el diluvio (Gén. 9:4). La ira de Dios caería sobre tales personas: *pondré mi rostro contra la persona que coma la sangre y la excluiré de entre su pueblo.* Esta prohibición también tenía la intención de evitar la práctica de rituales paganos.

V. 11. La vida del cuerpo está en la sangre. Esta es la primera razón por la que se prohíbe comer sangre: porque representa la vida. La segunda, es porque sirve para hacer expiación por el pecador: "es la sangre la que hace expiación por la persona", pero no por sí misma, sino porque Dios lo ha dispuesto así: *la cual yo os he dado sobre el altar para hacer expiación por vuestras personas.* Así enseñó Dios a su pueblo a adorarle adecuadamente, pero además, le dio normas acerca de la conducta moral que le permitían distinguirse de los otros pueblos.

2 Relaciones incestuosas e inmorales, Levítico 18:20-22.

V. 20. *No tendrás relaciones sexuales con la mujer de tu prójimo...* Desde el principio el ideal de Dios para el matrimonio fue la monogamia, pues exalta la santidad del mismo. En el capítulo 20 se estipula la muerte como castigo al adulterio. Este atenta contra la estabilidad familiar.

V. 21. *No darás ningún descendiente tuyo para pasarlo por fuego a Moloc...* Era una práctica de los amonitas, quienes sacrificaban seres humanos, especialmente niños, a Moloc, su dios. Salomón le edificó un altar a Moloc. Esta práctica fue asumida por reyes de Judá (Acaz y Manasés), quienes pasaron sus hijos por fuego. Práctica condenada por los profetas.

V. 22. *No te acostarás con ningún hombre como uno se acuesta con una mujer...* La sodomía es una aberración sexual y está considerada como una depravación. Era una práctica común entre los cananeos. Sodoma y Gomorra fueron destruidas por practicar el homosexualismo. Estas normas tienen el propósito de resaltar el amor de Dios hacia su pueblo, por eso quiere que sea santo. La desobediencia a estas normas ha ocasionado graves males a la humanidad.

3 Mandamientos relativos a la santidad, Levítico 19:1-4, 16-18.

Vv. 8, 9. *Sed santos, porque yo, Jehovah vuestro Dios, soy santo.* "Santidad" es una palabra clave en Levítico. El motivo para ser santo es porque Jehovah es santo. El significado de santidad, es ser "apartado". Su pueblo debía apartarse para él. La santidad no se puede adquirir por esfuerzo humano, es un don de Dios. Entonces, la santidad es requisito y promesa.

Vv. 3, 4. Estos enfatizan que la santidad se refleja en la vida diaria, en cada acto que se realiza. Aquí se dan tres formas de evidenciar la santidad: respetando a los padres, guardando el sábado, y no siendo idólatras.

Vv. 16-18. La santidad tiene que ver con las relaciones interpersonales. No es algo exclusivo del culto. Santidad es también no calumniar, ni atentar contra la vida del prójimo; no aborrecer al hermano; no vengarse; no guardar rencor. El final de este versículo nos acerca a la ética cristiana: *Amarás a tu prójimo como a ti mismo*. Sin duda alguna, esta norma está por encima de las leyes de los pueblos contemporáneos de Israel. Reflejándose en ellas la santidad del Dios de Israel.

Aplicaciones del estudio

1. Debemos dedicarle al Señor todo lo que poseemos, pues es el dueño de todo, Levítico 17:1-8. Los israelitas tenían que llevar todo animal puro sacrificado al tabernáculo de reunión, lo que les enseñaba que todo era de Dios. Asimismo, el cristiano debe reconocer que todo es de Dios.

2. Nuestro servicio al Señor debe ser por motivos correctos, Levítico 19:5-8. El sacrificio debía ofrecerse de manera que fuese aceptado. Cuando servimos al Señor, debemos hacerlo no esperando retribución.

Prueba

1. Haga la lista de las leyes para vivir en santidad: son seis relacionadas con Dios y nueve relacionadas con el prójimo.

Relacionadas con Dios:

1._____ 2._____

3._____ 4._____

5._____ 6._____

Relacionadas con el prójimo:

1._____ 2._____

3._____ 4._____

5._____ 6._____

7._____ 8._____

9._____

2. ¿Cómo aplicará estas leyes de santidad a su vida para mejorar su relación con Dios y con los que viven a su derredor? _____

_____

Lecturas bíblicas para el siguiente estudio

Lunes: Levítico 21:1-24   **Jueves:** Levítico 24:1-9

Martes: Levítico 22:1-33   **Viernes:** Levítico 24:10-23

Miércoles: Levítico 23:1-44 **Sábado:** Levítico 25:1-55

Unidad 4

Leyes para la adoración y la redención

Contexto: Levítico 21:1 a 25:55
Texto básico: Levítico 22:18-20; 23:2, 3; 25:3, 4, 20-23, 35, 36
Versículo clave: Levítico 23:1-3
Verdad central: Las leyes de Dios que conciernen a la adoración y la redención enfatizan que nuestra reverencia a Dios debe ser reflejada en nuestro culto, en el uso de nuestros recursos, y en nuestro ministerio a los pobres.
Metas de enseñanza-aprendizaje: Que el alumno demuestre su conocimiento del propósito y significado de las leyes relacionadas con la adoración y la redención, y su actitud hacia las maneras por las cuales podemos demostrar reverencia hacia Dios en nuestra vida cotidiana.

Estudio panorámico del contexto

La santidad de los sacerdotes, Levítico 21:1-24. Estas normas sobre los sacerdotes se agrupan en tres secciones: Para todos los sacerdotes (vv. 1-9), para el sumo sacerdote (vv. 10-15), y los impedimentos para el sacerdocio (vv. 16-23). Estas normas enfatizan la perfección del culto a Jehovah, oficiado por personas sin impedimentos morales, espirituales, ni físicos.

Leyes respecto a los regalos sagrados, Levítico 22:1-33. Destácase el carácter sagrado de las ofrendas, las cuales debían estar de acuerdo con las exigencias divinas. Así el sacerdote debía obrar correctamente con ellas para no ofender a Dios. En la ofrenda de paz la mayor parte del animal era comida por el oferente. Era voluntaria y se ofrecía cualquier animal de ambos sexos, excepto aves. Significaba reconciliación y compañerismo con Dios.

La celebración del sábado, Levítico 23:1-44. Este capítulo menciona seis fiestas: La Pascua, los Azimos, Pentecostés, las trompetas, la Expiación y la Fiesta de los Tabernáculos.

El culto regular en el santuario, Levítico 24:1-9. El aceite para las lámparas lo proveía el pueblo. Debía ser puro. Los sacerdotes velaban para que estuvieran en su sitio y encendidas desde la tarde hasta la mañana. Los versículos 5-9 hablan de los panes de la presencia que se cambiaban cada sábado.

El castigo de un blasfemo, Levítico 24:10-23. Aquí un hijo de una mujer israelita en riña con un egipcio "blasfemó el Nombre y lo maldijo", lo cual equivalía a blasfemar contra Dios. El nombre de Dios no debía pronunciarse ni escribirse. El culpable fue lapidado. Los vv. 17-22 tratan de la ley del talión.

El año sabático, Levítico 25:1-7. Luego de seis años de cultivo de la tierra se le daba descanso al séptimo año. Se prohibía sembrar, podar y almacenar frutos. El dueño de la tierra debía sustentarse con lo que ella produjera por sí sola. El "año sabático" hacía que la tierra cobrara su vitalidad.

El año del jubileo, Levítico 25:8-55. El año cincuenta es el año del jubileo, y en él la tierra descansaba y los esclavos se liberaban, como también los israelitas que por su pobreza, se vendían a sus hermanos. También las propiedades volvían a sus antiguos dueños.

──────────── *Estudio del texto básico* ────────────

Lea su Biblia y responda

1. Lea Levítico 22:18-20 y mencione qué defectos no debían tener los animales que se ofrecían a Jehovah.

_____

_____

2. Lea Levítico 23:2, 3 y conteste falso (F) o verdadero (V):
   a. Dios dijo: Seis días trabajarás y el séptimo reposarás._____
   b. El sábado será consagrado a Jehovah._____

3. Lea Levítico 25:3, 4 y responda: ¿En qué consistía el año sabático?

_____

_____

4. Lea Levítico 25:20-23 y 35, 36 y diga: ¿Qué enseñanza tiene para su vida este pasaje?

_____

_____

Lea su Biblia y piense

1 Leyes respecto a los regalos sagrados, Levítico 22:18-20.

V. 18. *Habla a Aarón y a sus hijos, y a todos los hijos de Israel...* Se advierte a los sacerdotes, al pueblo y a los extranjeros sobre la calidad de los animales a sacrificar. "Si alguno presenta sus sacrificios." "Presentar sacrificio" tiene el significado de "acercarse" o "estar cerca". La ofrenda era un regalo o don ofrecido a Dios por una persona. El sacrificio era una ofrenda, animal o vegetal que se ofrecía a Jehovah. Podía ser quemada parcial o totalmente.

"Voto" es una promesa solemne que se hace a Jehovah. Después de pronunciado, debe cumplirse. El voto es una promesa de carácter religioso. La ofrenda presentada en holocausto se caracterizaba porque la víctima se quemaba completamente.

V. 19. *Para que os sea aceptado será un macho sin defecto.* Dios merece lo mejor. El animal sacrificado debe ser digno de Dios, quien es perfecto en todo. El sacrificio era un medio para alabar a Dios y buscar su perdón y reconciliación, razón suficiente para cuidarse de buscar un animal perfecto para ofrecer a Dios.

V. 20. La norma anterior se repite dada su importancia. Además, el Señor instruye sobre el día que se le debe consagrar a él.

2 La celebración del sábado, Levítico 23:2, 3.

V. 2. *Mis fiestas solemnes.* El capítulo habla de las fiestas solemnes en las cuales se convocaba a la adoración a Jehovah. Entre ellos estaba el sábado.

V. 3. *Seis días se trabajará, pero el séptimo día será sábado de reposo.* La razón de que Dios descansara de su trabajo el día séptimo (Gén. 2:2, 3) es suficiente para que el hombre guarde el sábado o reposo. El escritor procura no dejar dudas sobre este hecho importante. El ejemplo de Dios al descansar el sábado es evidenciado además en Exodo 20:8-11, mientras que en Deuteronomio 5:12-15 es enfatizada la liberación de Israel de la esclavitud egipcia. Los dos textos son complementarios. El significado de sábado es descanso, reposo. Designa el descanso de Dios, del hombre, de los animales. El sábado era el día de adoración a Dios y de instrucción en su ley. No se permitía ningún trabajo para que se enseñara al pueblo a ofrecer culto a Jehovah en un día especialmente dedicado a él. Aparte del sábado semanal, Dios instituyó otros, como el del descanso de la tierra.

3 El año sabático, Levítico 25:3, 4.

V. 3. *Seis años sembrarás tu tierra, seis años podarás tu viña y recogerás sus frutos.* Todo el trabajo agrícola se permitía por seis años. En ellos se hacía todo lo necesario para obtener sus beneficios.

V. 4. *Pero el séptimo año será para la tierra un completo descanso.* Literalmente es un "sábado de descanso" para la tierra después de seis años de trabajo. No se debía sembrar, ni podar, ni cosechar. Lo que la tierra produjera sería para la subsistencia de los dueños, de sus familias y de sus trabajadores. También los menesterosos y los animales se sustentaban de este barbecho (Exo. 23:10, 11). Durante ese año la tierra se volvía a fortalecer para continuar produciendo en abundancia. También la práctica enseñaba a Israel lo siguiente: (a) El tiempo y la tierra son de Dios; (b) Dios es quien satisface las necesidades de su pueblo aunque la tierra esté reposando. Además, Dios instituyó el año del jubileo.

4 El año del jubileo, Levítico 25:20-23, 35, 36

El jubileo se celebraba cada 50 años y tampoco se podía labrar la tierra. Para algunos el año del jubileo era el séptimo año sabático, dado que la tierra no podía reposar dos años seguidos. El texto da a entender que es el año cincuenta el del jubileo. Dado que los años cuarenta y nueve y cincuenta no se podía cultivar la tierra, se pregunta, de hecho: "¿Qué comeremos el séptimo año?"

V. 21. *Entonces yo decretaré para vosotros mi bendición el sexto año, y habrá frutos para tres años.* Esta promesa confirma a los israelitas que su sustento viene de Dios.

V. 22. *Hasta que llegue la cosecha del noveno año, seguiréis comiendo de la cosecha añeja.* Aún estando la tierra en reposo, Dios la haría producir lo suficiente para que el pueblo pudiera sustentarse de la cosecha anterior hasta el año noveno.

V. 23. *La tierra no se venderá a perpetuidad, pues la tierra es mía.* El énfasis es que Dios es el dueño de la tierra, y el hombre su mayordomo, a quien Dios le permite administrarla y aprovecharla.

Vv. 35, 36. Cada israelita debía tener misericordia para con el necesitado, tomando el ejemplo de Dios para con ellos. Los que disfrutaban el bien de Dios debían ayudar a los menesterosos, fuera hospedando, o facilitando medios de subsistencia. La bondad de Dios debe reflejarse en la bondad para con los demás. Ayudando al pobre también se adora a Dios.

--------------- *Aplicaciones del estudio* ---------------

1. La calidad de nuestras ofrendas muestra la calidad de nuestra adoración, Levítico 22:18-20. Los sacrificios a Jehovah debían ser perfectos. Cuando nuestra ofrenda al Señor es el sobrante, lo último que nos queda, sea en tiempo, dinero, alabanza, entonces nuestra adoración será mediocre y nuestra vida espiritual lo reflejará. Cuando reconocemos la Santidad y la Soberanía de Dios entonces le ofrecemos lo mejor, porque sabemos que es el dueño de todo lo que poseemos y aun de nosotros mismos.

2. La buena administración de lo que Dios nos da es manifestación de respeto y sumisión a Dios, Levítico 25:1-7. El buen manejo de las provisiones de Dios es una muestra de sabiduría para administrar lo que Dios nos ha dado. Lo contrario sería insensatez y necedad, porque no sólo es ofensa para Dios, sino que va en contra de nuestro bienestar.

--------------- *Prueba* ---------------

1. ¿Cuál era el significado de las leyes relacionadas con la adoración a Jehovah?

_____

2. Las leyes concernientes a la adoración y redención resaltan el hecho de que nuestra reverencia debe reflejarse en: (1) el culto al Señor, (2) la administración de los recursos y (3) nuestro ministerio a los pobres, ¿cómo puede hacer que sean una realidad estas tres verdades en su vida?

_____
_____
_____

Lecturas bíblicas para el siguiente estudio

Lunes: Levítico 26:1-13   **Jueves:** Levítico 27:1-8
Martes: Levítico 26:14-39   **Viernes:** Levítico 27:9-25
Miércoles: Levítico 26:40-46   **Sábado:** Levítico 27:26-34

Unidad 4

Leyes para la obediencia y las promesas

Contexto: Levítico 26:1 a 27:34
Texto básico: Levítico 26:3-6a, 14-16, 40-42; 27:30-32
Versículo clave: Levítico 27:30
Verdad central: El llamado de Dios a la obediencia implica que tanto la obediencia como la desobediencia tienen resultados de mucha trascendencia.
Metas de enseñanza-aprendizaje: Que el alumno demuestre su conocimiento de la obediencia que Dios demanda de su pueblo, y su actitud hacia cómo la obediencia a Dios se echa de ver por sus prácticas en la mayordomía personal.

—————————— *Estudio panorámico del contexto* ——————————

Recompensa por la obediencia, Levítico 26:1-46. Se enseña aquí que la obediencia o desobediencia son asuntos de moral que Dios sanciona y que son de gran trascendencia. Los primeros dos versículos exhortan contra la idolatría e invitan a guardar el sábado y a reconocer la soberanía de Jehovah. Siguen después, las bendiciones prometidas por Dios (3-13). Las bendiciones de Dios serán una respuesta a la obediencia del pueblo pero con sus mandatos. Dios promete: 1. Lluvia a su debido tiempo (v. 4a.) 2. Fertilidad de la tierra (vv. 4b, 5, 10). 3. Victoria sobre los enemigos (vv. 6-8). 4. Protección contra las fieras dañinas (v. 6b). 5. Descendencia abundante (v. 9). 6. Presencia permanente de Dios en medio de Israel (vv. 11-13).

Los versículos 14-39 anuncian las sanciones por la desobediencia. Además, la sección inicia condicionando: "Pero si..." Si el pueblo no guarda fidelidad a Dios muchos castigos vendrían sobre él con propósitos pedagógicos. A la soberbia del pueblo se intensifica el castigo divino con esta fórmula: siete veces más, lo que indica un castigo completo. Este podría ser: peste, robo de cosechas, triunfo de los enemigos, esterilidad de la tierra, cautividad. El capítulo cierra con la bondad de Dios acordándose del Pacto y bendiciendo su pueblo.

Leyes respecto a promesas y diezmos, Levítico 27:1-34. Los votos se debían cumplir. Algunos hacían promesas apresuradas. Dios provee medios para que el hombre pueda redimir el voto mediante una escala determinada, la cual tiene en cuenta la capacidad de trabajo y el sexo. Por el hombre se pagaba más que por la mujer. Se pagaba más por el hombre que estaba entre los 20 y los 60 años que por el de un mes a cinco años. Los versículos 9 al 13 señalan el rescate por los animales. Los animales puros no podían rescatarse. El sacerdote establecía el valor de los impuros. Los versículos 14 al 25 señalan el rescate de las casas y el campo. Se distingue la tierra heredada de la tierra comprada. Los animales primogénitos son de Jehovah, sólo se rescatarían los inmundos (vv. 28, 29). Finaliza el capítulo mencionando el diezmo (vv. 30-33) y la condensación global del libro (v. 34).

------------------------------ *Estudio del texto básico* ------------------------------

Lea su Biblia y responda

1. Lea Levítico 26:3-6a. y diga cuáles eran las bendiciones que recibía el pueblo si obedecía los estatutos y guardaba los mandamientos de Jehovah.

_____

_____

_____

_____

2. Lea Levítico 26:40-42. En este pasaje hay tres aspectos importantes que Dios demanda de su pueblo y que son vigentes para nosotros hoy, ¿cuáles son?

a. _____

_____

b. _____

_____

c. _____

3. Lea Levítico 27:30-32 y conteste falso (F) o verdadero (V).
   a. _____ Todos los diezmos pertenecen a Jehovah.
   b. _____ El diezmo no es consagrado a Jehovah.
   c. _____ El diezmo incluía la tierra, los animales y los frutos.
   d. _____ Los mandamientos eran órdenes de Moisés, no de Dios.

Lea su Biblia y piense

1 Recompensas por la obediencia, Levítico 26:3-6a, 14-16, 40-42.

V. 3. *Si andáis según mis estatutos y guardáis mis mandamientos, poniéndolos por obra.* El versículo menciona las recompensas por la fidelidad. Nótese el "si" condicionante. Dios mantiene su promesa si el pueblo le es fiel. La doctrina de la retribución es que recompensas y castigos se reciben aquí en la tierra. El justo esperaba el bien durante su vida, y se esperaba que el injusto recibiera su castigo en vida. Promesas y castigos están relacionados, además, con la existencia terrena. A los fieles Dios les promete abundante prole, a los infieles, privación de hijos. En el libro de Job se cuestiona el cumplimiento de esto, pues a veces el justo recibía lo que merecía el injusto y viceversa. En el Nuevo Testamento ya se enseña que la muerte no es el fin de todo y, que en la eternidad se dará la retribución debida.

V. 4. *Os mandaré la lluvia a su tiempo.* Los habitantes de Palestina esperaban dos lluvias: la temprana que señalaba tiempo de siembra y la tardía antes de la cosecha. Si faltaba una de ellas, el cultivo se perdía ocasionando el hambre. Dios promete la lluvia a su tiempo. Así, la tierra dará sus productos, y el árbol del campo dará su fruto.

V. 5. *Vuestra trilla alcanzará hasta la vendimia, y la vendimia hasta la siembra.* La figura muestra cómo la bendición de Dios incrementó los frutos por medio de la lluvia a tiempo, tanto que la vieja cosecha duraría hasta la próxima cosecha (v. 10). La trilla era el golpeteo de la espiga para sacar el grano del tamo; la vendimia es la cosecha de la uva. Junto a la abundancia, Dios les promete: habitaréis seguros en vuestra tierra.

V. 6a. *Daré paz en la tierra; dormiréis, y no habrá quien os espante.* Los enemigos eran la mayor preocupación de los israelitas. Estos les acosaban a menudo por doquier. Dios les promete vigilarlos para que estén seguros y confiados.

Vv. 14, 15. Se verán aquí los castigos por desobediencia. Nótese la condición: "pero si no", indicando que el castigo se podría evitar con la obediencia. Podrían obedecer y ser recompensados o desobedecer y ser castigados duramente.

V. 16. *Decretaré contra vosotros terror, tisis y fiebre.* El primer castigo será de pestes en la gente, luego será contra la agricultura. Sus cosechas serían robadas, lo cual ocurrió según el libro de Jueces. Una y otra vez los filisteos se llevaron la cosecha de los israelitas, como castigo de Dios.

V. 40. *Si ellos confiesan su iniquidad.* Los castigos de Dios querían llevar al pueblo la enseñanza de que no convenía desviarse de él. Debían, pues, confesar su pecado, indicando su dolor y su deseo de volver a Dios.

V. 41. *... si entonces se doblega su corazón incircunciso y reconocen su pecado.* La confesión debía venir de un sincero arrepentimiento. El corazón incircunciso indica al pueblo apartado de Dios obrando como los paganos, y no disfrutando del pacto. La circuncisión era señal del pacto. Un incircunciso no pertence al pacto. Cuando Israel se apartaba, pero después se arrepentía y confesaba su pecado, Dios le perdonaba y restauraba a su lugar.

V. 42. *Yo me acordaré de mi pacto...* Dios cumpliría las promesas hechas a los patriarcas, no porque estuviera obligado, sino por su misericordia. A pesar de la soberbia del pueblo, Dios permanecería fiel. Dios le exhorta a la fidelidad y le instruye acerca de los diezmos.

2 Leyes respecto a los diezmos, Levítico 27:30-32.

V. 30. *Todos los diezmos de la tierra... pertenecen a Jehovah.* Es cosa sagrada a Jehovah. Israel comprendió esta verdad. El diezmo es de Jehovah. Antes de la ley ya se practicaba el diezmo. Abraham dio sus diezmos (Gén. 14:20). Jacob promete dar el diezmo a Dios (Gén. 28:22). Literalmente el diezmo es la décima parte de lo que Dios nos da. Esto servía para cubrir las necesidades de los levitas.

V. 31. *Si alguno quiere rescatar algo de sus diezmos, añadirá una quinta parte a su valor.* No se trata aquí de retener el diezmo y luego entregarlo con intereses. Alguien podía de pronto utilizar por necesidad los productos de la cosecha o animales. Entonces podía pagar su diezmo en dinero y no en especie, agregando la quinta parte. El ganado no podía sustituirse, ni rescatarse (v. 33).

V. 32. *Todo diezmo del ganado vacuno o del rebaño, de todo lo que pase bajo el cayado, el décimo será consagrado a Jehovah.* Se piensa aquí en un pastor apartando su diezmo del rebaño. Los rabinos dicen que el israelita enumeraba su rebaño y luego lo hacía desfilar uno por uno por una puerta angosta. Cada décimo animal se marcaba con ocre sin examinarlo y lo consagraba a Jehovah.

——————————— *Aplicaciones del estudio* ———————————

1. Somos responsables de nuestros actos, Levítico 26:1-46. Las bendiciones de Dios vendrían sobre Israel, si obedecía a Dios. Hoy, los cristianos debemos ser conscientes que somos nosotros mismos quienes decidimos si somos bendecidos o no.

2. Debemos ser fieles a Dios voluntariamente, las bendiciones vienen como por añadidura, Levítico 26:3-13. Dios prometió bendecir a Israel. De la misma manera él nos ha prometido derramar bendiciones sobre nosotros. Sin embargo, no debemos ser obedientes a Dios solo por interés, sino por amor a él y porque lo merece.

3. El diezmo es parte del plan de Dios para sostener su obra y a sus ministros, Levítico 27:30-32. Los sacerdotes israelitas fueron sostenidos por los diezmos del pueblo. Cada cristiano debe entregar sus diezmos al Señor, conciente de que este será de bendición para su obra y para sus ministros.

——————————— *Prueba* ———————————

1. ¿Cuál es la base de la relación con Dios?

_____

_____

_____

2. ¿Cuál es el la expresión inicial y básica de nuestra mayordomía que demuestra obediencia a Dios?

_____

_____

_____

Lecturas bíblicas para el siguiente estudio

Lunes: Números 1:1-54   **Jueves:** Números 5:1 a 6:27
Martes: Números 2:1-34   **Viernes:** Números 7:1 a 8:26
Miércoles: Números 3:1 a 4:49   **Sábado:** Números 9:1 a 10:10

Unidad 5

Preparándose para dejar el Sinaí

Contexto: Números 1:1 a 10:10
Texto básico: Números 1:1-3; 3:5-7; 8:20-22; 9:15-18
Versículo clave: Números 9:18
Verdad central: La manera en que Dios preparó a Israel para dejar el Sinaí muestra que siempre él provee el liderazgo y la dirección necesarios para llevar a cabo su voluntad.
Metas de enseñanza-aprendizaje: Que el alumno demuestre su conocimiento de cómo Dios preparó a Israel para dejar el Sinaí, y su actitud hacia las maneras por las cuales Dios guía su vida.

Estudio panorámico del contexto

Censo para el servicio militar, Números 1:1-51. Después de un año en el Sinaí, Moisés, por orden de Dios, selecciona los hombres de guerra mediante un censo. Se escogerían hombres de 20 años en adelante. Doce hombres, uno por cada tribu, ayudaron en la tarea. Siendo excluida la tribu de Leví. Por estar encargada del culto se consideró como tribu distinta de las de los hijos de José, Efraín y Manasés.

Emplazamiento de las tribus, Números 2:1-34. Dios demuestra a su pueblo la guía que les ofrecerá, en la forma como organiza las tribus. El tabernáculo en el centro rodeado por los levitas. Las otras tribus alrededor formando un cuadro. Con esto indica Dios, según el enfoque teológico, que é habita en medio de su pueblo.

Tareas de los levitas y los sacerdotes, Números 3:1 a 4:49. Aquí se trata de las funciones de los levitas y sacerdotes y del censo de los mismos. Los levitas sustituyeron a los primogénitos, por eso, llegaron a ser posesión especial de Jehovah, y ayudaban a los sacerdotes en el culto y el cuidado del tabernáculo.

Reglamentos respecto al campamento, Números 5:1 a 6:27. Se hallan aquí las leyes que procuran la santidad del campamento, porque allí habita Jehovah. En el capítulo seis instituye el nazareato, que era hacer un voto de consagración a Jehovah por un tiempo determinado, por parte del nazareo y éste, tenía que abstenerse de cortarse el cabello, tocar cadáveres e ingerir alimentos que contuvieran uva.

Ofrendas y dedicación del tabernáculo, Números 7:1-89. Los jefes de tribus ofrendaron abundantemente y, además, donaron los medios para transportar el tabernáculo. Esto fue ejemplo para los demás, porque aprendieron a ofrecer lo que tenían para el mantenimiento del culto a Dios.

La iluminación del candelabro, Números 8:1-4. Este relato se halla también en Exodo 25:31-40. El candelabro del tabernáculo con sus siete lámparas y su luz encendida, representaba la presencia divina y la perfección. La consagración de los levitas, Números 8:5-26. La importancia de la función de los levitas, requería de mucha pulcritud. La consagración de los levitas se hizo a través de una ceremonia imponente, resaltando la magnitud de su servicio. Por ser consagrados a Jehovah administraban todo lo relacionado con el culto.

Alternativa para la celebración de la Pascua, Números 9:1-14. El pasaje trata de una Pascua suplementaria. El pueblo celebró la primera Pascua en Egipto poco antes del éxodo. El tiempo para la segunda se cumplió en el Sinaí, los que no podían celebrarla por estar impuros, podían hacerlo un mes después.

La nube y el fuego, Números 9:15-23. La nube que cubría el tabernáculo dirigía al pueblo durante la peregrinación. Al detenerse, el pueblo acampaba y al levantarse reanudaban la marcha. Esto demuestra que el pueblo dependía de Dios.

Señales con trompetas, Números 10:1-10. Las trompetas de plata fueron hechas antes de salir del Sinaí. Se usaban para convocar al pueblo al culto, para convocar a los dirigentes y para ordenar la marcha de los campamentos. La interpretación teológica es que todos los movimientos del pueblo eran por dirección y orden de Dios.

--------------- *Estudio del texto básico* ---------------

Lea su Biblia y responda

1. Lea Números 1:1-3 y enumere (1 a 4) los acontecimientos en orden cronológico:
   a._____ puedan ir a la guerra.
   b._____ Tú y Aarón contaréis, según sus escuadrones, a todos los mayores de 20 años.
   c._____ Haced un censo a toda la congregación de Israel.
   d._____ Jehovah habló a Moisés en el desierto de Sinaí.
2. Lea Números 3:5-7 y subraye la respuesta correcta. Jehovah habló a Moisés diciendo:
   a. "No dejes que se acerquen los levitas al sacerdote Aarón."
   b. "He aquí yo tomé a los levitas por primogénitos."
   c. "Haz que se acerque la tribu de Leví y ponla delante del sacerdote Aarón, para que ellos le sirvan."
3. Lea Números 8:20-22 y diga quién realizó la acción descrita.
   a. Hicieron conforme a todo lo que Jehovah había mandado acerca de los levitas.

   _____

   b. Se purificaron de pecado y lavaron sus vestiduras.

   _____

   c. Los presentó como ofrenda mecida delante de Jehovah, e hizo expiación por los levitas para purificarlos. _____

4. Lea Números 9:15-18 y diga cuál era la función de la nube y el fuego sobre el tabernáculo.

_____

_____

Lea su Biblia y piense

1 Censo para el servicio militar, Números 1:1-3.

V. 1. *El primero del mes segundo del segundo año.* Los israelitas permanecieron cerca de un año en el Sinaí. Exodo narra la historia desde la salida de Egipto hasta la llegada a dicho lugar. Números prosigue el relato desde el Sinaí hasta el establecimiento en Moab, cerca de Canaán, en un período de 38 años; pero en Sinaí, Dios instruye al pueblo sobre cómo seguir la marcha.

V. 2. *Haced un censo de toda la congregación de los hijos de Israel.* El nombre original del libro de Números viene de los censos realizados en Israel. Este interpreta la historia de Israel desde la perspectiva sacerdotal. Las experiencias del pueblo en el desierto son narradas destacando tres sitios geográficos: Sinaí, Cades y las llanuras de Moab.

Israel se dividía en tribus, éstas en clanes y éstos a su vez en casas paternas. El censo tenía interés únicamente en los varones aptos para la guerra.

V. 3. *Por ser de 20 años para arriba, puedan ir a la guerra.* El censo es militar y es con el objetivo de preparar al pueblo para enfrentar a los enemigos durante la marcha. Sólo la tribu de Leví no aportó guerreros por estar dedicada a los oficios del culto.

2 Tareas de los levitas, Números 3:5-7.

Vv. 5, 6. *Haz que se acerque la tribu de Leví y ponla delante del sacerdote Aarón, para que ellos le sirvan.* La forma verbal acerque tenía significado de ofrenda. De manera que, Leví era como una ofrenda presentada por el pueblo a Jehovah. Los levitas estaban al servicio de los sacerdotes, en este caso de Aarón y no participaban en servicios militares.

V. 7. *Para llevar a cabo el servicio del tabernáculo.* Además de las funciones asignadas por los sacerdotes, los levitas dirigían los sacrificios que ofrecía el pueblo y se ocupaban del cuidado del tabernáculo. Esta función vital para Israel les obligaba a estar bien purificados.

3 La purificación de los levitas, Números 8:20-22.

V. 20. *Moisés, Aarón y toda la congregación de los hijos de Israel hicieron con los levitas conforme a todo lo que Jehovah había mandado.* Los versículos 5 al 19, instruyen en cuanto a la purificación de los levitas. Tanto Moisés como Aarón y el pueblo debían reconocer la vocación de los levitas, pues éstos les representaban ante Jehovah como sustitutos de sus primogénitos.

V. 21. *Los levitas se purificaron de pecado y lavaron sus vestiduras.* Moisés efectuó esta purificación rociando agua sobre ellos. Luego los sacerdotes lavaron sus vestiduras. Finalmente, Aarón les presentó como ofrenda mecida delante de Jehovah y Aarón hizo expiación por ellos, en un solemne acto.

V. 22. *Después de esto, entraron los levitas para servir en el tabernáculo de reunión.* Ya debidamente consagrados, los levitas entran a ejercer sus funciones en el tabernáculo. A través de ellos y los sacerdotes, Dios muestra su presencia al pueblo, haciéndose visible por medio de la nube del tabernáculo.

4 La nube y el fuego sobre el tabernáculo, Números 9:15-18.

Vv. 15, 16. *El día en que fue erigido el tabernáculo la nube cubrió el tabernáculo,...* Dios cumplió su promesa de Exodo 25:8, posando su nube en el tabernáculo; simbolizando su presencia entre sus hijos. Por la noche, la nube tomaba forma de fuego.

Vv. 17, 18. El Dios invisible se hace visible por medio de la nube, señal de su compañía. El pueblo descansaba al detenerse la nube y marchaba al levantarse ésta. Era pues, Dios y no Moisés quien dirigía la marcha del pueblo y quien le protegía de toda hostilidad. Esta experiencia testificaría por siempre en Israel el poder de Dios, de modo que en cada situación difícil imploraron la ayuda de Dios.

———————— *Aplicaciones del estudio* ————————

1. Debemos estar contentos con la posición en que Dios nos ha colocado, Números 2:1-34. Dios es sabio y conoce lo que cada uno de nosotros puede hacer, por eso, debemos realizar nuestro trabajo con gozo y gratitud al Señor, sin tener recelos o envidias de quienes tienen un puesto de mayor responsabilidad por encima de nosotros.

2. La santidad es privilegio de los hijos de Dios, Números 3:5-7. Los levitas y sacerdotes eran los únicos que podían realizar las actividades relacionadas con el culto. Si otra persona no autorizada trataba de realizar éstas, moría irremisiblemente. La santidad es privilegio de los creyentes, lo que a su vez les da el privilegio de servir.

———————— *Prueba* ————————

1. ¿De qué manera organizó Dios al pueblo de Israel para salir del Sinaí, y cómo les guiaba para marchar? _____

2. El creyente tiene la bendición de ser guiado por el Señor hoy. ¿Cuáles son los medios que Dios utiliza hoy para guiar su vida? _____

Lecturas bíblicas para el siguiente estudio

Lunes: Números 10:11-28
Martes: Números 10:29-32
Miércoles: Números 11:1 a 12:16

Jueves: Números 13:1-33
Viernes: Números 14:1-10a
Sábado: Números 14:10b-45

Unidad 5

Rehusando a entrar a la tierra prometida

Contexto: Números 10:11 a 14:45
Texto básico: Números 13:1, 2, 27-30; 14:18-24
Versículo clave: Números 18:14
Verdad central: La respuesta de Dios al rechazo del pueblo a entrar en la tierra prometida demuestra que aunque Dios es misericordioso y perdonador, él castigará a los que no confíen en él.
Metas de enseñanza-aprendizaje: Que el alumno demuestre su conocimiento a nivel de aplicación de los factores que consideró Israel al rehusar entrar a la tierra prometida, y su actitud hacia los resultados de confiar en Dios y los resultados de la desobediencia.

―――――――― *Estudio panorámico del contexto* ――――――――

Partida del desierto de Sinaí, Números 10:11-36. El pueblo de Israel salió de Sinaí, reemprendiendo de esta forma la marcha, el día 20 del segundo mes, o sea, en el mes de Zif, el cual equivale a abril/mayo de nuestro calendario. Los nombres y equivalencias de los otros meses son:

Mes:	Nombre:	Equivalencia:
Primero:	Nisán (Abib)	marzo/abril
Tercero:	Siván	mayo/junio
Cuarto:	Tammuz	junio/julio
Quinto:	Ab	julio/agosto
Sexto:	Elul	agosto/septiembre
Séptimo:	Tisri (Etanim)	septiembre/octubre
Octavo:	Marchesvan (Bul)	octubre/noviembre
Noveno:	Quisleu	noviembre/diciembre
Décimo:	Tebet	diciembre/enero
Undécimo:	Sebat	enero/febrero
Duodécimo:	Adar	febrero/marzo

Jehovah envía fuego consumidor, Números 11:1 a 12:16. Una vez más el pueblo se quejó contra Jehovah. Como castigo una parte del campamento fue incendiada. Después, incitados por los extranjeros, volvieron a quejarse por la falta de carne. Dios, junto con la carne, les envió una peste que diezmó la población. En Hazerot, María y Aarón murmuraron contra Moisés, y como castigo María estuvo leprosa por siete días.

Moisés envía espías a Canaán, Números 13:1-33. Doce hombres, uno por cada tribu, fueron seleccionados para ir a reconocer la tierra de Canaán de sur a norte. Al regresar rindieron un informe pesimista, motivo por el cual el pueblo se desalentó y se rebeló.

El pueblo se rebela contra Jehovah, Números 14:1-10a. Al oír el informe de los espías el pueblo se rebeló contra Jehovah, Moisés y Aarón. Tanto fue el desánimo que estaban listos para nombrar a otro líder. Josué y Caleb intervinieron para tratar de convencer a los israelitas de que continuaran la marcha. Pero la turba enfurecida, en vez de atender el consejo, amenazó con apedrearlos.

Moisés intercede por su pueblo, Números 14:10b-45. Jehovah amenazó con exterminar al pueblo. Moisés, al escuchar el anuncio de castigo, intercedió por el pueblo. Dios escuchó su oración y no exterminó al pueblo, pero sí anunció que aquellos que tenían de 20 años en adelante no entrarían en la tierra prometida.

──────────── *Estudio del texto básico* ────────────

Lea su Biblia y responda

1. Lea Números 13:1, 2, y conteste falso (F) o verdadero (V) a las siguientes preguntas:
   a. _____ Moisés envía hombres a espiar la tierra por su propia deter minación.
   b. _____ Moisés recibió la orden de Dios de enviar espías a Canaán.
   c. _____ Los escogidos para espiar la tierra fueron 12 hombres.
   d. _____ La tierra que iba a ser explorada era la tierra que Dios daría a su pueblo.
2. Lea Números 13:27-30 y haga un paralelo entre el informe de los hombres que fueron a espiar con Caleb, y el informe de Caleb.

Informe de los espías	Informe de Caleb

3. ¿Qué enseñanza nos deja la actitud de los espías incrédulos?

4. ¿Qué podemos aprender de Caleb y su actitud frente a los obstáculos?

5. Lea Números 14:18-24 y diga en qué otro libro del Pentateuco se encuentra el versículo 18.

Lea su Biblia y piense

1 Moisés envía espías a Canaán, Números 13:1, 2, 27-30.

Vv. 1, 2. Dios permitió que Moisés enviara espías para que reconocieran la tierra de Canaán, en respuesta a la solicitud del pueblo (Deut. 1:22). Canaán significa "tinte, púrpura, carmesí". Con este nombre se conoce toda la región que está comprendida entre el río Jordán y el mar Mediterráneo. Para reconocer aquella tierra fueron enviados doce hombres, uno de cada tribu, que gozaban de estima y respeto en sus respectivas tribus.

V. 27. Al regresar, los espías rindieron un informe de su misión. Comenzaron contando de las bondades de aquella tierra, a la cual calificaron como una tierra que *fluye leche y miel*, que también era el calificativo que Dios había usado (Exo. 3:8). Para demostrar que no exageraban en su apreciación llevaron consigo uno de los frutos que se daban en esa región.

V. 28. Después de esa nota positiva, los espías informan acerca de los habitantes de Canaán, y los presentan como personas fuertes, que habitaban en ciudades inexpugnables, por ser fortificadas. Se refieren, de manera especial a Anac, quien era descendiente de Arba (Jos. 15:13). Anac significa "de cuello largo"; quizá por eso se les llama gigantes.

V. 29. También mencionan las otras tribus que habitaban la región, las cuales estaban distribuidas así: en el Néguev, los de Amalec; en la región montañosa, los heteos, los jebuseos y los amorreos; y a lo largo de la costa y en el valle del Jordán, los cananeos.

V. 30. Caleb, uno de los doce espías, mostró una actitud distinta de la de sus compañeros. Aunque había visto las mismas cosas, creyó firmemente que el pueblo de Israel podía tomar posesión de dicha tierra. Pero los otros espías, excepto Josué, persistieron en su pesimismo e incitaron al pueblo a rebelarse contra Jehovah, Moisés y Aarón. Por esto Dios se enojó y anunció el exterminio de todo el pueblo, con excepción de Moisés. Este, como lo había hecho otras veces, oró por su pueblo.

2 Moisés intercede por su pueblo, Números 14:18-24.

V. 18. En su oración Moisés echó mano del carácter amoroso de Jehovah. El sabía que Dios es *lento para la ira y grande en misericordia*. Que es un Dios que perdona la iniquidad y la rebelión, pero que, a la vez, es justo y, por eso, de ninguna manera dará por inocente al culpable. Quien se rebela contra Dios tendrá que sufrir el castigo, pero quien se arrepiente y le busca, alcanzará su misericordia. Este versículo enfatiza que el pecado afecta no sólo al transgresor, sino también a los suyos.

V. 19. Con base en la misericordia de Dios, Moisés suplica por su pueblo. Le recuerda a Jehovah que en otras ocasiones ha mostrado su misericordia con Israel, y le pide que en esta ocasión también lo haga. Moisés, como un fiel siervo de Jehovah y de su pueblo, estaba más interesado en el bienestar de su gente, que en el suyo propio.

V. 20. Dios, en respuesta a la oración de su siervo, perdonó a Israel y le cambió el castigo. La expresión *conforme a tu palabra* alude a la petición que hizo Moisés. En esta oración se destaca el carácter humilde de este líder, pues habiendo tenido la oportunidad de pasar a la historia como el padre de la nueva nación de Israel, prefirió declinar a tal honor, por amor de aquella gente que tantos sufrimientos le había causado.

Vv. 21-23. El Señor impuso otro castigo al pueblo rebelde, en lugar del que había anunciado. Ya no exterminaría a Israel, pero sí impediría que esa generación que salió de Egipto, excepto Josué y Caleb, entrara a la tierra prometida. Es triste que un pueblo que vio, vez tras vez, las maravillas de Dios, siguiera desconfiando de su poder y de su amor. Por eso, tuvieron que estar dando vueltas a través del desierto durante cuarenta años, cuando hubieran podido tomar posesión de la tierra mucho tiempo antes.

V. 24. A Caleb, quien trató de alentar al pueblo para que conquistara la tierra de Canaán, a pesar de todos los obstáculos, Dios le aseguró que le permitirá disfrutar del cumplimiento de la promesa hecha a su padre Abraham. El cumplimiento de dicha promesa la encontramos en Josué 14:6-15 y en Jueces 1:20. Al no permitir que esa primera generación entrara en la tierra prometida, Dios enseña a Israel que, aunque él es misericordioso y perdonador, también es justo y castiga a quienes no confían en él.

Aplicaciones del estudio

1. Debemos estar dispuestos a ser guía para otros, Números 10:29-32. Moisés pidió a Hobab que les guiara porque conocía bien el desierto. Los creyentes debemos estar dispuestos a guiar a otros a la verdad, y a orientar a los que han iniciado su vida cristiana, para que puedan crecer y madurar.

2. Ante los obstáculos no debemos ser pesimistas, sino tener una actitud positiva. En los momentos en que se presentan dificultades y obstáculos que impiden que alcancemos nuestras metas, es necesario tener una actitud positiva, demostrando la confianza que tenemos en Dios.

Prueba

1. ¿Cuáles fueron los factores que influyeron para que los israelitas rehusaran entrar a la tierra prometida?

_____

_____

2. Haga un paralelo entre los resultados de obedecer a Dios y las consecuencias de desobedecerle.

Resultados de obedecer	*Resultados de desobedecer*
_____	_____
_____	_____
_____	_____

Lecturas bíblicas para el siguiente estudio

Lunes: Números 15:1-41
Martes: Números 16:1-50
Miércoles: Números 17:1-13
Jueves: Números 18:1-7
Viernes: Números 18:8-20
Sábado: Números 18:21-31

Unidad 5

Dios confirma a Moisés y Aarón

Contexto: Números 15:1 a 18:32
Texto básico: Números 16:1, 3, 28-32; 18:19, 26
Versículo clave: Números 18:26
Verdad central: La confirmación de Dios al liderazgo de Moisés y Aarón enseña al pueblo que debe respetar a sus líderes.
Metas de enseñanza-aprendizaje: Que el alumno demuestre su conocimiento de las causas que motivaron el rechazo del liderazgo de Moisés y Aarón por parte del pueblo, y su actitud hacia las maneras cómo podemos expresar nuestro respeto y aprecio a los líderes que Dios nos ha dado.

Estudio panorámico del contexto

Ofrendas vegetales y libaciones, Números 15:1-41. Aquí se especifican las cantidades de harina, vino y aceite que debían usarse en los sacrificios. La libación consistía en derramar un líquido, generalmente vino, sobre la víctima del sacrificio. El *efa* era una medida de capacidad para granos y era igual a un *bato*, que era una medida de capacidad para líquidos, y equivalía a 22 litros. El *hin* era otra medida para líquidos y era igual a la sexta parte del *bato*, es decir, 3,7 litros.

Rebelión de Coré y su grupo, Números 16:1-50. En Cades, Coré y 250 hombres se sublevaron contra la autoridad religiosa y espiritual de Moisés y de Aarón. La intención de Coré era quedarse con el sumo sacerdocio y permitir que sus hombres ejercieran sus funciones como levitas. Al mismo tiempo, Abiram y Datán se rebelaron contra la autoridad civil de Moisés y quisieron suplantarlo. En respuesta a este acto de rebeldía, Jehovah hizo que la tierra se abriera y se tragara a Coré, a Abiram, a Datán, y a sus respectivas familias. Los otros 250 hombres murieron quemados mientras ofrecían el incienso. De esta forma Dios confirma en sus funciones a Moisés y a Aarón, a quienes había escogido previamente.

La señal de la vara de Aarón, Números 17:1-13. La vara o bastón era un instrumento rústico que se hacía con la rama de un árbol. Se usaba para protección, para apoyarse, para defensa del rebaño, o como arma en un combate. Llegó a ser símbolo de dignidad y autoridad. Jehovah pidió a Moisés que llevara al tabernáculo de reunión las varas de cada uno de los dirigentes de las tribus de Israel, más la vara de Aarón, que era la misma de Leví. Allí la vara de Aarón floreció y dio almendras maduras. Así, una vez más, Jehovah confirmó a Aarón como el sumo sacerdote y guía espiritual del pueblo.

Deberes y remuneración de sacerdotes y levitas, Números 18:1-32. Como los levitas y sacerdotes no podían trabajar secularmente para mantener a sus familias, Dios les aseguró su sustento a través de las ofrendas que el pueblo le daba. Los primeros 7 versículos tratan de los deberes de los sacerdotes y levitas. Los versículos restantes se refieren a la remuneración para los mismos. Así Jehovah enseña que sus sacerdotes son sostenidos directamente con las ofrendas que el pueblo le da.

────────────── *Estudio del texto básico* ──────────────

Lea su Biblia y responda

1. Lea Números 16:1-3 y relate lo que está sucediendo.

2. Después de leer Números 16:28-32 responda las siguientes preguntas:
   a. ¿Quiénes fueron los líderes de la rebelión contra Moisés?

   b. ¿Qué hizo Dios al conocer la actitud de Coré y sus seguidores?

   c. ¿Cómo fue confirmado el liderazgo de Moisés frente al pueblo?

3. Lea Números 18:8-20 y diga de qué manera serían remunerados los sacerdotes.

4. ¿Cuál ha sido el acontecimiento que más le llamó la atención de todo el estudio?

Lea su Biblia y piense

1 Rebelión de Coré y su grupo, Números 16:1, 3.

V. 1. Coré era hijo de Izjar y nieto de Cohat (Exo. 6:18, 21), por lo tanto, era miembro de la tribu de Leví. Parece ser que los coreitas o eran músicos o estaban encargados de la música en el culto, pues tenemos en algunos salmos títulos donde se alude a ellos (42, 44-49, 84, 85, 87, 88). Datán y Abiram, quienes se rebelaron contra la autoridad civil de Moisés, pertenecían a la tribu de Rubén. On, el hijo de Pelet, no vuelve a aparecer en el relato y no se nos da ninguna explicación al respecto. Estos tres últimos, acusaron a Moisés de haber engañado al pueblo con falsas promesas y de guiarlos a morir en el desierto.

V. 3. Coré pretendía quedarse con el sumo sacerdocio, y para tratar de conseguirlo promovió una revuelta contra Moisés y Aarón. Acusaron a los hermanos de haber usurpado sus cargos y de querer adueñarse de los israelitas. Para esto se basaron en una declaración de Jehovah, quien dijo: "y vosotros me seréis un reino de sacerdotes y una nación santa" (Exo. 19:6).

Con base en estas palabras de Dios, afirmaron que cualquier israelita podía ejercer las funciones sacerdotales. Aparentemente el razonamiento es lógico y bíblico, pues no fue inventado por ellos sino por Dios mismo. El problema es que no tuvieron en cuenta todo el contexto y, por eso, resultaron con una conclusión equivocada. Cuando se usa un texto bíblico aislado de su contexto se corre el peligro de sacar doctrinas contrarias a la verdad revelada en la Escritura. Así han surgido los grupos heréticos a través de la historia del cristianismo, y aun en nuestro tiempo siguen apareciendo movimientos con apariencia de cristianismo, pero totalmente opuestos al mismo. La rebelión de Coré y su grupo fue castigada por Dios, quien de esta forma hace público su respaldo a Moisés y a Aarón como líderes de los israelitas.

2 La confirmación del liderazgo de Moisés y Aarón, Números 16:28-32.

V. 28. Moisés es consciente de que jamás ha sido motivado por una ambición personal, sino que su puesto de liderazgo le fue conferido por Dios. Por eso, retó a sus opositores para que permitieran que fuera Dios mismo quien decidiera el asunto. Esta prueba no es para que Moisés se sienta seguro de su llamado, sino para que los israelitas quedaran plenamente convencidos de que fue Dios quien le colocó al frente de ellos.

Vv. 29, 30. Para determinar quién tenía la verdad, Moisés colocó como prueba que si los rebeldes morían de muerte natural, entonces ellos tenían razón, pero si no, entonces Jehovah haría que la tierra se abriera y se los tragara vivos. La profundidad de la tierra y el *seol* son puestos en paralelo en este versículo. El *seol*, en la mentalidad israelita, era la sepultura o el lugar a donde van a parar los muertos. Descender vivo al seol era considerado como un horrendo castigo.

V. 31. Tan pronto Moisés terminó de hablar, Jehovah hizo que la tierra se rompiera. Algunos creen que hubo un terremoto, pero los datos registrados por el escritor sagrado no nos permiten determinar qué originó este fenómeno. Lo que sí es cierto es que Jehovah respaldó a su siervo y no permitió que fuera deshonrado.

V. 32. El castigo cayó sobre Coré, Datán, Abiram y sus respectivas familias. De esta forma el Señor confirmó el liderazgo de Moisés y de Aarón y enseñó al pueblo a respetar a sus líderes. Una vez más el pueblo ha recibido la evidencia de que Moisés y Aarón cuentan con el respaldo divino.

3 Privilegios y deberes de sacerdotes y levitas, Números 18:19, 26.

V. 19. Dentro de las ofrendas alzadas tenemos el sacrificio de paz y las ofrendas vegetales. El primero enfatizaba el compañerismo de Jehovah con el hombre, y las segundas, la provisión de Dios para el sustento de su pueblo. De los sacrificios de paz, el sacerdote mecía el pecho del animal sacrificado y elevaba el muslo derecho o espaldilla del mismo. También elevaba las tortas que habían sido preparadas con la primera masa preparada con los cereales cosechados. Estas ofrendas mecidas y elevadas eran la porción de los sacerdotes. Esto es un estatuto perpetuo, o *un perpetuo pacto de sal*. **Cuando** se habla de *pacto de sal* se hace referencia a un pacto inviolable.

V. 26. Los levitas debían entregar a Jehovah el diezmo de los diezmos que el pueblo daba. Este diezmo era entregado a los sacerdotes como un reconocimiento del señorío de Dios.

─────────── *Aplicaciones del estudio* ───────────

1. Debemos respetar a nuestros líderes espirituales y civiles porque Dios es quien les ha colocado sobre nosotros. Dios castigó a Coré, Abiram y Datán porque se rebelaron contra su siervo Moisés, a quien él había colocado al frente del pueblo. El respeto al líder implica también el apoyo, el cual le podemos dar a través de nuestras oraciones y nuestro respaldo en el desempeño de su labor.

2. Debemos sentir gozo al tener el privilegio de sostener a los ministros del Señor, Números 18:8-31. De las ofrendas, diezmos y sacrificios del pueblo participaban los sacerdotes y levitas por orden directa de Dios. En el Nuevo Testamento se da la misma enseñanza, en 1 Corintios 9:14, de la siguiente manera: Así también ordenó el Señor a los que anuncian el evangelio, que vivan del evangelio.

3. El rebelarse contra los líderes de la iglesia por equivocación propia es rebelarse contra Dios. Coré creyó estar rebelándose contra Moisés, pero en realidad era contra Dios, porque no estaba conforme con el líder que había colocado. A veces, no estamos de acuerdo con el siervo que Dios ha puesto para dirigirnos y buscamos cualquier pretexto para rebelarnos, seamos prudentes en nuestra actitud frente a la persona que nos dirige.

─────────── *Prueba* ───────────

1. Explique brevemente cuáles fueron los motivos de Coré y sus seguidores para rechazar el liderazgo de Moisés.

_____

_____

2. Explique, cómo podría expresar su apoyo, gratitud y respeto por los líderes de la iglesia.

_____

_____

Lecturas bíblicas para el siguiente estudio

Lunes: Números 19:1-22 **Jueves:** Números 20:23-29
Martes: Números 20:1-13 **Viernes:** Números 21:1-9
Miércoles: Números 20:14-22 **Sábado:** Números 21:10-35

Unidad 5

El pueblo continúa quejándose

Contexto: Números 19:1 a 21:35
Texto básico: Números 20:3, 4, 11, 12; 21:5-9, 21-24
Versículo clave: Números 20:19
Verdad central: La provisión de Dios para su pueblo, a pesar de sus quejas, pone énfasis en que estemos confiados y agradecidos aceptando lo que él nos provee.
Metas de enseñanza-aprendizaje: Que el alumno demuestre su conocimiento de las provisiones que Dios hizo a los quejosos de Israel, y su actitud hacia las provisiones que Dios le ha dado y por las cuales no ha sido agradecido.

——————— *Estudio panorámico del contexto* ———————

El agua para la impureza, Números 19:1-22. Los primeros diez versículos tienen que ver con el rito de la vaca roja, la cual tenía que ser perfecta, y nunca haber sido ocupada en oficios profanos. Era degollada fuera del campamento, por un hombre del pueblo. Con parte de la sangre, Eleazar rociaba siete veces hacia la parte frontal del tabernáculo de reunión. Después, toda la vaca, incluyendo la sangre, era quemada. Las cenizas se usaban para preparar el agua para la purificación. Los versículos 11-22 se refieren al ritual de la purificación de quien entrara en contacto con un muerto, o un hueso humano, o una tumba. Durante los días tercero y séptimo de la impureza, la persona afectada tenía que lavarse con el agua de la purificación; si no lo hacía era excluida de la comunidad.

María, Aarón y Moisés no pueden entrar a la tierra prometida, Números 20:1-29. Los incidentes narrados en este capítulo ocurrieron en el año 40 de la peregrinación por el desierto. En Cades murió María, la hermana de Moisés y Aarón, cumpliéndose también en ella la sentencia de Jehovah de que ninguna persona de la primera generación, excepto Josué y Caleb, entraría en la tierra prometida. A Moisés y a Aarón Jehovah les anuncia que no entrarán en Canaán por no haber creído en él, y no haberle tratado como santo delante del pueblo, cuando les ordenó hablar a la roca para que de ésta brotara agua. Aarón murió en el monte Hor, y su hijo Eleazar asumió el sumo sacerdocio.

Errantes antes de cruzar el Jordán, Números 21:1-35. Los primeros tres versículos mencionan la victoria de Israel sobre el rey de Arad. Los versículos 4-9 registran otra queja de los israelitas por lo duro del camino, la falta de agua y pan. Tanto fue el enojo de la gente que menospreció el alimento que Jehovah le estaba dando. Como castigo Dios envió serpientes ardientes, o venenosas, para que los mordieran, y muchos murieron. Ante el clamor del pueblo Dios pidió a Moisés que hiciera una serpiente de bronce y la levantara sobre un asta, de tal modo que cualquiera que fuera mordido por una serpiente ardiente la mirara y sanara. A partir del versículo 10 encontramos una serie de lugares por los cuales el pueblo de Israel pasó. Muchos de dichos sitios son difíciles de ubicar geográficamente en la actualidad. La mención de estos sitios enfatiza el hecho de que Israel anduvo errante por el desierto debido a su incredulidad.

————————— *Estudio del texto básico* —————————

Lea su Biblia y responda

1. Lea Números 20:3, 4, 11 y 12 y diga cuál fue la razón por la que Moisés, María y Aarón no pudieron entrar a la tierra prometida.

_____

_____

2. Lea Números 21:5-9 y responda falso (F) o verdadero (V).
   a. _____ El pueblo se volvió a quejar contra Dios y Moisés.
   b. _____ El pueblo estaba contento con la comida que recibía.
   c. _____ Dios no les castigó por su rebeldía.
   d. _____ El castigo fue por medio de unas serpientes ardientes.
   e. _____ El pueblo se arrepintió de su pecado.

3. Lea Números 21:21-24 y relacione las frases que concuerdan.
   a. Los amorreos   1   diciendo que los dejaran pasar por su tierra.
   b. mensajeros   2   no dejó pasar a Israel.
   c. Sejón   3   tomó posesión desde Arnón a Jaboc.
   d. Israel   4   fueron vencidos por Israel.

Lea su Biblia y piense

1 María, Aarón y Moisés no pueden entrar a la tierra prometida, Números 20:3, 4, 11, 12.

V. 3. Nuevamente los israelitas se quejaron por la falta de agua, y dijeron a Moisés: *¡Ojalá nos hubiésemos muerto cuando perecieron nuestros hermanos delante de Jehovah!* Lo más probable es que se refieran a aquellos incidentes de rebelión y castigo en los cuales muchos murieron (Núm. 11:1-3, 30-34; 16:25-35, 41-50). A pesar de haber visto las maravillas de Jehovah, vez tras vez, el pueblo sigue siendo duro de corazón, incrédulo y rebelde. Este relato de la murmuración por la falta de agua viene inmediatamente después del registro de la muerte de María, acaecida en Cades. Así, pues, aquella mujer que había estado al lado de Moisés y de Aarón durante todos esos años de lucha y peregrinación no pudo entrar a la tierra prometida. También sobre ella recayó el castigo de Jehovah (Núm. 14:20-25).

V. 4. Ante la falta de agua, los israelitas no recuerdan todas aquellas veces en que Jehovah actuó en su favor y les proveyó agua, alimento y protección.

Lo único que se les ocurrió pensar en ese momento fue en la muerte. Así nos sucede a todos; en medio de los conflictos pensamos primero en todo lo malo, antes que pensar en nuestro Dios, quien nos ha dado muchas bendiciones en el pasado. Evocan otra vez la vida de Egipto, pues todavía esa vieja vida sigue dentro de ellos. Sólo contemplan el momento y no son capaces de proyectar su mirada hacia adelante, para contemplar las grandes bendiciones que Dios tiene para ellos.

V. 11. Jehovah había ordenado a Moisés que tomara su vara, y que junto con Aarón, reuniera a todo el pueblo y hablara a la roca para que de ésta brotara agua. Pero Moisés no obedeció, sino que, en vez de hablarle a la roca, la golpeó dos veces. A pesar de ese acto de desobediencia, Dios permitió que de la roca saliera agua suficiente para calmar la sed del pueblo y del ganado.

V. 12. En esta ocasión, Moisés y Aarón que debieron ser ejemplo para el pueblo, se dejaron llevar por la ira y, por eso, no glorificaron a Dios con sus actos. Lo que debió ser un motivo de regocijo y alabanza a Jehovah, se convirtió en amargura y reproche. Por esta desobediencia, Dios les anuncia que ninguno de los dos podrá entrar en la tierra prometida. Aarón murió primero, y Moisés siguió conduciendo al pueblo hasta llevarlo a las puertas de Canaán.

2 Errantes antes de cruzar el Jordán, Números 21:5-9, 21-24.

V. 5. En esta ocasión la queja del pueblo se debió a la ruta por la cual los guió Moisés. Cuando los edomitas les negaron el paso a los israelitas, Moisés se vio forzado a conducirlos por un camino más largo que rodeaba la tierra de Edom. Otra vez la gente cree que todos morirán en el desierto, y se quejan contra Dios y contra Moisés, porque a lo largo y difícil del camino se suma la falta de agua y alimento. Es tal el enojo que llegaron hasta menospreciar el alimento que Dios les estaba dando: ... *nuestra alma está hastiada de esta comida miserable.*

V. 6. Como castigo, Dios envió contra los israelitas serpientes ardientes, o venenosas, para que los mordieran. Muchos murieron debido a la mordedura de estas serpientes.

V. 7. El pueblo reconoce su pecado y pide a Moisés que interceda por ellos. Encontramos, repetidas veces, el mismo ciclo que se halla en el libro de los Jueces: el pueblo peca - Dios envía el castigo - el pueblo se arrepiente - Dios les salva. Pero una vez que han sido liberados vuelven a pecar. Esto resalta, otra vez, el carácter misericordioso de Jehovah, quien nunca es infiel a su pacto.

Vv. 8, 9. El Señor ordenó a Moisés que hiciera una serpiente ardiente de bronce y la colocara en un asta. Y sucedía que cualquier persona que era mordida por una serpiente venenosa, miraba a la serpiente de bronce y quedaba sana.

Vv. 21-23. Después de rodear a Edom, los israelitas llegaron a la frontera de los amorreos. Entonces pidieron permiso a Sejón, el rey amorreo, para que los dejara atravesar por el país, pero él se los negó, y, además, salió contra ellos.

V. 24. Dios protegió a su pueblo y le dio la victoria sobre los amorreos. Los israelitas tomaron posesión de las ciudades del pueblo vencido y sus aldeas, desde el Arnón hasta el Jaboc. El Arnón es el torrente que va desde la meseta de Transjordania y desemboca en el mar Muerto. El Jaboc es uno de los principales afluentes del Jordán.

Aplicaciones del estudio

1. El pecado a veces nos hace perder bendiciones por las que habíamos luchado, Números 20:3-13. El pecado de Moisés y Aarón les llevó a perder la bendición de entrar a la tierra prometida. De igual manera, muchas veces el creyente pierde la bendición de estar en comunión con Dios por su pecado, o pierde la oportunidad de ser más bendecido por dejarse llevar por sus emociones.

2. Debemos estar agradecidos con el Señor por sus provisiones, Números 21:4-5. Uno de los aspectos de gran importancia en la vida del creyente es la gratitud. Esta conduce a sentir satisfacción por las bendiciones recibidas y da la oportunidad para expresarla. Dios es quien nos provee del sustento, debemos ser agradecidos con él.

3. Dios proveyó el medio para que seamos salvos, Números 21:5-9. Los israelitas podían salvarse si miraban la serpiente de bronce levantada en el asta, después de haber sido mordidos por las serpientes ardientes. Siglos más tarde, Dios proveyó para el pecador el único medio de salvación: Jesucristo, su Hijo, quien fuera levantado en una cruz para que usted y yo fuésemos salvos.

Prueba

1. Mencione dos de las provisiones de Dios para los israelitas. ¿Fue algo muy trascendente? ¿Qué fue?

_____

_____

_____

2. Escriba tres bendiciones que recibió durante la semana por las cuales desea dar gracias a Dios hoy.

_____

_____

_____

Lecturas bíblicas para el siguiente estudio

Lunes: Números 22:1-20   **Jueves:** Números 23:13-27
Martes: Números 22:21-35   **Viernes:** Números 23:28 a 24:25
Miércoles: Números 22:36 a 23:12 **Sábado:** Números 25:1-18

Unidad 5

Los eventos en Moab

Contexto: Números 22:1 a 25:18
Texto básico: Números 22:4b-6a; 23:18-20; 24:10, 11; 25:1-5
Versículo clave: Números 23:19
Verdad central: Los eventos en Moab muestran que el pueblo de Dios debe guardar cuidadosamente sus compromisos con Dios.
Metas de enseñanza-aprendizaje: Que el alumno demuestre su conocimiento de las experiencias que el pueblo de Dios tuvo en Moab, y su actitud hacia los dioses extraños que debe apartar de su vida, adoración y servicio.

Estudio panorámico del contexto

Balac contrata a Balaam, Números 22:1 a 24:25. Los acontecimientos que se narran a partir del capítulo 22 tienen lugar en los llanos de Moab, o sea, entre el río Jordán y las estribaciones del monte Nebo. Balac, rey de Moab, al enterarse de la victoria de los israelitas sobre los amorreos, tuvo miedo de que le sucediera lo mismo. Por eso, en común acuerdo con los madianitas, contrató a Balaam, un adivino arameo o sirio, para que maldijera a Israel. Balaam, bajo la influencia de Jehovah, se presentó al rey de Moab, pero en lugar de maldecir a Israel, lo bendijo cuatro veces, y, además, pronunció profecías a su favor. Este incidente resalta la soberanía de Dios sobre las personas y los lugares. En la antigüedad cada pueblo tenía sus propios dioses y se creía que dichos dioses sólo tenían poder dentro de su territorio. Por eso Balac llevó a Balaam a tres lugares diferentes, creyendo que al cambiarle de lugar se contrarrestaba el poder de Jehovah. Pero el Dios de Israel, como único y verdadero Dios, no está limitado a un área geográfica, él es el soberano de toda la creación. También, al impedir que Balaam maldijera a Israel, Jehovah demuestra que él ejerce soberanía sobre las personas. Balaam, el famoso adivino de Siria, fue un instrumento en las manos de Jehovah para bien de los israelitas.

Pecado y penitencia en Sitim, Números 25:1-18. Después de que Jehovah actuó en favor de Israel, al impedir que Balaam lo maldijera, el pueblo, sin tener en cuenta el trato amoroso de Dios, se dejó llevar por las mujeres de Moab a la adoración del Baal de Peor. Los idólatras fueron condenados a la horca, por disposición de Jehovah. Los versículos 6-18 se refieren a la unión entre un israelita y una madianita. Los matrimonios mixtos fueron condenados en Israel, debido a que siempre conducían a la infidelidad del pueblo contra Dios. Zimri, hijo de Zalú, un dirigente de las familias de Simeón, sin tener en cuenta la amarga experiencia que acaba de tener el pueblo al adherirse al Baal de Peor, se unió a Cozbi, una madianita hija de un hombre importante de su pueblo. Al ver esto, Fineas, hijo del sumo sacerdote Eleazar, mató a Zimri y a la madianita, y aplacó la ira de Jehová. En recompensa, Dios le prometió, a él y a su descendencia, un sacerdocio perpetuo.

────────────── *Estudio del texto básico* ──────────────

Lea su Biblia y responda

1. Lea Números 22:4b-6a y responda las siguientes preguntas:
   a. ¿Cómo se llamaba el rey de Moab?

   _____

   b. ¿Cuál era la opinión de Balac del pueblo de Israel?

   _____

   c. ¿A quién acudió para maldecir a los israelitas?

   _____

2. Lea Números 23:18-20 y complete la frase.

   a. "Dios no es hombre para que _____, ni
   hijo de _____ para que se _____
   b. "He aquí, yo he _____ la orden de _____.
   El ha _____, y no lo puedo _____."

3. Lea Números 24:10, 11 y diga cuáles son los acontecimientos principales:

   _____

   _____

4. Lea Números 25:1-5 y haga una aplicación de acuerdo con lo que le enseña este pasaje.

   _____

   _____

Lea su Biblia y piense

1 Balac contrata a Balaam, Números 22:4b-6a; 23:18-20; 24:10, 11.

22:4b. Moab quedaba entre el mar Muerto y el desierto Siro-Arábigo. Sus vecinos del sur eran los edomitas, y los del norte, los amorreos. De acuerdo con Génesis 19:37, los moabitas descendían de Moab, el hijo de Lot y su hija mayor.

22:5. El rey Balac de Moab, después de ponerse de acuerdo con los ancianos o príncipes de Madián, envió mensajeros a Balaam pidiéndole que fuera a maldecir a Israel. Balaam vivía en una ciudad llamada Petor, la cual ha sido identificada con Pitru, ubicada en la región de la Alta Mesopotamia, o Eufrates Alto. El mensaje que llevaron los emisarios muestra el pánico que tenía Balac. El pensaba que ya los israelitas iban a arremeter contra su pueblo y a tomar posesión de sus ciudades, como hizo con los amorreos. El temor de Balac era infundado, pues Moab no estaba en los planes de conquista ya que no pertenecía a Canaán.

22:6a. Los antiguos creían que las maldiciones y bendiciones se cumplían al pie de la letra. Una vez que la maldición o la bendición ha sido pronunciada no se puede anular. Balac estaba plenamente convencido de que si Balaam maldecía a Israel lo dejaría desprotegido y, entonces, podría derrotarlo fácilmente.

23:18. Esta profecía es, en sí, la segunda bendición que Balaam pronuncia a favor de Israel.

23:19. Balaam no estaba bajo el control de Balac, quien le contrató, sino, de Jehovah. La palabra de Dios es firme, porque él *no es hombre para que mienta, ni hijo de hombre para que se arrepienta.* Por más que Balac haga cambiar de lugar a Balaam no podrá conseguir que éste tuerza la voluntad de Dios.

23:20. Por mucho poder que tenga Balaam, nada puede hacer en contra de la disposición de Jehovah. La bendición de Dios sobre su pueblo nadie la puede revocar, ni siquiera el adivino más poderoso de Siria.

24:10. Cuando Balac se dio cuenta de que no podía hacer que Balaam maldijera a Israel, se enfureció. Por los gestos de Balac podemos darnos cuenta de que su reclamo a Balaam fue muy fuerte. El dar palmadas era una señal de desprecio y enojo.

24:11. Balac había prometido recompensar muy bien a Balaam, siempre y cuando éste maldijera a Israel. Pero como el adivino hizo todo lo contrario, Balac lo envió con las manos vacías y afirmó que fue Jehovah quien impidió que Balaam se fuera lleno de riquezas a su tierra. Después de este evento, Israel, en vez de mostrarse agradecido con Dios, se portó infielmente, pues se fue tras la idolatría.

2 Pecado y castigo en Sitim, Números 25:1-5.

V. 1. Sitim, que significa "acacias", estaba localizado al frente de Jericó y al nordeste del mar Muerto. En esta localidad el pueblo de Israel le fue infiel a Jehovah, *pues empezó a prostituirse con las mujeres de Moab.* Es muy probable que esta sea una referencia a la prostitución sagrada, que era una práctica muy conocida y extendida entre los pueblos antiguos. Las sacerdotisas de los cultos paganos ejercían la prostitución en los santuarios en honor de sus dioses de la fertilidad.

V. 2. Las mujeres moabitas invitaron a los hijos de Israel a participar de los sacrificios en honor del dios de aquel lugar. Los sacrificios a los dioses paganos se convertían en verdaderas orgías, pues los asistentes se embriagaban y se acostaban con las sacerdotisas, o prostitutas sagradas. Comer de los sacrificios ofrecidos a los dioses era una señal de compañerismo con los mismos. Así, pues, los israelitas se prostituyeron tanto religiosa como espiritualmente. Al postrarse ante el ídolo, Israel expresó que estaba dispuesto a seguir a ese dios.

V. 3. Israel se adhirió al Baal de Peor. Baal significa "señor, amo". Con este nombre se designa al dios cananeo de la fertilidad, cuyo culto estaba acompañado de ritos inmorales. Peor es una montaña ubicada en la llanura de Moab, al este del Jordán y al sur del mar Muerto. Así que el Baal al cual se adhirió Israel fue al dios de esa localidad.

V. 4. El castigo tan severo que Dios impuso tiene por finalidad resaltar la magnitud del pecado del pueblo. Al adherirse al Baal de Peor, el pueblo violó el pacto y, por ende, menospreció a Jehovah.

V. 5. El castigo fue ejecutado por los jefes de las tribus. Cada jefe ahorcó a aquellos hombres de sus tribus que habían caído en la apostasía. De esta forma Dios enseñó a Israel que debía guardar cuidadosamente sus compromisos con él.

Aplicaciones del estudio

1. Cuando Dios bendice a sus hijos nadie puede evitarlo, Números 23:20. Balaam fue contratado por Balac para maldecir al pueblo de Israel, pero fue impedido por Dios. Las bendiciones de Dios no pueden ser quitadas por otros, sólo el mismo Dios puede hacerlo. Cuando depositamos nuestra fe en él, recibimos sus bendiciones y nadie puede evitarlo.

2. Podemos perder nuestras bendiciones cuando somos infieles y nos olvidamos de nuestros compromisos con el Señor, Números 25:1-18. Otros no pueden quitarnos las bendiciones del Señor, pero nuestra desobediencia puede hacernos perderlas. Israel es un ejemplo claro de esto, porque se olvidó de su pacto con Dios, acarreando la muerte de muchos. El olvidarnos de Dios puede acarrearnos consecuencias funestas.

3. La idolatría no es únicamente adorar otras imágenes, también es tener a otras personas o cosas en el lugar de Dios, Números 25:1-5. En el Antiguo Testamento Dios siempre está reclamando el primer lugar a Israel. Sus enseñanzas giraban siempre en torno a la fidelidad a él. Del mismo modo, Dios nos pide a nosotros que le demos el principal lugar en nuestra vida, y que nuestra atención esté centrada en él.

Prueba

1. ¿Cuántas veces fue bendecido Israel por Balaam? _____

2. ¿Por qué Balac, el rey de Moab, quería que Balaam maldijera a Israel?

_____

_____

3. ¿Qué cosas están ocupando el lugar que debe ocupar Dios en su vida?

_____

_____

Lecturas bíblicas para el siguiente estudio

Lunes: Números 26:1-65   **Jueves:** Números 28:1-31
Martes: Números 27:1-11   **Viernes:** Números 29:1-40
Miércoles: Números 27:12-23   **Sábado:** Números 30:1-16

Unidad 5

Nuevas leyes y nuevos líderes

Contexto: Números 26:1 a 30:16
Texto básico: Números 27:1a, 4-7, 12-19, 22, 23
Versículos clave: Números 27:15-17
Verdad central: Dios al proveer nuevas leyes y nuevos líderes para Israel enseña que él hace provisión para que su propósito sea cumplido.
Metas de enseñanza-aprendizaje: Que el alumno demuestre su conocimiento de las nuevas leyes y los nuevos líderes que Dios dio a Israel antes de entrar a Canaán, y su actitud hacia las maneras cómo Dios suple sus necesidades personales y le capacita para que le sirva a él.

Estudio panorámico del contexto

Censo de Israel en Moab, Números 26:1-65. Este segundo censo se realizó en Moab, a las puertas de la tierra de Canaán. Se hizo con el propósito de prepararse para la invasión, y para determinar el número de personas de cada tribu para la repartición de la tierra. Las dimensiones de la tierra dada a cada tribu dependerían del número de miembros de la misma. También en este censo, como en el primero, los levitas fueron contabilizados aparte.

Herencia de las hijas de Zelofejad, Números 27:1-11. Las leyes de la herencia que encontramos en esta sección muestran que Dios trata por igual a hombres y a mujeres. Zelofejad murió y dejó cinco hijas, pero ningún descendiente varón. Siendo que en las instrucciones para la repartición de la tierra de Canaán sólo se tuvo en cuenta a los hombres, quiere decir que las hijas de Zelofejad se quedarían sin parte. Por eso, las cinco hermanas se presentaron ante Moisés y Eleazar para exponer su caso. Moisés llevó el asunto a Jehovah, quien le indica a Moisés que tenga en cuenta a las cinco hermanas en la repartición de la tierra prometida.

Josué es nombrado sucesor de Moisés, Números 27:12-23. Jehovah le pidió a Moisés que subiera al monte de Abarim para que, desde allí, contemple la tierra de Canaán, a la cual no podrá entrar debido a su pecado. Moisés, al saber que su final se aproxima, tiene profundo interés en que Jehovah nombre su sucesor. El Señor le hace saber que ya ha designado a Josué como el nuevo líder del pueblo de Israel y le instruye en cuanto a la ceremonia de posesión del mando.

Lista de ofrendas, Números 28:1 a 29:39. Se describen aquí los sacrificios que el pueblo de Israel debería ofrecer a Jehovah de acuerdo con el calendario religioso. Había ofrendas diarias, semanales, mensuales y en cada una de las fiestas establecidas por Dios.

Acerca de los votos, Números 29:40 a 30:16. El voto era una promesa de dar o consagrar a Dios una persona o cosa. También la misma persona que hacía el voto podía ofrecerse a sí misma a Dios. El juramento era un voto en el cual la persona prometía a Dios abstenerse de algo que era permitido. Cuando alguien hacía voto a Dios estaba obligado a cumplirlo, excepto en los casos de una mujer virgen o casada, en cuyos casos el padre o esposo podían anular ese voto.

--- **Estudio del texto básico** ---

Lea su Biblia y responda

1. Lea Números 27:1a, 4-7 y diga qué estaba sucediendo con las hijas de Zelofejad.

_____

_____

2. Lea Números 27:12-19 y responda:
   a. ¿Por qué hizo subir Jehovah a Moisés al monte de Abarim?

   _____

   b. ¿Qué le dijo allí?

   _____

   c. ¿Quién fue recomendado para liderar al pueblo de Israel?

   _____

3. Lea Números 27:22, 23 y organice cronológicamente las siguientes frases:
   a._____ Comisionó a Josué.
   b._____ Hizo como Jehovah le mandó.
   c._____ Colocó a Josué delante del sacerdote Eleazar.
   d._____ Tomó a Josué.
   e._____ Puso sus manos sobre él.

Lea su Biblia y piense

1 Nuevas leyes sobre la herencia, Números 27:1a, 4-7.

V. 1a. Zelofejad, descendiente de Manasés, hijo de José, murió y _no tuvo hijos sino sólo hijas_ (Núm. 26:33). De acuerdo con la costumbre, la disposición para la repartición de la tierra de Canaán sólo tuvo en cuenta a los hombres. Esto dejaba a las cinco hijas de Zelofejad sin herencia en Canaán. Ante su situación de desventaja, las cinco hermanas se presentaron delante de Moisés y de Eleazar para exponer su caso y pedir que se les hiciera justicia.

V. 4. La actitud de las hijas de Zelofejad es revolucionaria para su época. La mujer se encontraba en una situación de desventaja frente al hombre. Tanto era esto así que cuando un hombre mencionaba sus propiedades contaba a su mujer entre las mismas. Además, una mujer al dirigirse a su esposo tenía que usar los mismos términos que usaba el esclavo para tratar a su amo. El nombre de un hombre era perpetuado por los varones y no por las mujeres. Lo que piden las hermanas es que les permitan tener una porción de tierra junto con los descendientes de Manasés. Así ellas tendrían la oportunidad de casarse con alguno de su propio clan y perpetuar el nombre de su padre.

V. 5. Como no había ninguna legislación acerca de la herencia de las mujeres, Moisés llevó este caso ante Jehovah. Esta actitud debe enseñarnos que todas nuestras decisiones deben ser consultadas con Dios.

Vv. 6, 7. Jehovah hizo saber a Moisés que la solicitud de las cinco hermanas era justa. El caso presentado por estas mujeres hizo que el Señor legislara en cuanto a la herencia de las mujeres, la cual debería tenerse en cuenta en casos posteriores. Aunque en Israel la mujer nunca llegó a disfrutar de los mismos privilegios que los hombres, sí podemos afirmar que su posición era mejor que la de las mujeres de otros pueblos contemporáneos. Luego de este asunto, encontramos la disposición de Jehovah en cuanto al sucesor de Moisés.

2 Josué es nombrado sucesor de Moisés, Números 27:12-19, 22, 23.

V. 12. Abarim es la cordillera que queda al oriente del Jordán, cuyos dos picos más importantes son el Nebo y el Pisga. Jehovah pidió a Moisés que subiera al monte para que contemplara la tierra de Canaán, la cual daría a Israel en cumplimiento de su promesa hecha a Abraham. Es paradójico que el hombre que condujo al pueblo por cuarenta años, que sufrió por causa de la rebeldía del mismo, que intercedió por él, no pueda entrar a la tierra prometida, sino que sólo pueda contemplarla desde un monte.

V. 13. El Señor le anuncia a Moisés que después de mirar la tierra prometida será reunido con su pueblo, es decir, que moriría. El gran caudillo de Israel podía morir con la certeza de que Dios no le engañó cuando le describió la tierra de Canaán como una "tierra que fluye leche y miel". Ya Aarón había muerto en el monte Hor y había sido reemplazado por su hijo Eleazar.

V. 14. Jehovah le recuerda a Moisés el motivo por el cual no puede entrar a la tierra prometida. En Cades, en el desierto de Zin, Moisés y Aarón no trataron a Jehovah como santo, sino que le deshonraron delante de todo el pueblo con su enfado y reproche contra el pueblo.

Vv. 15, 16. Moisés, al enterarse de que pronto va a morir, pide a Dios que coloque a alguien en su lugar para que prosiga con la conquista de Canaán. La expresión: *Dios de los espíritus de toda carne*, significa: "Dios que alienta o da vida a todo ser humano." El caudillo de Israel se revela en toda su humildad y mansedumbre al pedir a Dios que le nombre su reemplazante. Su interés no se centra en sí mismo, sino en su pueblo.

V. 17. Encontramos aquí las características que Moisés considera que debe tener su sucesor. Debe ser alguien *que salga y entre delante de ellos*, es decir, que cuente con la confianza y el respeto del pueblo. Pero también debe ser alguien *que los saque y los introduzca,* o sea, que tenga la habilidad para guiar al pueblo. De esta forma el pueblo no será *como ovejas que no tienen pastor.*

V. 18. Jehovah hace saber a Moisés que ya él ha escogido a Josué, sobre quien ha descendido el espíritu y lo ha dotado de la sabiduría y el valor necesarios para llevar a cabo la misión. A Moisés le correspondería colocar sus manos sobre Josué como símbolo de traspaso de su poder y autoridad.

V. 19. Esta ceremonia de traspaso de mando debería hacerse delante de todo el pueblo, y sería oficiada por el sumo sacerdote Eleazar.

Vv. 22, 23. Moisés hizo lo que Jehovah le ordenó. La ceremonia de traspaso de liderazgo fue realizada por Eleazar, y delante de todo el pueblo.

Aplicaciones del estudio

1. El buen líder preve su falta y capacita a otros, Números 27:12-23. Moisés al saber que faltaría pensó en el pueblo y en la necesidad de un nuevo líder. Qué bueno sería que cuando los líderes ya no pueden dar más, porque se les ha vencido el tiempo de su ministerio, pudieran capacitar a otros para tomar su lugar.

2. El respeto y la confianza del pueblo en un líder son características de un buen guía, Números 27:16-18. Moisés pidió para el pueblo un líder en el cual la gente confiara, y al mismo tiempo que fuera respetado. Los líderes cristianos deben tener estas dos características, pero sobre todo deben tener el Espíritu de Dios en sus vidas y deben depender del Señor.

3. La verdadera sabiduría consiste en actuar bajo la dirección de Dios, Levítico 27:1-11. Moisés es un ejemplo de un verdadero sabio, porque siempre actuó bajo la dirección de Dios. Qué diferente sería la obra del Señor si fuera dirigida por líderes que cuentan con la voluntad de Dios para tomar decisiones y para guiar a su pueblo.

Prueba

1. Escriba el nombre del sucesor:

de Moisés fue _____ ; de Aarón fue _____

2. ¿Cuáles fueron dos de las nuevas leyes que recibió el pueblo al entrar a Canaán?

_____

_____

3. Escriba dos maneras en las cuales piensa que Dios le ha estado preparando a usted para que le sirva a él mejor.

_____

_____

Lecturas bíblicas para el siguiente estudio

Lunes: Números 31:1-54	**Jueves:** Números 33:50—34:29
Martes: Números 32:1-2	**Viernes:** Números 35:1-15
Miércoles: Números 33:1-49	**Sábado:** Números 35:16—36:13

Unidad 5

Instrucciones para entrar a Canaán

Contexto: Números 31:1 a 36:13
Texto básico: Números 33:51-56; 35:10-12, 25-27
Versículo clave: Números 33:53
Verdad central: Las instrucciones de Dios a Israel antes de entrar a Canaán muestran que Dios es justo y misericordioso con su pueblo.
Metas de enseñanza-aprendizaje: Que el alumno demuestre su conocimiento de las instrucciones que Dios dio al pueblo de Israel antes de ingresar a Canaán, y su actitud hacia la oportunidad que él tiene de participar en la justicia y bienestar para las familias de su comunidad.

―――――――――― *Estudio panorámico del contexto* ――――――――――

Campaña militar contra Madián, Números 31:1-54. Luego de la apostasía de Israel en Peor, Jehovah ordenó a Moisés que combatiera contra los madianitas. Fueron reclutados mil hombres de cada tribu para conformar el ejército israelita, los cuales fueron acompañados por el sacerdote Fineas, hijo del sumo sacerdote Eleazar. El ejército israelita salió victorioso: los hombres de Madián murieron en el combate, las ciudades y campamentos fueron incendiados, y las mujeres y los niños fueron tomados cautivos. Al enterarse Moisés de que habían dejado con vida a las mujeres, se enfureció, pues éstas tuvieron que ver con la infidelidad de los israelitas en Peor. Los prisioneros fueron ejecutados, menos las mujeres vírgenes, las cuales fueron entregadas a los varones de Israel.

Las tribus al oriente del Jordán, Números 32:1-42. Las tribus de Rubén y Gad solicitaron que se les permitiera quedarse en la parte oriental del Jordán, ya que las tierras de Jazer y de Galaad eran aptas para la ganadería. Esta petición inquietó a Moisés, pues pensó que podía provocar la desunión de las tribus, lo cual no era conveniente para la conquista de Canaán. Rubén y Gad se comprometieron a apoyar a sus hermanos en el momento en que la conquista se empezara.

Etapas desde Egipto hasta el Jordán, Números 33:1-49. Este capítulo es un sumario de toda la marcha del pueblo de Israel, desde su salida de Egipto hasta su acampada en las llanuras de Moab. En algunos de los sitios mencionados, el pueblo sólo permaneció el tiempo suficiente para descansar. En la actualidad es imposible ubicar geográficamente muchos de los lugares por donde pasó el pueblo israelita. La ruta del éxodo se divide en cuarenta etapas, distribuidas así: once hasta el Sinaí (vv. 5-15), veintiuna desde el Sinaí hasta Cades (vv. 16-36), y ocho desde Cades hasta Moab (vv. 37-49).

Instrucciones para conquistar Canaán, Números 33:50 a 36:13. Esta sección podemos dividirla de la siguiente manera: 33:50-56, instrucciones para la conquista y división de Canaán. 34:1-15, establece los límites de la tierra prometida. 34:16-29, considera las personas encargadas de hacer la repartición de Canaán entre las tribus israelitas. 35:1-15, se refiere a las ciudades para los levitas y las ciudades de refugio. 35:16-31, son las normas para distinguir un crimen voluntario de uno involuntario. 36:1-13, es un apéndice a la legislación acerca de la herencia de las mujeres.

Estudio del texto básico

Lea su Biblia y responda

1. Lea Números 33:51-56 y conteste falso (F) o verdadero (V):
   a. _____ Los israelitas debían destruir todas las esculturas que encontraran en Canaán, lo mismo que a sus habitantes.
   b. _____ Dios no les dio la tierra por eso no podían poseerla.
   c. _____ La tierra sería repartida por sorteo.

2. Lea Números 35:10-12 y responda:
   ¿Qué era una ciudad de refugio?

   _____
   _____
   _____

3. Lea Números 35:25-27 y seleccione la respuesta correcta:
   El homicida:
   a. Debía esperar a que muriera el sumo sacerdote para poder salir de la ciudad de refugio.
   b. Podía volver a su tierra de posesión aunque el sumo sacerdote no hubiese muerto.
   c. Si salía de la ciudad de refugio y era matado por el vengador éste sería culpado.

Lea su Biblia y piense

1 Instrucciones para conquistar Canaán, Números 33:51-56.

V. 51. El Jordán era la última barrera natural que el pueblo de Israel tenía en frente antes de entrar en la tierra de Canaán. Las instrucciones que Dios da en Moab entrarían en vigencia cuando los israelitas emprendieran la campaña de conquista y asentamiento en la tierra prometida. Estas instrucciones muestran que Dios es justo y misericordioso con su pueblo.

V. 52. Los israelitas deberían expulsar de Canaán a todos los antiguos habitantes de esa región, destruir sus esculturas e imágenes y derribar los lugares altos. Esta medida tiene el propósito de evitar que el pueblo de Dios se mezcle con los paganos y adquiera prácticas inmorales. Los habitantes de Canaán eran idólatras y tenían prácticas religiosas que estaban en contra de la ética de Israel. Usaban imágenes cinceladas en piedra, metal o madera, y figuras fundidas en oro, plata, hierro o bronce, para representar a sus dioses, y ante las cuales se postraban. También tenían santuarios en los lugares altos, pues pensaban que así estarían más cerca de sus dioses.

V. 53. Aunque todavía los israelitas no han entrado a Canaán, Jehovah les asegura que ya la tierra es de ellos. La promesa hecha por Dios a Abraham muchos años antes está para cumplirse. Cuando calculamos la dimensión de la tierra prometida, teniendo como base los límites que se dan en el capítulo 34, nos damos cuenta de que era una pequeña franja de unos 20.000 kms. cuadrados, aproximadamente. Pero ésta será la posesión de Israel, no porque la obtendrá a la fuerza, sino porque Dios, el dueño de toda la tierra, se la regaló.

V. 54. Echar suertes era un método muy usado por los pueblos antiguos para conocer la voluntad divina. Muchos asuntos se decidían por medio de las suertes. Esto, en Israel, no tiene nada que ver con magia o hechicería, pues los israelitas creían que era Jehovah quien, a través de las suertes, daba a conocer su voluntad. Lo que se decidiría por suertes sería la ubicación de la propiedad de cada tribu, porque la extensión dependería del número de miembros de cada una de las mismas.

V. 55. Si Israel no expulsaba a todos los antiguos habitantes de Canaán, se exponía a que en el futuro éstos se convirtieran en una amenaza y constante peligro para su estabilidad religiosa y política. Cuando estudiamos la historia de la conquista nos damos cuenta de que el pueblo de Israel desobedeció la orden de Jehovah, pues no expulsaron a todos los que habitaban la región.

V. 56. La desobediencia les acarrearía el castigo de Jehovah. Esos pueblos que los israelitas no expulsaron del territorio se convirtieron en aguijones para sus ojos, y espinas en sus costados. Israel adoptó las prácticas idolátricas de sus vecinos, y, por eso, tuvo que sufrir el castigo del Señor.

Además de las instrucciones en cuanto a la repartición de la tierra de Canaán, encontramos la ley en cuanto a las ciudades que servirían de asilo a los homicidas involuntarios.

2 Ciudades de refugio, Números 35:10-12, 25-27.

V. 10. Las instrucciones que se dan aquí también se aplicarán cuando Israel esté establecido en Canaán.

V. 11. Las ciudades de refugio serían tomadas de aquellas que las demás tribus cedieran a los levitas. El propósito de las mismas era servir de asilo a aquellos que, involuntariamente, hubieran herido de muerte a una persona. La ley cobijaba tanto a los israelitas como a los extranjeros que estaban entre ellos. Allí el homicida involuntario estaría seguro hasta que su caso fuera resuelto en un juicio. Se asignarían seis ciudades de refugio: tres en Transjordania y tres en Canaán.

V. 12. El propósito humanitario de la ley es evidente, pues con ella se busca refrenar la venganza privada. El *vengador* era un pariente cercano de la víctima. La palabra que se usa aquí, es la misma que significa "redentor, liberador". la función del vengador o redentor era la de defensor o protector de los derechos de los suyos. Cuando un familiar cercano, debido a su pobreza, vendía su propiedad, o a su familia, o se vendía él mismo, entonces el redentor pagaba el precio y rescataba la propiedad o las personas. También cuando alguien mataba a alguno era deber de un familiar del muerto cobrar venganza.

V. 25. Cuando el homicida era absuelto de culpa, debía permanecer dentro de la ciudad de refugio hasta que muriera el sumo sacerdote. Después de esto quedaba en completa libertad.

Vv. 26, 27. La seguridad del homicida involuntario dependía de su permanencia en la ciudad de refugio. Si salía y era encontrado por el vengador, éste podía darle muerte sin ser culpado por ello.

Aplicaciones del estudio

1. El testimonio es una forma de mostrar nuestra gratitud al Señor, Números 31:48-54. Los oficiales del ejército de Israel expresaron su gratitud a Dios ante Moisés y Eleazar porque les había cuidado. Los cristianos tenemos mucho que agradecer al Señor a través de los testimonios, pues cada segundo es bendición de Dios. Los testimonios permiten que otros puedan ser alimentados y bendecidos también.

2. Debemos alejarnos del pecado antes de ser destruidos por él, Números 33:50-56. La desobediencia de Israel de no alejarse de los pueblos idólatras, le llevó a incurrir en el mismo pecado de ellos. Cuando no nos alejamos de quienes viven en pecado, alejados de Dios y les permitimos ser íntimos nuestros, corremos el peligro de contaminarnos y perder bendiciones.

3. La unión y la solidaridad son indispensables para un mejor avance de la obra, Números 35:9-15. Bien dice un dicho que, la unión hace la fuerza. Si los cristianos nos unimos para servir al Señor y procuramos apoyarnos mutuamente, la obra marchará bien.

Prueba

1. Mencione tres de las instrucciones que Dios le dio al pueblo antes de entrar a Canaán. _____

_____

_____

2. ¿De qué maneras puede usted demostrar su interés por la justicia para el beneficio de su comunidad? _____

_____

Lecturas bíblicas para el siguiente estudio

Lunes: Hechos 1:1-5   **Jueves:** Hechos 1:12-14
Martes: Hechos 1:6-8   **Viernes:** Hechos 1:15-22
Miércoles: Hechos 1:9-11   **Sábado:** Hechos 1:23-26

LOS
HECHOS

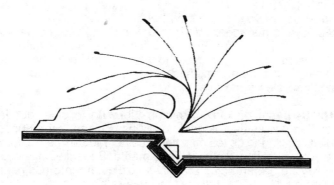

LOS HECHOS
Una Introducción

Un libro valioso. En un sentido es cierto que el libro de Los Hechos es uno de los más importantes del Nuevo Testamento. Es una verdad muy simple que si no poseyéramos este documento no tendríamos ninguna información acerca de la iglesia primitiva, aparte de la que encontramos explícita o implícitamente en las cartas de Pablo.

Hay dos formas de escribir la historia. Está la forma del analista, en la cual se intenta seguir el curso de los hechos semana a semana y día a día; y está la forma en que un escritor, por decirlo así, abre una serie de ventanas y nos da vívidas visiones de los grandes momentos y personalidades del período. El libro de Los Hechos sigue el segundo modelo.

Generalmente hablamos de *Los Hechos de los Apóstoles.* Pero el Libro no da ni pretende dar un relato exhaustivo de lo realizado por los apóstoles. Además de Pablo, sólo se mencionan en él tres apóstoles. En Hechos 12:2 se nos dice en una oración breve que Santiago, el hermano de Juan, fue ejecutado por Herodes. Juan aparece en el relato, pero nunca habla. El Libro sólo nos da una información relativa acerca de Pedro, y muy pronto, de personaje central, sale de la escena. Pero en griego, el título correcto es *Los Hechos de Hombres Apostólicos;* y lo que Los Hechos pretende hacer es narrarnos una serie de hazañas y aventuras de las grandes figuras heroicas de la iglesia primitiva.

Autor. A pesar de que el mismo Libro no lo dice, desde los primeros tiempos se ha sostenido que Lucas es su autor. Lucas era un médico gentil; uno de los más fieles colaboradores de Pablo. El es el único autor gentil en el Nuevo Testamento. Sabemos muy poco de él; sólo hay tres referencias en el Nuevo Testamento (Colosenses 4:14; Filemón 24; 2 Timoteo 4:11). Estas referencias nos permiten asegurar dos cosas sobre Lucas. En primer lugar, Lucas era médico; segundo, era uno de los colaboradores más preciados por Pablo y uno de sus amigos más cercanos, porque fue su compañero en su última prisión.

Podríamos haber adivinado que Lucas era un médico, porque instintivamente utiliza términos médicos. En Lucas 4:35, cuando habla del hombre que tenía el espíritu de un demonio inmundo, Lucas utiliza la frase: "derribándole en medio de todos", y la palabra que utiliza es el término médico correcto para convulsiones. En Lucas 9:38 describe al hombre que le dice a Jesús: "Te ruego que veas a mi hijo". La palabra que utiliza es el término convencional para la visita de un médico a un paciente.

Destinatario. Lucas escribió su Evangelio y Los Hechos para un tal Teófilo. En Lucas 1:3 le llama "excelentísimo Teófilo", lo que nos hace pensar en un personaje prominente en las esferas del gobierno romano. Hay dos posibilidades con respecto a él:

(1) Quizá Teófilo no sea su nombre real. En esos días era muy peligroso ser cristiano. Teófilo es una palabra compuesta de dos términos griegos: *theos* que significa Dios, y *filein* que significa amor. Es muy posible que Lucas escribiera este Libro para alguien que amaba a Dios, cuyo nombre real no utilizó, debido al daño que podía haberle causado. También existe la posibilidad de que se refiera a "todos los que aman a Dios".

(2) Como hemos dicho antes, parece que Teófilo, si era una persona real, debe haber sido un alto funcionario del gobierno. Tal vez Lucas escribió el Libro para mostrarle que el cristianismo era algo hermoso y que los cristianos eran gente buena y admirable. Quizá Los Hechos sea una defensa del cristianismo escrita para persuadir a un funcionario del gobierno de que no persiguiera a los cristianos.

Propósito. Hay varias razones por las cuales Lucas escribió este Libro.

1. Una de sus razones era recomendar el cristianismo al gobierno romano. Una y otra vez señala lo corteses que eran los magistrados romanos con Pablo. En Hechos 13:12 Sergio Paulo, el gobernador de Chipre, se convierte al cristianismo. En 18:12 Gayo es absolutamente imparcial en Corinto. En 16:35ss. los magistrados de Filipos al descubrir su error piden perdón a Pablo públicamente. En 19:31 las autoridades de Asia demuestran su preocupación porque Pablo no sufriera ningún daño. Lucas estaba señalando que en los años antes de que escribiera, las autoridades romanas habían tenido siempre una buena disposición y habían sido justas e imparciales con el cristianismo. Lo que es más, Lucas se encarga de demostrar que los cristianos eran ciudadanos buenos y fieles, y que siempre habían sido considerados así. En Hechos 18:14 Galión declara que no existe ni agravio ni crimen que cuestionar. En 19:37 el secretario de Efeso da un buen testimonio de los cristianos. En 23:29 Claudio Lisias se cuida de no decir nada en contra de Pablo. En 25:25 Festo declara que Pablo no ha hecho nada que merezca la muerte, y en el mismo capítulo Festo y Agripa coinciden en que se le podría haber dejado libre.

Lucas escribía en los días en que los cristianos eran despreciados y perseguidos. Según él, los magistrados no veían a los cristianos como malvados. Esa era una buena muestra de que los de El Camino eran gente de bien.

2. Otro de los propósitos de Lucas fue demostrar que el cristianismo es una religión universal para todos los hombres de todas las naciones. Esta era una de las cosas que los judíos encontraban difícil de comprender. Tenían la idea de que ellos eran

los elegidos de Dios y estaban seguros de que Dios no tenía nada que ver con ninguna otra nación. Lucas se decide a probar que esto no es así. Muestra a Felipe predicando a los samaritanos; a Esteban haciendo del cristianismo algo universal y muriendo por ello; a Pedro aceptando a Cornelio en la iglesia; a los cristianos predicando a los gentiles de Antioquía; a Pablo viajando de un lado para otro ganando toda clase de personas para Cristo; y en Hechos 15 muestra a la iglesia tomando una gran decisión: aceptar a lo gentiles en igualdad de condiciones que a los judíos. No cabe la menor duda que Lucas quería demostrar que el cristianismo era una religión sin límites.

3. Pero estos eran fines meramente secundarios. El gran propósito de Lucas está escrito en las palabras de Hechos 1:8: "Me seréis testigos en Jerusalén, en toda Judea, en Samaria y hasta lo último de la tierra." El gran propósito de Lucas era mostrar la expansión del cristianismo, y cómo esa religión que había comenzado en un pequeño lugar de Palestina en un poco más de treinta años había llegado a Roma. C. H. Turner ha señalado que Los Hechos se divide en seis secciones y que cada una de ellas termina con lo que podría llamarse un informe de los progresos realizados.

Temas. Podemos dividir el Libro de Los Hechos en seis secciones:
1. La iglesia de Jerusalén y la predicación de Pedro. Hechos 1:1 a 6:7
2. La divulgación del cristianismo a través de Palestina y el martirio de Esteban. Hechos 6:8 a 9:31.
3. La conversión de Saulo, la extensión de la iglesia a Antioquía y la aceptación de Cornelio, el gentil, en la iglesia por medio de Pedro. Hechos 9:32 a 12:24.
4. Propagación de la iglesia en Asia Menor y viaje de predicación por Galacia. Hechos 12:25 a 16:5.
5. La expansión de la iglesia en Europa y la tarea de Pablo en las grandes ciudades gentiles como Corinto y Efeso. Hechos 16:6 a 19:20.
6. La llegada de Pablo a Roma y su prisión allí. Hechos 19:21 a 28:31.

¿Por qué termina este Libro con el pasaje donde Pablo está en la prisión esperando ser juzgado? Nos hubiera gustado saber qué le sucedió a Pablo, pero el fin está envuelto en el misterio. Lucas se detuvo allí porque había logrado su propósito: cómo el cristianismo había comenzado en Jerusalén y se había extendido hasta Roma. Alguien dijo con mucha propiedad que el título de Los Hechos podría ser: "Cómo llegaron las Buenas Nuevas de Jerusalén a Roma". La divulgación del evangelio a través de las fronteras políticas, religiosas y sociales, puede ser catalogada de milagrosa.

Queda todavía mucho qué escribir de la historia de la iglesia. Nosotros, hoy, estamos siendo protagonistas de esa historia. Que lo que se escriba sea para bien, para glorificar al Fundador de la iglesia quien prometió: "Las puertas del infierno no prevalecerán contra ella."

LOS HECHOS

Escriba antes del número de cada estudio, *la fecha* en que lo usará

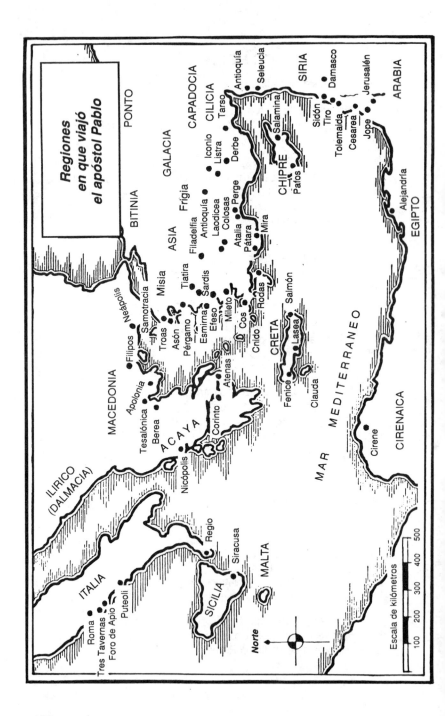

Regiones en que viajó el apóstol Pablo

Unidad 1

Hasta lo último de la tierra

Contexto: Hechos
Texto básico: Hechos 1:1, 4-8; 2:40-42; 8:1, 4-8; 9:31; 28:11-15
Versículo clave: Hechos 9:31
Verdad central: La iglesia primitiva recibió el mandato de Cristo de predicar el evangelio de salvación en todas partes bajo el poder y la dirección del Espíritu Santo.
Metas de enseñanza-aprendizaje: Que el alumno demuestre su conocimiento de las demandas de Cristo a la iglesia para establecer su reino en todas partes, y su actitud de disposición y trabajo para llevar adelante el establecimiento del reino de Dios en la tierra.

―――――――― *Estudio panorámico del contexto* ――――――――

Podríamos considerar al libro de Los Hechos como único en su especie, ya que no hay otro libro de la Biblia que trate tan ampliamente aspectos de la historia de la iglesia. Por la forma en que está escrito, da la impresión de haber sido enviado a su destinatario apenas terminado de escribir que, de acuerdo con los acontecimientos que relata, sería alrededor del año 60.

Lucas, su autor, así como del Evangelio que lleva su nombre, parece haberse propuesto dejar enteramente claro, al menos para su amigo Teófilo, cuáles eran los fundamentos, orígenes y características del cristianismo. De esta manera dejaría en evidencia la falsedad de las calumnias que ya circulaban en cuanto al evangelio. Lucas, a quien el apóstol Pablo denomina "el médico amado", sería también protagonista de parte del relato, incluyéndose en el mismo bajo el término de "nosotros".

El tema del libro es el desarrollo de la iglesia de Jesucristo sin su presencia física, pero bajo el protagonismo activo de su presencia espiritual en la persona del Espíritu Santo.

Para nosotros y nuestra época lo que el libro de Los Hechos plantea es un tremendo desafío. Si bien tiene un comienzo claro y definido, carece de final. La responsabilidad de la extensión del reino de Dios para que el libro de Los Hechos reciba un punto final, es nuestra y de nuestra generación. Además, nos deja como herencia insuperable su ejemplo. Nos deja ver la iglesia que debería ser el ejemplo de la nuestra, en funcionamiento. Quiera Dios desafiarnos profundamente y motivarnos a la acción necesaria, por medio de la incesante actividad que vemos desarrollarse en el libro de Los Hechos.

Para que nos quede claro lo que el libro contiene, tendremos en cuenta el siguiente bosquejo:

1. La iglesia en Jerusalén y la predicación de Pedro (Hech. 1:1-6:7).

2. Divulgación del cristianismo a través de Palestina y martirio de Esteban (Hech. 6:8 a 9:31).
3. Conversión de Saulo y extensión de la iglesia a Antioquía (Hech. 9:32 a 12:24).
4. Propagación de la iglesia en Asia Menor (Hech. 12:24 a 16:5).
5. Expansión de la iglesia en Europa (Hech. 16:6 a 19:20).
6. Llegada de Pablo a Roma y su prisión allí (Hech. 19:21 a 28:31).

Estudio del texto básico

Lea su Biblia y responda

1. ¿Cuál fue la estrategia que Jesús planteó a sus discípulos para alcanzar el mundo con el evangelio?
Testimonio en _____, _____,
_____ y _____ (1:8).

2. Luego de la predicación en la ciudad de Jerusalén, ¿en qué lugares fue predicado el evangelio?
En _____ y _____ (8:4).

3. ¿En qué lugares las iglesias tenían paz? _____,
_____ y _____ (9:31).

4. ¿Hasta dónde nos relata Los Hechos el progreso del evangelio? _____
_____ (28:14).

Lea su Biblia y piense

1 La Misión: definición y poder, Hechos 1:1, 4-8.

V. 1. En el primer versículo de Los Hechos, Lucas identifica al destinatario, un tal Teófilo ("amante de Dios"), y da a entender que el libro de Los Hechos sería el segundo tomo, complementando el primero, o sea, el tercer Evangelio.

V. 4. *Les mandó que no se fuesen de Jerusalén.* Los apóstoles apenas habían regresado de Galilea donde más de 500 personas pudieron ver a su Señor resucitado y escucharon lo que se conoce como la "Gran Comisión". Aquí, Jesús agrega una dimensión nueva: la importancia de esperar el cumplimiento de la promesa del Padre. Es probable que Jesús estuviera pensando en Joel 2:28, 29).

V. 5. *Vosotros seréis bautizados en el Espíritu Santo.* La palabra que se traduce "bautizar" significa sumergir. Jesús hablaba de que sus discípulos serían sumergidos en su Espíritu. Sin ello, la misión que tenían por delante no tendría éxito.

V. 6. Así como no era la primera vez que el Señor les hablaba de este asunto, tampoco era la primera vez que ellos no entendían a qué se refería con sus palabras.

V. 7. *A vosotros no os toca saber...* Jesús contesta con una suave reprensión. "No les competía a ellos saber tales cosas."

V. 8. *Pero recibiréis poder cuando el Espíritu Santo haya venido sobre vosotros.* Jesús sabía que lo iban a necesitar y suplió esa necesidad con su poder sobrenatural y eficaz. El término *poder* en griego es *dúnamis* de cuya palabra se origina "dinamita", poder constructivo y vivificante. El Espíritu, controlando la vida de los creyentes, provee poder espiritual que les capacita para realizar la misión que Jesús definió y les encargó a continuación.

Me seréis testigos. Jesús no dice que ellos darían testimonio, sino que se convertirían ellos mismos en testigos. "Testigos" es un término destacado en Hechos (compare 2:32; 3:15; 5:32; 10:39; 13:31; 22:15). Se traduce del griego mártires que se refería a uno que daba testimonio legal. Aquí se refería a los que morían por su fe en Jesús.

Jerusalén... toda Judea... Samaria... hasta lo último de la tierra. La misión se realizaría en etapas, comenzando "en casa" y extendiéndose hasta el fin del mundo (Mateo 28:19).

2 La misión: testimonio en Jerusalén, Hechos 2:40-42.

V. 40. El Padre había cumplido su promesa. El derramamiento del Espíritu Santo sobre la iglesia había congregado a una gran cantidad de curiosos sorprendidos. Y así como el Señor lo había dicho, su primera consecuencia fue el testimonio.

V. 41. *Los que recibieron su palabra.* "Recibieron" es un sinónimo de "creer" o "aceptar" la verdad de su predicación. Fueron bautizados. La iglesia estaba recibiendo de improviso un crecimiento del 2.500%. El testimonio fue convincente y trajo resultados.

V. 42. *Y perseveraban.* Todo indica que no eran decisiones superficiales o emocionales. El Espíritu Santo estaba obrando para llevar adelante el plan multiplicativo de la salvación.

3 La misión: extensión a Samaria, Hechos 8:1, 4-8.

V. 1. Después del mensaje y martirio de Esteban, y quizás como consecuencia, *se desató una gran persecución* instigada por los líderes judíos. Nadie permanecía indiferente frente al testimonio de un discípulo de Cristo. Como parte del cumplimiento del plan propuesto por Jesús, llegaron a Judea y Samaria.

V. 4. No llegaron quejándose ni lamentando su triste situación, sino *anunciando la palabra.*

Vv. 5-8. *Felipe* era uno de los exiliados de Jerusalén. Su tarea al llegar a Samaria fue llenarla con el evangelio. Su poderoso testimonio podía verse y oírse a la vez.

4 La misión: extensión a Galilea, Hechos 9:31.

V. 31. Es interesante observar las palabras que tiene este versículo en común con 1:8. Espíritu Santo, Judea y Samaria. El Espíritu Santo, siguiendo el plan de acción del Señor Jesús, había alcanzado ya las tres primeras etapas a través de los discípulos. Ya no sólo había testimonio en esos lugares, sino que ahora *la iglesia tenía paz*, era edificada y se *multiplicaba*.

5 La misión: extensión hasta Roma, Hechos 28:11-15.

V. 14. No es de extrañar que hayan encontrado un grupo de hermanos allí. Según Josefo, una colonia de judíos se estableció en este puerto en el año 4 a. de J.C.

V. 15. *Apio y las Tres Tabernas* eran pequeños pueblos en la ruta entre Nápoles y Roma.

—————— *Aplicaciones del estudio* ——————

1. Los discípulos de Jesús deben dedicarse a la extensión del reino de Dios. El límite es hasta lo último de la tierra (1:8).

2. La presencia del Espíritu Santo en una persona la hace ser un testigo poderoso. Lo que él hizo con Pedro, Felipe, Pablo y otros, lo puede hacer con nosotros también.

3. Frente a las circunstancias adversas podemos confiar en que nuestra vida está en las manos de Dios. En vez de quejarnos y llorar podemos seguir testificando.

4. Cuando el Espíritu Santo obra libremente produce paz, consuelo y edificación. Tal vez antes de que éstos lleguen tenga que haber problemas o asuntos difíciles de entender, pero aunque demore, el Espíritu completa su obra en nuestra vida (Hech. 9:31).

5. El Espíritu Santo no es un enemigo ni desconocido para el creyente. Dejémonos saturar por su dulce influencia y nuestra vida glorificará a Dios.

—————— *Prueba* ——————

1. Escriba, en lo posible sin consultar el estudio, la estrategia del Señor para la extensión de su reino y al final escriba las etapas que el libro de Los Hechos nos relata que fueron alcanzadas.

————————————————————————————

————————————————————————————

2. ¿Le gustaría que en el lugar donde usted vive sucediera algo similar a lo que sucedió en Samaria? (Hech. 8:4-8). Escriba dos cosas que usted podría hacer para lograr una experiencia semejante. _____

————————————————————————————

Lecturas bíblicas para el siguiente estudio

Lunes: Hechos 2:1, 2	**Jueves:** Hechos 2:7, 8
Martes: Hechos 2:3, 4	**Viernes:** Hechos 2:9-11
Miércoles: Hechos 2:5, 6	**Sábado:** Hechos 2:12, 13

Unidad 1

Con el poder del Espíritu

Contexto: Hechos 2:1-13
Texto básico: Hechos 2:1-4, 7-13
Versículo clave: Hechos 2:4
Verdad central: La venida del Espíritu Santo cumplió la promesa hecha por Jesús y capacitó a la iglesia para dar poderoso testimonio de su fe en Cristo.
Metas de enseñanza-aprendizaje: Que el alumno demuestre su conocimiento de que la venida del Espíritu Santo cumplió la promesa de Jesús de enviar otro Consolador, y su actitud de desempeñar su ministerio en base al poder y la dirección del Espíritu Santo.

Estudio panorámico del contexto

Una de las características primordiales de Dios es su fidelidad. El siempre cumple todas sus promesas sin faltar una de ellas. En tiempos del profeta Joel prometió que su Santo Espíritu sería derramado sobre hombres y mujeres, produciendo manifestaciones especiales de su presencia en sus vidas (Joel 2:28, 29). Nada de esto sucedió hasta tiempos de Jesús.

Con la venida del Salvador, muchas de las promesas del Padre fueron cumplidas, pero faltaba esta. Cuando Juan el Bautista hablaba de alguien que vendría después de él dijo que sería uno que bautizaría "en el Espíritu Santo" (Luc. 3:16; Juan 1:33). Más adelante, Jesús mismo hablaría de su relación con el cumplimiento de la promesa del Padre, aunque originalmente sus discípulos no lo comprendieron.

Poco antes de ser entregado, aseguró el envío del que llamó "otro Consolador" (Juan 14:16), que manifestaría su propia presencia y la del Padre entre los suyos. Luego de su resurrección, ordenó específicamente a los creyentes que permanecieran en Jerusalén hasta que la promesa del Padre fuera cumplida (Luc. 24:49; Hech. 1:4).

Llegaba el momento en que sus seguidores serían bautizados en el Espíritu Santo, y eso sería lo que los capacitaría para la tremenda tarea que él les había ordenado (Mat. 28:19, 20). El eterno plan de Dios para la redención del hombre estaba en marcha. Eso incluía la predicación, y no podía ser hecha sin que los hombres fueran capacitados de manera especial.

El pasaje al que dedicamos nuestra atención nos relata el momento del cumplimiento de la ansiada promesa. La llegada del Espíritu no fue silenciosa y escondida, sino que trajo consigo las manifestaciones de "viento violento", "lenguas como de fuego" y diferentes idiomas en los que los receptores de la promesa proclamaban su adoración a Dios. Conviene aclarar que estas lenguas eran comprensibles, diferenciables de las del don de lenguas.

En el pasaje que estudiamos encontramos el relato de la venida del Espíritu Santo (2:1, 2); el momento en que los discípulos hablan idiomas extranjeros (2:3, 4); la explicación de que esos idiomas eran comprensibles a los oyentes (2:5, 6); la primera reacción de los oyentes (2:7, 8); una lista de las naciones representadas en el lugar (2:9-11) y otras reacciones de los oyentes (2:12, 13).

─────────────── *Estudio del texto básico* ───────────────

Lea su Biblia y responda

1. ¿Cuáles fueron las primeras manifestaciones externas del derramamiento del Espíritu Santo? (Hech. 2:2-4)

_____, _____ y

_____.

2. ¿Qué sucedió en el interior de los discípulos mientras todo eso ocurría?

_____ (2:4).

3. El texto menciona cuatro palabras que definen la reacción de la mayoría de los presentes. Estas son:

_____(2:6), _____(2:7),

_____ (2:7) y _____ (2:12).

4. ¿Qué era lo que los creyentes decían en otros idiomas?

_____ (2:11).

Lea su Biblia y piense

1 La venida del Espíritu Santo, Hechos 2:1-4.

V. 1. *Al llegar el día de Pentecostés* sucedió algo muy importante para la vida de la iglesia. Habían pasado cincuenta días desde la crucifixión del Señor. Durante cuarenta días había estado apareciéndose a sus discípulos luego de su resurrección y había ascendido para sentarse a la diestra del Padre diez días atrás. Estaban todos reunidos en un mismo lugar demostrando obediencia al mandato de Jesús. Nunca más serían los mismos de antes, aunque él no estuviera físicamente entre ellos. Cada uno tenía en común con los demás su deseo de obedecer a la orden de quedarse en Jerusalén.

V. 2. *Y de repente* se manifestó la presencia del Señor. La hora de la llegada del Espíritu no estaba anunciada. Cualquiera que hubiera desobedecido a Jesús por un corto lapso podía haberse perdido la unción. *Vino un estruendo del cielo, como si soplara un viento violento, y llenó toda la casa donde estaban sentados.* Repentinamente sus vidas serían cambiadas para no volver a ser las mismas nunca más. El evento no era silencioso y escondido, sino evidente, ruidoso y llamativo. Se dirigía a un lugar específico: la casa en la que ellos estaban.

V. 3. *Entonces aparecieron, repartidas entre ellos, lenguas como de fuego,* *y se asentaron sobre cada uno de ellos.* Ahora lo que estaba sucediendo no señalaba solamente un lugar sino a las personas que lo habitaban. Las manifestaciones de viento y fuego no eran nuevas en relación con el Espíritu Santo. La palabra que en el Nuevo Testamento es traducida como "Espíritu" es la misma que puede traducirse "viento". Jesús, en su charla con Nicodemo dejaría clara esa relación (Juan 3:8). Cuando Juan el Bautista daba testimonio del Señor, hablando de esta misma experiencia del presente pasaje, dijo que Jesús bautizaría en Espíritu Santo y fuego (Luc. 3:16).

V. 4. *Todos fueron llenos del Espíritu Santo.* Si bien sucedieron cosas evidentes al ojo humano, lo más importante estaba ocurriendo en el interior de los creyentes. La figura que se nos presenta aquí es la de varias vasijas siendo llenas hasta el borde con un líquido. Repentinamente *comenzaron a hablar en distintas lenguas, como el Espíritu les daba que hablasen.* Tal vez la primera reacción de un ser humano frente a un acontecimiento extraño sea hablar o exclamar algo. Cuando los discípulos quisieron hacerlo, el idioma que salía de sus labios no era el mismo de siempre. Estaban actuando de acuerdo con la voluntad del Espíritu que los llenaba.

2 Lenguas comprensibles, Hechos 2:7-11.

Los asombrados curiosos que se acercaron a ver qué estaba ocurriendo iban sumando sorpresas. Primero, un gran estruendo fuera de lo común. Luego, pudieron identificar que venía de donde seguían reunidos aquellos fanáticos seguidores de Jesús, quien había sido crucificado. Poco después les verían salir de la casa hablando.

Vv. 7, 8. Los que hablaban no eran desconocidos, sino personas con características que los identificaban claramente como pertenecientes a un determinado pueblo y cultura. Pero cada uno de los extranjeros que estaban en la ciudad para la fiesta de Pentecostés les oía hablar en su propio idioma.

Vv. 9-11. *Les oímos hablar en nuestros propios idiomas los grandes hechos de Dios.* Luego de la extensa enumeración de las culturas representadas, es hecha esta declaración. Siempre que una persona habla, desarrolla un determinado tema. El tema que los discípulos estaban hablando en los idiomas que no sabían, era Dios y sus maravillosas obras. Lo que el Señor había anunciado (Hech. 1:4-8) se empezaba a cumplir punto por punto. Los creyentes estaban recibiendo poder. La primera manifestación externa de ese poder era el testimonio de Dios y lo que él hacía. Hombres y mujeres habían sido transformados en *testigos* de Cristo. La primera etapa del plan de salvación comenzaba a tener lugar.

3 Reacciones de los oyentes, Hechos 2:12, 13.

V. 12. *Todos estaban atónitos y perplejos,* una reacción enteramente lógica. El acontecimiento que estaban presenciando era digno de toda sorpresa y perplejidad. Todos estaban asombrados. No había una sola persona en el lugar, que pudiera decir que ya había visto o vivido algo semejante como para poder explicarlo. Y decían unos a otros: -¿Qué quiere decir esto? Podían ver quiénes eran las personas que estaban actuando de manera tan rara, podían oír que hablaban de los hechos de Dios en sus propios idiomas pero, ¿cuál era el origen de todo aquello? ¿Qué significaría?

V. 13. No todas las personas reaccionan de manera sensata frente a los hechos. Hubo quien atribuyó al vino ingerido en exceso lo que estaba sucediendo. Es cierto que estaban actuando de manera extraña, pero, ¿podría el vino enseñarles idiomas que no conocían? ¡Por supuesto que no! Pero valga el intento de estas personas de explicar lo que estaba pasando.

Aplicaciones del estudio

1. Dios es fiel. Jamás deja incumplidas sus promesas. La promesa cumplida aquel día de Pentecostés demoró muchos años en concretarse, pero llegado el momento preciso, Dios la cumplió. Vale la pena esperar al Padre, porque su bendición sobrepasará nuestras expectativas (2:1, 2).

2. Es insospechable la bendición que nos acarrea el obedecer a Dios. Los discípulos podían haber opinado que era mejor irse de la peligrosa Jerusalén. Sin embargo, cuando el día llegó, estaban todos allí, juntos. Tal vez algunas veces pensemos que nuestro plan es mejor que el de Dios, pero si probamos obedecerle aun en lo que parezca tonto, la bendición que él derramará nos asombrará (2:1).

3. Necesitamos dejar que el Espíritu Santo llene nuestra boca del testimonio de los grandes hechos de Dios. Los creyentes del pasaje no habían planeado testificar en aquel momento, ni sabían cómo hacerlo. Su testimonio fue poderoso por ser ungido por el Espíritu. Dios nos conceda vivir lo mismo (2:4, 11).

Prueba

1. Vuelva a leer brevemente el Estudio panorámico del contexto y responda: ¿Qué promesa o promesas fueron cumplidas en aquel día de Pentecostés de que nos habla el pasaje que hemos estudiado? _____

_____

2. El mandato de dar testimonio del evangelio del Señor Jesucristo en todas partes, es el mismo para nosotros hoy que para los discípulos de aquel entonces. El Espíritu Santo que está en nuestras vidas es también el mismo que los llenó a ellos. El quiere testificar de los grandes hechos de Dios usando nuestros labios. ¿A quién o a quiénes vas a dar testimonio del Señor Jesucristo bajo la unción y la dirección del Espíritu hoy? _____
¿Y mañana? _____

Lecturas bíblicas para el siguiente estudio

Lunes: Hechos 2:14-21 **Jueves:** Hechos 2:29-35
Martes: Hechos 2:22-24 **Viernes:** Hechos 2:36-42
Miércoles: Hechos 2:25-28 **Sábado:** Hechos 2:43-47

Unidad 1

El día del Señor ha llegado

Contexto: Hechos 2:14-47
Texto básico: Hechos 2:14-28, 36-47
Versículo clave: Hechos 2:17
Verdad central: En su primer discurso, Pedro explica los acontecimientos de Pentecostés y aplica el mensaje haciendo un llamado al arrepentimiento.
Metas de enseñanza-aprendizaje: Que el alumno demuestre su conocimiento de los acontecimientos de Pentecostés y su influencia en el desarrollo espiritual y numérico de la iglesia primitiva, y su actitud de sumisión a la obra del Espíritu Santo en su vida.

Estudio panorámico del contexto

A medida que transcurría el tiempo, Dios iba adelantando más detalles acerca de la llegada del Redentor, su nacimiento y aun su muerte y resurrección. Pero cuando él envió a su Hijo, Israel todavía estaba bajo la opresión de extranjeros, en este caso, el imperio romano. Cuando Jesús vino, ellos esperaban un libertador militar que expulsara a los opresores. Muchos no entenderían las enseñanzas de Cristo por esta razón. La cruz sería aún más incomprensible, inclusive para algunos de sus discípulos, quienes apenas después de la resurrección empezarían a comprender la tarea del Mesías. El día de Pentecostés sería la oportunidad para que algunos más comprendieran y creyeran en el Salvador que Dios había enviado.

Cuando el apóstol Pedro tomó la palabra aquel día, hizo referencia a la promesa de Dios de derramar su Santo Espíritu. En ese pasaje, en el versículo 20, se menciona ese tiempo de salvación como "el día del Señor". Esa frase fue usada en diferentes ocasiones para referirse a un momento muy especial en la historia de la humanidad. "El día del Señor", de acuerdo con lo anunciado por los profetas, sería un momento de gloriosa manifestación del poder de Dios. En algunos pasajes se le relaciona específicamente con la llegada del Mesías. En el pasaje de Joel que Pedro cita, habla de su relación con el derramamiento del Espíritu. El día del Señor había llegado, con toda su gloria y despliegue de poder. Las otras referencias que los profetas hacen al mencionado día, las hacen refiriéndose al juicio de Dios y, en el Nuevo Testamento, a la segunda venida de Jesucristo.

Estudio del texto básico

Lea su Biblia y responda

1. ¿Quién se encargó de explicar a los oyentes lo que estaba ocurriendo?

_____. (Hech. 2:14)

2. ¿Sobre quiénes prometió Dios derramar su Espíritu?
_____ y _____. (Hech. 2:18)

3. ¿Quiénes fueron acusados de crucificar al Señor?
_____. (Hech. 2:36)

4. ¿Cuál fue la reacción de las personas que escucharon?
_____. (Hech. 2:37)

5. ¿Cuántas personas se entregaron al Señor aquel día?
_____. (Hech. 2:41)

Lea su Biblia y piense

1 Primer discurso de Pedro, Hechos 2:14-28.

V. 14. La gente no entendía lo que estaba sucediendo y algunos ya estaban sacando conclusiones equivocadas. Hacía falta que alguien diera una explicación. *Entonces Pedro se puso de pie con los once.* Los apóstoles debían sentirse responsables por la autoridad que Jesús les había conferido, pero necesitaban un vocero. Pedro estaría lleno del Espíritu, pero no había perdido su impulsivo carácter. Nadie mejor que él para dirigir la palabra en esta ocasión. El hecho de que sea mencionado en primer lugar puede denotar su prominencia.

Vv. 15, 16. Los sarcásticos comentarios de algunos habían llegado a oídos de los apóstoles y Pedro los usa como introducción a su mensaje. La explicación que da no es extensa, solamente dice: *Porque estos no están embriagados.* Lo que hace es llamar la atención a la verdadera causa de lo que veían.

V. 17. *Sucederá en los últimos días.* Este evento estaba marcando el inicio de una nueva era en la historia. Los anunciados y predichos tiempos del fin estaban comenzando. La promesa de parte de Dios es: *derramaré de mi Espíritu.* He aquí la explicación: Dios había derramado su Espíritu.

V. 18. *De cierto, sobre mis siervos y mis siervas en aquellos días derramaré de mi Espíritu.* Dios enfatiza su promesa y revela quiénes serían sus receptores. Dios ungiría a sus siervos y siervas, sin diferencia de sexos. El requisito solamente era que debían ser personas que se hubieran puesto a su servicio.

Vv. 19, 20, 21. Las señales mencionadas son de tipo apocalíptico y sería un error intentar una interpretación literal. Más bien son una descripción dramática de eventos conmovedores, en relación con Pentecostés desde la óptica de Joel.

Vv. 22-24. Esta es la segunda parte del mensaje de Pedro que comprueba que Jesús es el Mesías, el Hijo de Dios, Se incluye la acusación a los oyentes de haber crucificado a Jesús y el hecho indubitable de la resurrección.

Vv. 25-28. Pedro cita el Salmo 16:8-11, afirmando que David no se refería a sí mismo, pues sus huesos estaban aún en la tumba. *Hades* significa "lugar de los muertos".

2 Un llamado al arrepentimiento, Hechos 2:36-42.

V. 36. El Apóstol se había ofrecido aun a ir a la muerte con Jesús si así hubiera sido necesario (Mat. 26:35). Poco tiempo después estaba negando vergonzosamente conocer al Señor. *A este mismo Jesús a quien vosotros crucificasteis.* El que está hablando en esta ocasión no parece el mismo Pedro. Está acusando directamente y con mucha autoridad a los habitantes de Jerusalén de haber asesinado al Señor. *Dios le ha hecho Señor y Cristo.* Aquel a quien habían rechazado, colgándolo del madero, había sido dotado de autoridad de parte de Dios y ahora era el *Cristo*, el Mesías tan esperado.

V. 37. La declaración del Apóstol hizo exclamar a los oyentes afligidos de corazón: —*Hermanos, ¿qué haremos?*
Se sentían desesperanzados. Habían matado a quien era la única esperanza de salvación. Dios le había resucitado. ¿Cómo escaparían ahora de la condenación?

V. 38. —*Arrepentíos y sea bautizado cada uno de vosotros en el nombre de Jesucristo para perdón de vuestros pecados.* Aun para los asesinos del Señor había esperanza. El bautismo era tomado como una declaración pública de fe. Sus pecados, que ahora habían quedado evidentes ante sus propios ojos, serían perdonados como consecuencia. *Y recibiréis el don del Espíritu Santo.* No sólo se les ofrecía perdón y salvación, sino también la unción del Espíritu que veían obrar. Era un don de Dios y no la respuesta a ningún mérito que tuvieran.

Vv. 39, 40. *Porque la promesa es... para todos.* Pedro puede referirse aquí a la promesa del perdón de los pecados, pero es más probable que se refiera al pasaje de Joel que había citado. Estas palabras hacen extensiva la promesa aun para nosotros y todos los que crean.

V. 41. El testimonio dado no cayó en el vacío, *como tres mil personas* decidieron integrarse e identificarse con el grupo de los discípulos.

V. 42. *Y perseveraban.* No eran decisiones dudosas o poco comprometidas. Entraron de lleno en el estilo de vida de los discípulos.

3 La vida de los primeros cristianos, Hechos 2:43-47.

V. 43. *Entonces caía temor... Se hacían muchos milagros y señales.* La sorpresa inicial se fue transformando en temor. En estas personas estaba actuando un poder sobrenatural. Las *señales*, sean de la especie que sean, siempre señalan algo. Estas señalaban a Jesucristo.

Vv. 44, 45. Los creyentes *se reunían.* No había un mandato acerca de esto; la necesidad de congregarse provenía del Espíritu. Las acciones de amor también eran espontáneas. Las necesidades de los hermanos no eran pasadas por alto sino que cada uno estaba dispuesto a desprenderse de lo propio para atender a los demás, Lucas lo dice así: *Tenían todas las cosas en común.* El v. 45 aclara aún más la idea.

V. 46. ¿Cuántos días a la semana se reunían? ¡Todos! La iglesia carecía de templo propio, así que, siguiendo su costumbre como judíos, se reunían a orar en el templo, aunque los hogares también eran un buen lugar donde buscar a Dios y ministrarse unos a otros.

V. 47. *Teniendo el favor de todo el pueblo.* Nadie podía dejar de reconocer lo positivo de lo que los creyentes estaban viviendo. *Y el Señor añadía diariamente a su número los que habían de ser salvos.* El hecho de que fueran muchos y que tuvieran mucho que aprender no había cerrado sus labios. Pero la obra era hecha por el Señor.

──────────── *Aplicaciones del estudio* ────────────

1. El Espíritu de Dios produce testigos valientes. Así como la timidez y cobardía de Pedro fue sustituida por el valor, Dios puede hacer lo mismo con nosotros. Es hora de que abandonemos la timidez en nuestro testimonio. La reacción de los que suponemos que nos van a rechazar puede sorprendernos (Hech. 2:36).

2. La promesa del Espíritu está vigente hoy para todos los creyentes. Lo que leemos que Dios hizo con los creyentes de la iglesia primitiva puede repetirse hoy en día con nosotros. Reclamemos al Señor su valor para testificar (Hech. 2:39).

3. El testimonio que el Espíritu Santo produce en la vida de los creyentes es poderoso y convincente. Pongamos nuestras vidas en las manos de nuestro Padre celestial y pidámosle ese mismo poder obrando en nuestras vidas. ¿Cuántos pertenecen al Señor por haber escuchado nuestro testimonio? (Hech. 2:41).

──────────── *Prueba* ────────────

1. Anote si son verdaderas o falsas (V o F) las siguientes declaraciones de acuerdo con el estudio.

El día de Pentecostés Pablo predicó un poderoso mensaje (   )

Tres mil personas se entregaron al Señor (   )

Los nuevos hermanos comenzaron a reunirse todos los domingos (   )

2. Los resultados de lo ocurrido en el día de Pentecostés fueron hermosos y perdurables. A veces nosotros nos esforzamos para que lo mismo ocurra en nuestra iglesia pero no resulta. ¿Qué tendremos que hacer para que la comunidad en la que vivimos sea impactada por el poderoso testimonio de nuestra iglesia?

───

───

Lecturas bíblicas para el siguiente estudio

Lunes: Hechos 3:1-3   **Jueves:** Hechos 3:12-18
Martes: Hechos 3:4-6   **Viernes:** Hechos 3:19-21
Miércoles: Hechos 3:7-11   **Sábado:** Hechos 3:22-26

Unidad 2

Testimonio en el templo

Contexto: Hechos 3:1-26
Texto básico: Hechos 3:1-7, 11-16, 19
Versículo clave: Hechos 3:6
Verdad central: La experiencia de Pedro y Juan en el templo demuestra que es necesario aprovechar todas las oportunidades para testificar.
Metas de enseñanza-aprendizaje: Que el alumno demuestre su conocimiento de la experiencia que Pedro y Juan tuvieron en el templo al sanar al cojo de nacimiento, y su actitud de prestancia para aprovechar las oportunidades que se le presenten para dar testimonio de Cristo.

Los discípulos del Señor Jesucristo habían recibido el cumplimiento de la

—————— *Estudio panorámico del contexto* ——————

promesa del Padre al ser ungidos por el Espíritu Santo. A consecuencia de ello, dieron testimonio de la resurrección del Señor y muchos decidieron creer en el evangelio. Pero a pesar de todos los cambios ocurridos en sus vidas, en algunos aspectos seguían siendo los mismos. Cuando eran muy pequeños habían aprendido que había al menos dos ocasiones durante el día -a las nueve de la mañana y a las tres de la tarde- que se dedicaban a la oración. Ahora que eran discípulos de Cristo, la oración seguía teniendo vital importancia en sus vidas.

Dado que la iglesia no tenía un lugar formal donde congregarse, se reunían espontáneamente "en el templo" y "casa por casa" (Hech. 2:46). Era algo habitual para los apóstoles concurrir al templo para orar, como en este caso, a "la hora novena", o sea, a las tres de la tarde.

Las oportunidades en que Jesús se encontró con mendigos, atendió con amor sus necesidades (Mar. 10:46; Luc. 18:35; Juan 9:8). El Señor no desampara a los desposeídos, cualquiera que sea su necesidad. Cuando hablaba con sus discípulos acerca del tiempo del fin, tocó el tema del juicio final. De acuerdo con sus palabras (Mat. 25:31-46), en ese momento se tendrá muy en cuenta cuál haya sido el trato que cada persona tuvo con los necesitados. A tal punto llega la identificación de Jesús con estas personas, que dice que cualquier servicio que les sea prestado, puede considerarse como hecho a él mismo. Era natural que los discípulos tuvieran alguna actitud especial hacia el cojo que mendigaba.

Era, y es común que los enfermos y necesitados elijan mendigar cerca de los templos o santuarios. Cualquier persona puede sentirse más motivada a dar en el momento de ir a encontrarse con Dios en el templo que en ningún otro momento. De esa manera allí tendrían más resultados que en otro lugar. Este enfermo era una persona que no estaba capacitada para procurar su propio sustento. Algunos familiares o amigos lo llevarían diariamente al lugar donde pedía, antes de dirigirse a realizar sus propias tareas. Dado que era visto por todos los que asistían al templo con frecuencia, era un personaje popular que contaba con la simpatía y la misericordia de todos.

──────────── *Estudio del texto básico* ────────────

Lea su Biblia y responda

1. ¿Quién detuvo a Pedro y Juan cuando estaban entrando en el templo?
_____ (3:3).

2. ¿Le dieron ellos al hombre lo que pedía? _____ ¿Por qué?
_____ (3:6).

3. ¿Cuál fue la orden que le dieron? _____
_____ (3:6).

4. ¿Cómo reaccionó la gente ante lo sucedido? _____
_____ (3:11).

5. ¿Qué fue lo que provocó la sanidad?_____
_____ (3:16).

Lea su Biblia y piense

1 Encuentro de Pedro y Juan con el cojo, Hechos 3:1-4.

Vv. 1, 2. Los protagonistas del relato son presentados en estos primeros versículos. Ellos son *Pedro y Juan*, los apóstoles, y *cierto hombre que era cojo desde el vientre de su madre*. Este tenía una gran necesidad, imposible de ser atendida por medios humanos. Como medio de supervivencia era llevado para *pedir limosna de los que entraban en el templo*.

V. 3. Es posible que esta escena se repitiera cientos de veces durante el día. Las personas podían ofrecerle algunas monedas o seguir su camino ignorando la petición. La reacción de los apóstoles es muy diferente. Pedro y Juan podrían haber seguido su camino lamentando no haber tenido nada para ofrecer a este hombre. Pudieron haberse propuesto ir a buscar dinero para darle a aquel pobre mendigo. Pero lo que hizo Pedro fue fuera de lo normal.

V. 4. Pedro *se fijó en él y le dijo: —Míranos.* Cuando esta palabra es pronunciada, algo ya ha ocurrido. El cojo sigue sentado junto a la puerta del templo, pero el milagro ya había nacido en el corazón del Apóstol. Pedro confiesa que no tiene dinero. Entonces, ¿por qué le llamó la atención?

2 Pedro sana al cojo, Hechos 3:5-7, 11.

Vv. 5, 6. —*No tengo ni plata ni oro, pero lo que tengo te doy.* En lugar de oírse el ruido de monedas, se escucharon estas palabras. No, monedas no tenía; pero, tenía algo mucho más valioso para el cojo. ¿Qué sería? Había algo poderoso y quemante en su interior que debía dar. *En el nombre de Jesucristo de Nazaret, ¡levántate y anda!* No se detuvo a explicarle algo acerca de Jesús, ni tampoco a decirle que oraría para que sanara. Simplemente, dio la orden en el nombre de Jesús. Era algo que Pedro había visto hacer al Señor muchas veces (Mat. 9:6; Mar. 5:41; etc.) y que ahora repetía en su nombre y con el poder del Espíritu.

V. 7. *Le tomó de la mano derecha y le levantó.* Las palabras pronunciadas no habían sido una débil confesión hecha en voz baja, sino una valiente orden. Pero Pedro no se conformó con hablar, sino que acompañó lo que decía con la acción. El hombre, sin terminar de sorprenderse por lo que le había sido ordenado, fue tomado de la mano y levantado. En el corazón del Apóstol no había ni una sombra de duda acerca de lo que ocurriría. *Fueron afirmados sus pies y tobillos.* Estos miembros nunca habían sido apoyados para caminar. Es probable que tuvieran una terrible deformación que hiciera imposible que alguna vez pudiera caminar. Ante la orden y la acción de este hijo de Dios, lleno de su Espíritu todos los huesos, tendones, músculos y cada célula, fueron a ocupar el lugar correcto. El milagro había ocurrido.

V. 11. Luego de la alegría inicial, y de los primeros pasos y saltos con los que, junto con gritos de alabanza, estrenó sus nuevos pies, el hombre volvió a sus benefactores y *se asió de Pedro y de Juan*, mientras *toda la gente, atónita* veía lo ocurrido. Estaban viendo a aquel paralítico, corriendo y saltando entre ellos. No era un desconocido o alguien a quien pudieran confundir. Todo mundo *concurrió apresuradamente a ellos*. Algo extraño y maravilloso estaba ocurriendo, y estos hombres tenían algo que ver con eso. El que fue sanado los señalaba a ellos. ¿Quiénes eran? ¿Cómo había ocurrido ese portento?

3 Pedro testifica de Cristo, Hechos 3:12-16, 19.

V. 12. *Pedro respondió al pueblo.* ¿Qué más puede querer un discípulo de Jesucristo que un gran auditorio ansioso por escucharlo? *¿Por qué os maravilláis? ¿Por qué nos miráis a nosotros?* Pedro hace notar la realidad de que él tiene una respuesta clara y estaba seguro de que sería suficiente para explicar lo sucedido. El poder que había producido la sanidad no provenía de ellos. En ningún momento se atribuye los méritos del milagro.

Vv. 13, 14. *Dios ...ha glorificado a su Siervo Jesús.* La clave está en Jesús y no en ellos. *Al cual vosotros entregasteis y negasteis ante Pilato.* En la memoria y los oídos tanto de Pedro como de sus oyentes, aún resonaba el eco de aquella cruel e injusta condena: "¡Crucifícale!" (Mar. 15:13, 14). Los labios de los mismos que ahora miraban asombrados, eran los que habían pronunciado esa petición a Pilato. No había forma de esconder su pecado.

V. 15. Pedro no ahorraba palabras para delatar el pecado de sus oyentes. Hay una relación entre el hecho de que hayan visto a Cristo resucitado y su participación en el milagro.

V. 16. *El nombre de Jesús,... la fe en su nombre... la fe que es despertada* *por Jesús...* He aquí lo que Pedro tenía en su interior antes que se produjera la sanidad. La fe en Jesús era lo único que había hecho posible que aquel hombre pudiera caminar. El misterio estaba resuelto. Aquel a quien la gente había rechazado, estaba vivo, había sido exaltado por el Padre y tenía poder para sanar a los enfermos.

V. 19. *Arrepentíos y convertíos.* Aún había esperanza para los asesinos del *Autor de la vida.* Si obedecían estas palabras, serían perdonados y Dios les favorecería. Sólo tenían que arrepentirse y creer en Jesucristo.

Aplicaciones del estudio

1. Los creyentes en Jesucristo debemos ser sensibles a la guía específica del Espíritu en nuestra vida. El mundo tiene actitudes y acciones que ya son habituales. Tal vez algunas veces, como sucedió con Pedro y Juan, tengamos que vernos involucrados en situaciones que llamen la atención de los demás por dar testimonio de Jesús (Hech. 3:4-6).

2. A nuestro alrededor viven personas llenas de necesidades. Nuestra actitud hacia ellos debe ser la de Jesús. (Hech. 3:6).

3. El creyente no tiene por qué limitar su testimonio al tiempo en que su iglesia decide hacer una campaña. La calle, el almacén, el trabajo o cualquier encuentro casual, pueden ser una buena oportunidad para que otros sepan de Jesús. (Hech. 3:11, 12).

4. El nombre del Señor es una valiosísima herencia que Dios nos ha concedido. Podemos orar en el nombre de Jesucristo, quien es la máxima autoridad que existe. Actuemos en el nombre de Jesús, hablemos en su nombre, y que él despierte su fe en nosotros (Hech. 3:16).

Prueba

1. Resuma brevemente la historia que relata el pasaje que estudiamos, en lo posible, sin volver a leerlo. _____

_____

_____

2. Piense en acciones habituales en el trabajo, el mercado, la calle, el medio de transporte que use, o en cualquier otro lugar en las que podría presentarse una oportunidad para testificar si usted no actuara "como siempre". Coméntelas con sus compañeros. Aprovéchelas.

Lecturas bíblicas para el siguiente estudio

Lunes: Hechos 4:1-4   **Jueves:** Hechos 4:19-22
Martes: Hechos 4:5-12   **Viernes:** Hechos 4:23-26
Miércoles: Hechos 4: 13-18   **Sábado:** Hechos 4:27-31

Unidad 2

Frente a la oposición

Contexto: Hechos 4:1-31
Texto básico: Hechos 4:8-14, 18-20, 23, 29-31
Versículos clave: Hechos 4:19, 20
Verdad central: La actitud de Pedro y Juan frente a la oposición nos muestra cuáles eran sus prioridades y nos estimula a seguir adelante a pesar de las adversidades.

Metas de enseñanza-aprendizaje: Que el alumno demuestre su conocimiento de la manera cómo Pedro y Juan ministraron en el nombre de Cristo a pesar de la oposición, y su actitud de seguir testificando en el nombre de Jesús aun cuando estén en peligro por hacerlo.

Estudio panorámico del contexto

En nuestro último estudio dejamos a los apóstoles Pedro y Juan en el templo, dando testimonio del Señor Jesucristo frente a una gran multitud. Las primeras palabras del capítulo 4 del libro de Hechos nos muestran a un grupo de personas llegando y llevándolos a la cárcel mientras ellos aún hablaban (Hech. 4:1-3). La mayor parte de lo que resta de este capítulo trata del diálogo que tuvo lugar entre los apóstoles y ese grupo de personas, y sus consecuencias.

Aunque el pueblo de Israel era una de las muchas naciones que estaban bajo el dominio del imperio romano, había algunas cosas en las que todavía se gobernaban a sí mismos, aunque de una manera muy limitada. Ese gobierno era ejercido por el "Sanedrín" (Hech. 4:15), un concilio compuesto por importantes ciudadanos judíos. Así como en los gobiernos modernos hay diferentes partidos políticos, así sucedía dentro del Sanedrín. El grupo que tenía más influencia y autoridad era el de los saduceos. Estos eran los que habían buscado relacionarse en forma favorable con las autoridades romanas para obtener beneficios personales como dinero, propiedades y poder. A consecuencia de eso, el sumo sacerdote era siempre un saduceo. El y su familia ejercían mucho poder avalados por los romanos. Entre los que se mencionan en este capítulo se encuentran Anás y Caifás (4:6), quienes tuvieron una importante participación en la decisión de crucificar al Señor Jesucristo (Juan 18:13, 24). En cuanto a sus creencias, no aceptaban la existencia de ángeles y espíritus, no creían en la vida después de la muerte ni en la resurrección. Cuando llegaron al templo, los discípulos justamente estaban dando testimonio de la resurrección de Jesús. Ese fue uno de los principales motivos de su encarcelamiento.

El otro partido que formaba parte del Sanedrín era el de los fariseos.

Anhelaban que su patria fuera libre del yugo de los romanos, por lo que consideraban traidores a los saduceos, además de tener diferentes creencias que ellos. Eran estrictos cumplidores no sólo de la ley escrita, sino también de la tradición oral que ellos mismos habían elaborado. Creían en ángeles y espíritus y también en la resurrección.

Pedro y Juan tendrían que explicar frente a ellos cuál había sido el motivo de lo ocurrido en el templo. Y ellos, así como con Jesús, tenían autoridad aun para crucificarlos.

─────────── *Estudio del texto básico* ───────────

Lea su Biblia y responda

1. De acuerdo con lo que Pedro responde a los miembros del Concilio, ¿qué fue lo que provocó la sanidad del cojo? _____
_____ (Hech. 4:10).
2. ¿Qué reacción provocaron las palabras de Pedro y Juan en el Concilio?
_____ (Hech. 4:13).
3. ¿Cuáles eran las dos opciones a las que se veían enfrentados los apóstoles? (Hech. 4:19). a. Obedecer a _____.
   b. Obedecer a _____.
4. ¿Qué era lo que no podían evitar hacer? _____
_____ (Hech. 4:20).

Lea su Biblia y piense

1 Pedro y Juan ante el Concilio, Hechos 4:8-12.

V. 8. *Entonces Pedro, lleno del Espíritu Santo...* Hay una gran diferencia entre Pedro (a secas), y el Pedro, *lleno del Espíritu Santo*. El hombre impulsivo y atropellado del que nos hablan los Evangelios ha sido transformado en el hombre valiente, amable, respetuoso y lleno de fe del libro de Los Hechos.

V. 9. Se dirige directamente a responder la pregunta que se les había formulado. En lo que va del libro de Los Hechos, todas las ocasiones en que los discípulos dieron testimonio, no fueron forzados por la obediencia a la Gran Comisión, sino por oportunidades brindadas por el Espíritu y las actitudes de los cristianos, que eran diferentes de las de los demás.

V. 10. *Ha sido en el nombre de Jesucristo de Nazaret.* La respuesta seguía siendo la misma que había sido dada a los oyentes en el templo. El nombre de Jesucristo volvía a llegar a los oídos de las personas. Es interesante notar que Pedro no utiliza el nombre "Jesús", sino *Jesucristo*. Ese nombre incluía el título de Mesías, el Salvador prometido por Dios y que los judíos esperaban. Sería especialmente ofensivo para los religiosos que en esta oportunidad estaban escuchando, ya que habían crucificado a Jesús por no aceptar que él fuera el Cristo. La sentencia es definitiva: *a quien vosotros crucificasteis.*

¿Será este el mismo apóstol Pedro que negó al Señor por miedo a estos mismos gobernantes? Menciona el pecado sin sutilezas de ninguna clase.

Con la misma entereza dice: *y a quien Dios resucitó de entre los muertos.* El Apóstol sabía perfectamente que con esta declaración se estaba ganando la enemistad del grupo de los saduceos, el más influyente, que no creía en la resurrección.

V. 11. *El es la piedra rechazada por vosotros.* Así como en su primer mensaje (Hech. 2), Pedro hace referencia al Antiguo Testamento. Esto resulta doblemente importante ahora, ya que sus oyentes son expertos en las Escrituras. Cita el Salmo 118:22, incluyendo en su cita también su interpretación. Pedro hace una comparación entre la construcción de un edificio y la vida espiritual. Así como un edificio era construido en función de una piedra fundamental de la que dependía todo el resto, Jesús era la persona de quien dependía la salvación, y ellos, los *edificadores*, habían elegido otras piedras descartando la que era realmente la única.

V. 12. *Y en ningún otro hay salvación,... no hay otro.* Esto completa la interpretación del versículo anterior. Estos maestros enseñaban que los hombres podían salvarse por su religiosidad, sus buenas obras o su buen nombre, pero esas cosas sólo serían piedras que no servían para la salvación del alma. Solamente en Jesús hay salvación.

2 Pedro y Juan responden a la prohibición, Hechos 4:13, 14, 18-20.

V. 13. Era evidente para los integrantes del Sanedrín que estos hombres tenían una conducta fuera de lo común, más allá de su educación. Era inevitable relacionar su forma de actuar con la persona e influencia de Jesús.

V. 14. No había argumentos intelectuales capaces de superar el milagro que tenían delante de sus ojos. Estaban escuchando por boca de estos hombres claras acusaciones y confesiones que muchos de ellos consideraban blasfemias y, sin embargo, no podían condenarlos.

V. 18. Reconocían que no podían negar lo que ellos estaban diciendo, pero en ningún momento pensaron que podían tener razón en sus declaraciones. Eso iba en contra de sus intereses. Pero querían encontrar la manera de mantenerlos callados, y lo único que se les ocurrió fue amenazarlos.

V. 19. —*Juzgad vosotros si es justo delante de Dios obedecer a vosotros antes que a Dios.* Lo que ellos no esperaban era esta respuesta. Enseñaban cada día en el templo que los hombres debían obedecer a Dios. Estos hombres estaban convencidos de que lo hacían. Si querían ser honestos, llegarían a la conclusión de que era mejor obedecer a Dios.

V. 20. *Porque nosotros no podemos dejar de decir lo que hemos visto y oído.* Esto dejaba solamente dos opciones: o morían, o seguían hablando de Cristo. Lo que ellos habían visto y oído era demasiado importante como para callarlo.

3 Los creyentes piden confianza y valentía, Hechos 4:23, 29-31.

V. 23. Una vez libres, los discípulos recurrieron a sus hermanos, que probablemente estaban orando por ellos. Su primera reacción fue llevar todo a Dios en oración.

V. 29. *Concede a tus siervos que hablen tu palabra.* Esta petición puede parecer contradictoria. En lugar de pedir protección de Dios contra las amenazas, piden aún más valor y más demostraciones del poder de Dios para avalar su testimonio.

V. 30. Era imprescindible que Dios mismo respaldara con sus milagros el testimonio que ellos darían. Le estaban pidiendo que lo que había sucedido en el templo con el cojo volviera a repetirse.

V. 31. La respuesta de Dios no se hizo esperar. Esta experiencia tiene cierto parecido con la que vivieron en el día de Pentecostés. Dios estaba de acuerdo, y los respaldaría porque ellos estaban dispuestos a seguir cumpliendo la Gran Comisión.

Aplicaciones del estudio

1. Hay sólo una base firme en la que la vida puede ser edificada: Jesús. Si la vida de una persona está apoyada en las buenas obras que hace o las muchas ofrendas que da, tarde o temprano caerá y será destruida. Cuando estemos frente a Dios en el juicio final, no nos preguntará a qué iglesia fuimos, sino cuál fue nuestra actitud hacia su Hijo (Hech. 4:12).

2. Cristo ha resucitado y prometió estar en medio de cada grupo de creyentes que se reúnen en su nombre. En cada culto estamos con Jesús. Cuando volvemos a relacionarnos con los demás, ¿reconocen que hemos estado con él? Si no lo hacen, es posible que algo este mal (Hech. 4:13).

Prueba

1. ¿Cuáles fueron las declaraciones más valientes y arriesgadas de Pedro frente a los gobernantes? (Hech. 4:10, 11, 19, 20) _____
_____
_____

2. No somos perseguidos por ser cristianos. Disfrutamos de libertad de cultos. No hemos sido amenazados de muerte por creer en Jesús. ¿Cómo aprovechamos esa libertad? Tome ahora dos decisiones importantes:
a) Dirigirse a Dios para que su vida cambie y él respalde con su obra el testimonio suyo.
b) Comprométase con la gente. Abandone las excusas y abra su boca con valor.

Lecturas bíblicas para el siguiente estudio

Lunes: Hechos 4:32, 33
Martes: Hechos 4:34, 35
Miércoles: Hechos 4:36, 37
Jueves: Hechos 5:1, 2
Viernes: Hechos 5:3-6
Sábado: Hechos 5:7-11

Unidad 2

Todas las cosas en común

Contexto: Hechos 4:32 al 5:11
Texto básico: Hechos 4:32-37; 5:1-5, 7-10
Versículo clave: Hechos 4:32
Verdad central: La iglesia llegó a tal punto de unidad que sus miembros estaban dispuestos a compartir sus bienes como muestra de fraternidad cristiana, aunque había algunos que no actuaban con integridad.
Metas de enseñanza-aprendizaje: Que el alumno demuestre su conocimiento de la manera cómo los primeros cristianos demostraban su fraternidad, y su actitud de ofrecer sus dádivas a Dios con generosidad e integridad.

Estudio panorámico del contexto

La ciudad de Jerusalén se había visto inundada por el evangelio del Señor Jesucristo. El número de los creyentes aumentaba cada día (Hech. 2:47), y cada nuevo discípulo de Jesús era un nuevo testigo que abría sus labios para hablar de él. Los nuevos hermanos se sentían felices de integrar su nueva gran familia en la que se sentían protegidos y amados. Los apóstoles y los discípulos más antiguos tenían mucho para enseñar y el Espíritu Santo cumplía fielmente con su tarea de guiarlos a toda la verdad (Juan 16:13). Sorprendían a los demás habitantes de la ciudad de Jerusalén con su nueva forma de tratarlos, siendo serviciales y generosos con todos (Hech. 2:47). Los períodos de adoración y oración eran siempre una maravillosa experiencia de contacto profundo con el Cristo resucitado, así como también lo era cada oportunidad en que "partían el pan" celebrando la cena del Señor.

Pero todas estas maravillosas experiencias que edificaban tanto la vida espiritual de los que habían sido redimidos, no hacían desaparecer sus necesidades materiales. Antes de creer en Jesús, cada uno de los discípulos tenía diferente posición económica, de acuerdo con su preparación y con la actividad que desarrollaban. Eso no había cambiado, y todavía había en el grupo quienes tenían mucho, quienes tenían poco y quienes no tenían. Hechos 2:44, 45 nos habla de la manera en que ellos suplieron esa necesidad. Había quienes vendían lo que tenían para que fuera repartido entre los que más necesitaban. Esto es comúnmente conocido con el nombre de "comunidad de bienes". El pasaje al que dedicamos nuestra atención en este estudio, hace referencia al mismo asunto, en este caso, llegando a especificar nombres y procedencia de quienes actuaban así.

Hay personas que al leer estos pasajes tratan de comparar esta forma de conducta con la de las iglesias de hoy en día. Observan con acierto que en nuestro tiempo todavía hay personas de diferentes posiciones económicas que se sientan en los bancos de una misma iglesia, y se preguntan si no tendría que ser puesto en práctica el mismo método que fue usado en el primer siglo. El Nuevo Testamento no enseña la práctica de la comunidad de bienes como una doctrina. Fue la respuesta a una necesidad y podría ser practicado nuevamente (así como lo fue), siempre que la necesidad y el impulso del Espíritu Santo así lo demanden.

─────────── *Estudio del texto básico* ───────────

Lea su Biblia y responda

1. ¿Cuántos necesitados había en la iglesia de Jerusalén? (Hech. 4:34) _____ ¿Por qué? _____
_____.

2. ¿Quiénes administraban los bienes de la comunidad? (Hech. 4:35)
_____.

3. El pasaje habla de la ofrenda de tres personas en especial. ¿Cuáles son sus nombres? a. _____ (Hech. 4:36). b. _____ (5:1). c. _____ (5:1).

4. ¿A quién realmente mintieron y tentaron Ananías y Safira? (Hech. 5:3, 9)
_____.

Lea su Biblia y piense

1 La generosidad de los creyentes, Hechos 4:32-35.

Vv. 32, 33. *Un solo corazón y una sola alma.* Esta expresión encierra el verdadero significado de lo que el Señor tenía en mente cuando pensaba en su iglesia. Jesús rogó al Padre cuatro veces por esa clase de relación entre sus discípulos (Juan 17:11, 21-24). Esto era real ahora en la vida de los primeros creyentes. No era sólo una sensación emocional de "sentirse bien con los hermanos", sino una verdadera y profunda unidad que no sólo involucraba las emociones, sino también decisiones definidas. *Ninguno decía ser suyo propio nada.* No era alguna clase de inversión financiera para recibir mayores beneficios, sino una renuncia a la posesión de bienes legítimamente propios. Este desprendimiento está de acuerdo con la enseñanza del Señor (Luc. 14:33). Los creyentes estaban haciendo sus tesoros en el cielo (Mat. 6:20, 21) y confiando en Dios como el proveedor para todas sus necesidades (Mat. 6:25-30).

Vv. 34, 35. *No había, pues, ningún necesitado... los propietarios... vendían, traían.* Sencillamente, los que tenían se desprendían de lo propio, para atender las necesidades de los demás. Esas necesidades debían ser *conocidas* por los demás para luego ser atendidas. No había un intento hipócrita de aparentar tener algo por competir con los demás. Lo que motivaba estas acciones era el amor que el Señor ponía en el corazón de los creyentes. Cuando Jesús estaba físicamente entre sus discípulos, había multiplicado panes y peces para atender a la gente con hambre (Juan 6), ¿por qué no lo hacía también con su iglesia? Porque ya no estaban en el desierto y había otros medios, tan milagrosos como la multiplicación, para atender esa necesidad. Esta forma de renuncia a la propiedad podría ser considerada realmente milagrosa.

2 La generosidad de Bernabé, Hechos 4:36, 37.

Vv. 36, 37. *José... Bernabé.* Cuando un sobrenombre era dado a una persona, no era solamente porque sonara bien. Tenía que ver con su forma de actuar o con su personalidad. ... *hijo de consolación*, puede ser una referencia a la forma en que José era usado por el Señor para llevar consuelo a la vida de los que lo necesitaban. Era también generoso en sus dádivas.

3 Problemas en la iglesia, Hechos 5:1, 2.

Vv. 1, 2. La dádiva considerada en este pasaje podría ser catalogada como una ofrenda más, una pareja que en lugar de ofrendar todo el producto de lo vendido, entregó sólo una parte. Pero había un problema más profundo. Estas personas aparentaban ser espirituales, así como Bernabé. En el momento de entregar la ofrenda dijeron que estaban entregando todo el producto de la venta.

4 Ananías y Safira castigados por Dios, Hechos 5:3-5, 7-10.

V. 3. *Y Pedro dijo:...* Entre los apóstoles, Pedro era considerado como el de más autoridad. Este era un caso de disciplina en la iglesia y era tratado directamente por el líder de la congregación. *¿Por qué llenó Satanás tu corazón.* La sola lectura de esta frase produce una mala impresión. Satanás había llenado su corazón, pero eso no lo hacía menos responsable por lo que había hecho. Aunque Satanás hubiera sido el de la idea y el tentador, quien tomó la decisión de pecar fue el hombre. El no puede llenar el corazón de quien no le permite hacerlo.

V. 4. *Propusiste en tu corazón.* Este pasaje no nos dice cómo supo Pedro que había habido una mentira, pero todo nos hace pensar que nadie más que el Espíritu Santo se lo dijo. El Espíritu, que conoce el corazón de las personas, no podía ser burlado. *Has mentido... a Dios.* Esta es una buena definición de la hipocresía: mentirle a Dios. Aunque Ananías hubiera querido impresionar a los hermanos de la iglesia, su acción había sido hecha ante Dios y con una ofrenda que supuestamente era para él.

V. 5. *Ananías... expiró.* No hubo una advertencia para la próxima vez, ni una suspensión de algún privilegio como miembro de la iglesia. El Espíritu Santo mismo se encargó de aplicar la disciplina. Puede parecer exagerada, pero nos deja la valiosa enseñanza de que con Dios no se juega. *Gran temor sobrevino.* A pesar de los siglos transcurridos, el mismo temor se apodera del corazón de los que con humildad nos acercamos a este pasaje para ser enseñados por Dios. La reacción de los presentes no debe extrañarnos.

Vv. 7-9. *Os pusisteis de acuerdo.* Los esposos habían hablado con toda claridad acerca de esto y habían decidido pecar con todas las agravantes. Esta actitud de haber planeado el pecado, después de haber conocido la gracia de Dios, es especialmente condenado por el Señor (He. 10:26, 27). *Tentar al Espíritu del Señor?* Al mismo pecado se le dan dos títulos diferentes: *Mentir* (4:3) y *Tentar al Espíritu* (4:9). Dios dice que cuando el pueblo de Israel no confiaba en que él les proveería el agua, le tentaron endureciendo sus corazones (Sal. 95:8-11). En el Nuevo Testamento se nos advierte que no debemos repetir ese pecado (Heb. 3:7 a 4:11).

V. 10. A Safira también *la sepultaron*. La disciplina fue igual para los dos, ya que eran igualmente responsables. La advertencia de esta lección objetiva debe haber quedado muy clara para todos.

―――――――――― *Aplicaciones del estudio* ――――――――――

1. El tener una necesidad no tiene por qué ser un motivo de vergüenza. Algunas veces hay hermanos dentro de la iglesia que tienen necesidades que nadie conoce y que, por lo tanto, nadie puede atender. (Hech. 4:34).

2. Nada de lo que tenemos es nuestro. Somos simplemente administradores de lo que es de Dios, y eso ya es un gran privilegio que no mereceríamos. Cuando no atendemos la necesidad de un hermano no sólo estamos "cerrando contra él nuestro corazón" (1 Juan 3:17), sino también demostrando que no confiamos en Dios para la provisión de nuestras necesidades.

3. Nuestras actitudes pueden dar la oportunidad para que Satanás llene nuestro corazón. Nuestro corazón debe ser protegido con mucho cuidado (Prov. 4:23). Si está permanentemente ocupado por las actitudes del Espíritu Santo, nadie podrá tocarlo (Hech. 5:3).

―――――――――― *Prueba* ――――――――――

1. El amor no sólo es algo que se siente, sino también algo que se demuestra. ¿Cómo era demostrado en la iglesia de Jerusalén el amor entre los hermanos?_____

2. Es muy probable que haya algo que usted tiene y que le hace falta a alguno de sus hermanos. Pero probablemente usted no conozca esa necesidad. Discuta con sus compañeros la importancia de no ocultar las necesidades. Pregúnteles qué es lo que necesitan. Si usted lo tiene, aproveche esta oportunidad que el Señor le da para demostrar su amor. Y asegúrese de no estar dando con la intención de impresionar a los demás.

Lecturas bíblicas para el siguiente estudio

Lunes: Hechos 5:12-16	**Jueves:** Hechos 5:25-33
Martes: Hechos 5:17-21a	**Viernes:** Hechos 5:34-40
Miércoles: Hechos 5:21b-24	**Sábado:** Hechos 5:41, 42

Unidad 2

Obediencia a Dios ante todo

Contexto: Hechos 5:12-42
Texto básico: Hechos 5:17-21a, 27-29, 34, 35, 38-42
Versículo clave: Hechos 5:29
Verdad central: A pesar de la persecución, Pedro y Juan siguieron testificando, lo cual nos enseña que debemos obediencia al Señor por sobre todas las cosas.
Metas de enseñanza-aprendizaje: Que el alumno demuestre su conocimiento de la persecución que sufrieron Pedro y Juan, y su actitud de obediencia a los planes de Dios aun a riesgo de perder su vida.

────────── *Estudio panorámico del contexto* ──────────

En el libro de Los Hechos la acción nunca se detiene. Y lo que destaca como actividad constante y permanente es el testimonio. Este libro podría ser llamado "Testigos del Señor Jesucristo". Podemos decir que el Espíritu Santo impulsaba a los creyentes a la adoración a Dios, al estudio de la "doctrina de los apóstoles", a la oración, al servicio y al compañerismo; pero ninguna de estas actividades es mencionada con tanta frecuencia como el testimonio. Esto provocaba la ira de los saduceos, que veían amenazada su posición frente al pueblo, ya que se sentían responsables de la crucifixión del Señor Jesús. Sus anteriores intentos de silenciar las palabras de los creyentes se habían visto frustrados por el valor de ellos y por el poder con el que Dios respaldaba su testimonio. Pero no se rendirían con tanta facilidad. Lo intentarían una vez más.

En este capítulo 5 de Los Hechos, aparece un personaje que es usado por Dios para proteger a los creyentes. Su nombre es Gamaliel. La popularidad de este hombre no se limita a su aparición en la Biblia, sino que es reconocido por la historia de los judíos como un maestro destacado, que alcanzó un grado de superioridad que muy pocos lograron. Tampoco es esta la única mención a él en la Biblia. En el capítulo 22 de este mismo libro de Los Hechos se nos relata la manera en que el apóstol Pablo expresa su defensa en Jerusalén delante del pueblo, poco tiempo después de ser apresado en el templo. Con la intención de que todos supieran quién era él y cuál era su educación, Pablo menciona que fue "instruido a los pies de Gamaliel" (Hech. 22:3). Probablemente esto haría callar la boca de algunos y mirar al Apóstol con más respeto.

Gamaliel era, pues, un hombre muy importante y reconocido por todos como una persona sabia. De eso nos da testimonio el pasaje al que nos referimos en este estudio. Es interesante preguntarse si este hombre que tenía un criterio tan justo para evaluar las situaciones, no podría haber entendido el evangelio y creído en él. Eso es algo que por ahora no podemos saber. De todas maneras, este ilustre maestro de Israel fue usado por Dios para salvar a los discípulos de muchos malos tratos y, tal vez, de la muerte misma.

───────────── *Estudio del texto básico* ─────────────

Lea su Biblia y responda

1 ¿A quién preferían obedecer los apóstoles? (Hech. 5:29) _____

2. ¿Cuál fue el consejo de Gamaliel? (Hech. 5:38) _____
_____

3. ¿A qué peligro se enfrentaban los judíos? (Hech. 5:39) _____

4. ¿Qué fue lo que hicieron los creyentes luego de ser liberados? (Hech. 5:42)
_____

Lea su Biblia y piense

1 Los apóstoles son perseguidos, Hechos 5:17-21a.

V. 17. *El sumo sacerdote y todos los que estaban con él... se llenaron de celos.* Los saduceos se consideraban la autoridad espiritual del pueblo. Ellos eran los que tomaban las decisiones y esas decisiones debían ser respetadas. Pero ahora se habían levantado maestros que enseñaban una doctrina diferente y todo el pueblo iba detrás de ellos y los estimaban. Los milagros no eran un medio de llamar la atención, sino una confirmación de que Dios estaba con ellos. El pueblo estaba reconociendo una autoridad que no era la del sumo sacerdote.

V. 18. *Los pusieron en la cárcel.* No había un motivo real para esta acción. Los apóstoles no estaban cometiendo ningún delito digno de condenar.

V. 19. *Un ángel del Señor abrió de noche las puertas.* No hay límites, cadenas ni puertas de bronce que impidan que Dios haga su voluntad. Cuando los oficiales volvieron a buscarlos, encontraron las puertas cerradas, los guardias en sus puestos, pero el lugar vacío (5:23).

V. 20. *Id... hablad.* Al ser liberados, reciben la orden de seguir con su tarea de predicación como antes.

V. 21a. *En el templo... enseñaban.* Los apóstoles no tardaron en obedecer. Comenzaron a enseñar al amanecer y no lo hicieron en algún lugar oculto. Lo hicieron en el templo mismo, en los dominios del sumo sacerdote.

2 Frente al Concilio, Hechos 5:27-29.

V. 27. *Los trajeron.* La cárcel fue encontrada vacía y los discípulos enseñando en el templo. En el Sanedrín, que se había reunido para juzgarlos, nadie se preguntaba cómo había sucedido eso. Esto, que para cualquiera sería una demostración clara de la presencia de Dios, no podía ser visto por ellos.

V. 28. *Habéis llenado a Jerusalén con vuestra doctrina.* Desde el punto de vista de la estrategia que el Señor planteó para alcanzar el mundo con el evangelio, esta es una señal de éxito. No había un solo habitante de Jerusalén que no hubiera escuchado hablar de la resurrección. Y el número de los creyentes seguía en aumento.

¡Queréis echar sobre nosotros la sangre de este hombre! La palabra del Señor no nos deja lugar a dudas. Fueron ellos mismos quienes echaron la sangre de Jesús sobre sus propias cabezas cuando lo acusaban delante de Pilato (Mat. 27:25). Los discípulos ya les habían reprochado claramente este pecado (Hech. 4:10).

V. 29. *-Es necesario obedecer a Dios antes que a los hombres.* Esta declaración es una repetición de la que Pedro había hecho delante de estas mismas personas (Hech. 4:19). En otras palabras, les estaban diciendo que lo que ellos les ordenaban iba contra la voluntad de Dios, que era lo que ellos preferían hacer. Hacer la voluntad de Dios es presentado como una necesidad, y no como una opción.

3 Gamaliel, un aliado inesperado, Hechos 5:34, 35, 38-40.

V. 34. *Cierto fariseo llamado Gamaliel, maestro de la ley, honrado por todo el pueblo.* Gamaliel, por ser fariseo, no es parte de la minoría influyente y autoritaria de los saduceos, aunque se puede considerar a su favor el hecho de que contaba con el respeto del pueblo.

V. 35. *Cuidaos vosotros de lo que vais a hacer.* Gamaliel conocía la decisión que preferirían tomar los judíos. En su advertencia, no se incluye a sí mismo en la decisión, sino que aparece sólo como un consejero.

V. 38. *Apartaos de estos hombres y dejadles ir.* Esta sugerencia iba en contra de lo que la mayoría de los presentes pensaba. Gamaliel había citado otros casos en que no había sido necesario torturar y encarcelar a alguien para evitar la difusión de una doctrina. *Si... es de los hombres, será destruida.* Parece estar repitiendo las palabras del Salmo 127 que enseñan que si Dios no lleva adelante una obra, es inútil que los hombres hagan su mejor esfuerzo por lograrla.

V. 39. *Si es de Dios, no podréis destruirles.* Gamaliel fue el único de los presentes que se cuestionó si esta obra podría ser de Dios. El solamente plantea la duda. No supone por adelantado que es una blasfemia. *¡Luchando contra Dios!* Si se hubiera hecho una encuesta entre todos los presentes, se hubiera sabido que ninguno de ellos quería luchar en contra de Dios. Estas palabras estaban dando en el clavo.

V. 40. *Fueron persuadidos.* El consejo de Gamaliel produjo un efecto positivo en favor de los discípulos. *Después de azotarles les prohibieron hablar... los dejaron libres.* ¿Cómo habrían actuado si no hubieran sido persuadidos por Gamaliel? Los azotes eran un castigo leve en este caso. Los discípulos habían sido librados de la muerte.

4 La respuesta de la iglesia, Hechos 5:41, 42.

V. 41. *Partieron... regocijándose porque habían sido considerados por dignos de padecer afrenta por causa del Nombre.* Estaban viviendo el cumplimiento de las palabras del Señor que tantas veces resultan difíciles de entender. Estaban gozándose y alegrándose por haber sufrido, porque había una gran recompensa que les esperaba (Mat. 5:11, 12).

V. 42. *Y todos los días, en el templo y de casa en casa, no cesaban de enseñar.* Actuaban como si no hubiera habido amenaza alguna. En todo tiempo y en todo lugar el evangelio seguía saliendo poderosamente de sus labios.

Aplicaciones del estudio
---

1. Cuando un discípulo de Cristo decide hacer la voluntad de Dios, puede esperar que haya mucha oposición de parte de Satanás y del mundo. Pero también puede esperar que Dios quebrante cualquier oposición, por imposible que parezca, para respaldar a su hijo obediente (Hech. 5:18, 19).

2. La obediencia al Señor no es una opción para los hijos de Dios, sino una necesidad. Por ser seres humanos, necesitamos respirar para sobrevivir. Por ser discípulos de Jesucristo, necesitamos hacer la voluntad de Dios (Hech. 5:29).

3. Lo que proviene de Dios no puede ser detenido por obra de manos humanas. De la misma manera, algo que no es respaldado por Dios no prosperará. Nos conviene estar en la obra de Dios y ser colaboradores en lo que él hace, para que nuestra obra permanezca (Hech. 5:38, 39).

4. Hay veces en que somos muy rápidos para emitir juicios acerca de personas o acontecimientos. Refrenemos nuestros labios. "¡No sea que os encontréis luchando contra Dios!" (Hech. 5:39).

Prueba
---

1. Declare verdaderas (V) o falsas (F) las siguientes declaraciones:
   a. El ángel ordenó a los apóstoles que predicaran en el templo. ( )
   b. El sumo sacerdote los acusó de haber predicado acerca de Jesús en toda Jerusalén. ( )
   c. Gamaliel era un saduceo maestro de la ley. ( )
2. Los apóstoles arriesgaban su vida cada vez que abrían sus labios para hablar de Cristo. Cada vez que lo hacían, Dios demostraba su fidelidad en el cumplimiento de sus promesas y los protegía. Esto tendría que hacernos meditar: ¿Qué estamos arriesgando nosotros por dar testimonio del Señor? Es bastante probable que no sea nuestra vida. Piense y decida dar testimonio a alguien, aunque al hacerlo corra algún riesgo.

Lecturas bíblicas para el siguiente estudio

Lunes: Hechos 6:1-7 **Jueves:** Hechos 7:25-53
Martes: Hechos 6:8-15 **Viernes:** Hechos 7:54-60
Miércoles: Hechos 7:1-24 **Sábado**: Hechos 8:1-3

Esteban, el primer mártir por Cristo

Contexto: Hechos 6:1 a 8:3
Texto básico: Hechos 6:1-9, 12-14; 7:59 a 8:1a
Versículo clave: Hechos 7:60
Verdad central: El carácter y testimonio de Esteban ejemplifican el grado de compromiso que los servidores de Cristo deben tener.
Metas de enseñanza-aprendizaje: Que el alumno demuestre su conocimiento del carácter y testimonio de Esteban, y su actitud de compromiso como buen servidor de Cristo.

─────────── *Estudio panorámico del contexto* ───────────

Entre los que componían la iglesia había gente de diferente clase social, posición económica, formación cultural y nacionalidad. Cuando el evangelio fue predicado por primera vez el día de Pentecostés, los que oyeron provenían de diferentes naciones. Fueron los que se quedaron maravillados por oír a los creyentes glorificar a Dios en su lengua natal. Entre los que creyeron en Jesús en ese día, es muy probable que hubiera varios que no eran judíos. Además, debemos tener en cuenta que los israelitas no estaban viviendo sólo en Palestina, sino que muchos de ellos estaban esparcidos por diferentes lugares del Imperio.   Cuando más adelante leamos de la predicación de Pablo en diferentes ciudades, descubriremos que había una sinagoga judía casi en cada ciudad. Es probable que la iglesia de la ciudad de Jerusalén estuviera compuesta por personas de tres clases: (1) judíos que vivían en Palestina; (2) judíos que vivían en otras partes del Imperio; y (3) "gentiles" o "griegos", que era como los israelitas llamaban a los extranjeros.

A los judíos les resultaba difícil relacionarse con los extranjeros. Consideraban que podían contaminarse con el sólo hecho de entrar en la casa de uno de ellos. Los de Palestina menospreciaban a sus hermanos que vivían en otros lugares por haberse relacionado con los gentiles y haber adoptado algunas de sus costumbres. Cuando muchos de estos hebreos creyeron en el Señor Jesucristo, aprendieron a amar a las personas así como ellos habían sido amados por Dios. Pero hay conceptos que cuando se ha vivido toda una vida con ellos, no pueden ser cambiados en un solo día. El problema de relación entre cristianos judíos y gentiles era algo que en cualquier momento iba a aparecer.

Otro tipo de personas que había en la iglesia de Jerusalén eran los necesitados. El pueblo judío siempre atendió bien a las personas con menos recursos, considerando especialmente a los huérfanos y las viudas. En la iglesia también los había y era importante que fueran atendidos. Llegó un momento en que la iglesia congregaba a tantas personas que los apóstoles ya no podían atender las necesidades de todos y seguir adelante con otros aspectos del ministerio. Eso creó la necesidad de otras personas que dedicaran tiempo a suplir las necesidades de los que no tenían, y surge una persona muy especial: Esteban, el primer mártir por Cristo.

─────────────── *Estudio del texto básico* ───────────────

Lea su Biblia y responda

1. ¿Cómo debían ser las personas a quienes les encargarían la tarea de "servir a las mesas"? (Hech. 6:3)_____
_____.

2. Transcriba los nombres de los siete que fueron escogidos.
   (a.) _____. (b.) _____. (c.) _____.
   (d.) _____. (e.) _____. (f.) _____.
   (g.) _____. (Hech. 6:5)

3. Mencione algunas características de Esteban (Hech. 6:5, 8)._____
_____

4. ¿Qué dos cosas dijo Esteban en el momento de su muerte? (Hech. 7:59, 60)
   (a.) _____.
   (b.) _____.

Lea su Biblia y piense

1 Elección de los siete, Hechos 6:1-7.
V. 1. *Como crecía el número de los discípulos.* Al haber más personas, había más posibilidad de que surgieran problemas. *Se suscitó una murmuración.* En las conversaciones entre algunos de los hermanos, había un tema que era mencionado en tono de crítica. Algunos consideraban que algo estaba siendo mal hecho. El amor podría pasar por alto estos errores, pero Satanás estaba intentando aprovechar las debilidades de los cristianos para producir una división en la iglesia. *Los helenistas* eran judíos que hablaban el idioma griego, a diferencia de los locales, que hablaban el arameo. *Sus viudas.* Esta frase ya es un síntoma de división. Estaban defendiendo los intereses de su propio grupo al hacer diferencia entre sus viudas y las demás. No se trataba de mala atención hacia "algunas viudas", sino hacia "nuestras viudas". *La distribución diaria.* Esto nos hace saber que cada día eran repartidos los alimentos para los que los necesitaban. Es probable que los apóstoles se encargaran de esta tarea, o tal vez algún otro de los hebreos.
   V. 2. *—No conviene que nosotros descuidemos la palabra de Dios para servir a las mesas.* Este era un asunto de prioridades. Los apóstoles estaban

dispuestos a servir y a hacerlo de la mejor manera posible, pero no si tenían que dejar por eso *la palabra de Dios*. La predicación y la enseñanza iban primero.

V. 3. *Escoged... a siete hombres.* Otros debían ocuparse de esta tarea. Serían aceptados por todos si eran elegidos por el grupo, ya que la responsabilidad de la elección recaería sobre ellos. No podía ser cualquier persona, sino que debían ser *de buen testimonio*, sin motivo para reproche, *llenos del Espíritu*; tenía que ser evidente en sus vidas. Ninguno podía decir que estaba lleno del Espíritu pero que no se notaba. *Y de sabiduría.* Buenos administradores y hábiles en el trato con las personas. Los requisitos para personas que van a servir alimentos pueden parecer algo exagerados, pero teniendo en cuenta que un problema motivaba la elección, esta debía ser hecha con cuidado.

V. 5. *Esteban, hombre lleno de fe y del Espíritu Santo,* Es mencionado primero, tal vez porque era el más destacado. Según el v. 3, todos debían ser llenos del Espíritu Santo, pero a Esteban se le menciona en forma especial. *Nicolás, un prosélito de Antioquía.* Quiere decir que no era de sangre judía, sino que siendo gentil, había adoptado el judaísmo como su religión, creyendo luego en Jesús.

Vv. 6, 7. *Los apóstoles... después de orar, les impusieron las manos.* La autoridad simbolizada en la imposición de las manos delegaba funciones en otra persona. Implicaba también la capacitación de Dios para la tarea específica que tenían que realizar.

2 Ministerio y arresto de Esteban, Hechos 6:8, 9, 12-14.

V. 8. Esteban no se limitaba a la tarea de servicio que se le había asignado, sino también al testimonio con todo el respaldo del poder de Dios.

V. 9. Los que discutían con Esteban eran judíos helenistas como él. Estos provocarían su arresto al ver frustrado su intento de "vencerlo" en la discusión.

Vv. 12, 13. *Testigos falsos.* El método que usaban para intentar condenarlo era el mismo que habían usado con Jesús (Mat. 26:60). No consistía en mentir abiertamente, sino en torcer sus palabras de manera que sonaran condenables.

V. 14. En realidad, Moisés nada tenía que ver con las palabras de Esteban, pero mencionarlo en la acusación era la mejor manera de lograr que lo condenaran. Le deben haber oído decir que Jesús profetizó la destrucción del templo.

3 Esteban es apedreado, Hechos 7:59 a 8:1a.

V. 59. *Y apedreaban a Esteban* quien había pronunciado un largo discurso en el que describió la relación entre Dios y el pueblo de Israel a lo largo de su historia. Sus palabras no fueron dirigidas a convencerlos de su inocencia, sino que les declaró su pecado (Hech. 7:51-53). En medio de la furia de ellos, les relató la visión que estaba teniendo acerca de Jesús a la diestra del Padre (7:56). Esto fue suficiente para llevarlo de inmediato a las afueras de la ciudad, donde lo apedrearían. *-¡Señor Jesús, recibe mi espíritu!* Esto sería también una blasfemia para quienes le apedreaban.

V. 60. *-¡Señor, no les tomes en cuenta este pecado!* Sería difícil imaginarse que Esteban planeó decir estas frases en el momento de su muerte. Su actitud de perdón hacia sus asesinos era auténtica. Estas dos exclamaciones son similares a dos de las que Jesús hizo en la cruz (Luc. 24:34, 46). ¡Es que Jesús mismo estaba viviendo a través de Esteban!

V. 8:1a. Su muerte es descrita como un sueño, por eso dice que *durmió.* Hay otras menciones a la muerte de los cristianos como los que duermen (1 Cor. 11:30; 1 Tes. 4:13). *Y Saulo consentía en su muerte.* Con la ropa de los que apedreaban a Esteban, a sus pies, este futuro discípulo de Cristo miraba la escena complacido sin imaginar siquiera los planes de Dios para su vida.

Aplicaciones del estudio

1. La murmuración es un mal que hace daño a la iglesia. Todos los creyentes somos responsables de evitar esa práctica entre hermanos. Si alguno nota algo que está fuera de lugar o que ha sido mal hecho, diríjase directamente al líder de la congregación o a la persona que cometió el error para corregirle con amor (Hech. 6:1).

2. No debemos esperar que el pastor o el líder de la congregación haga todo. En la congregación debe haber hermanos que se dediquen a la tarea de colaborar con el pastor para que pueda fortalecer su ministerio en las áreas de mayor importancia (Hech. 6:2).

3. Los discípulos de Jesús hemos sido llamados por él a tener una permanente actitud de perdón hacia quienes nos ofenden. Ese perdón debe ser expresado, y no guardado en silencio (Hech. 7:60).

Prueba

1. Anote, sin leer el texto, algunas características sobresalientes de la vida de Esteban. _____

2. Esteban nos deja la enseñanza de cuál debe ser la única prioridad de la vida del creyente: hacer la voluntad de Dios. El menospreció su propia vida por buscar primeramente el reino de Dios (Mat. 6:33). Tratando de ser lo más objetivo posible, haga una lista de todas las cosas en las que Jesús puede ser visto claramente a través de usted y en cuáles no. Trate este tema con el Señor. Y sea un testigo audaz como Esteban.

Lecturas bíblicas para el siguiente estudio

Lunes: Hechos 8:4-6	**Jueves:** Hechos 8:18-25
Martes: Hechos 8:7-13	**Viernes:** Hechos 8:26-34
Miércoles: Hechos 8:14-17	**Sábado:** Hechos 8:35-40

Unidad 3

Felipe, agente de expansión

Contexto: Hechos 8:4-40
Texto básico: Hechos 8:12-15, 18-21, 29-31, 36-38
Versículo clave: Hechos 8:12
Verdad central: Felipe, como un testigo audaz, comenzó a predicar en Samaria obteniendo diversas respuestas a su predicación.
Metas de enseñanza-aprendizaje: Que el alumno demuestre su conocimiento del ministerio de Felipe como instrumento de Dios para la expansión de la iglesia y las diversas respuestas a su predicación, y su actitud de disposición para testificar a personas que no son de su propia raza.

────────── *Estudio panorámico del contexto* ──────────

El Señor Jesucristo, antes de su partida, había dejado bien clara su estrategia para extender el evangelio a todo el mundo (Hech. 1:8). La primera etapa era Jerusalén. Según las declaraciones de los propios dirigentes religiosos de esta ciudad, los creyentes habían "llenado Jerusalén con su doctrina" (Hech. 5:28). Aún después de esto, la predicación continuó, hasta llegar a un punto culminante con la muerte de Esteban. Toda Jerusalén había escuchado el evangelio con toda claridad, y todos sus habitantes habían tenido su oportunidad de decidir si creer o no en el mensaje del Cristo resucitado.

De acuerdo con lo planeado por el Señor, había llegado el momento de dar un nuevo paso: Samaria. Samaria y los samaritanos representaban un problema racial para los judíos. Estos últimos se consideraban los únicos descendientes de Abraham que no se habían mezclado en casamiento con gente de otras naciones. Los samaritanos, como eran fruto de una cruza de razas (judíos y sirios), eran despreciados. Las diferencias no habían quedado sólo en el aspecto racial, sino en lo religioso. Para no tener que participar en las festividades en la ciudad de Jerusalén, los samaritanos habían edificado su propio lugar de cultos en el monte Gerizim. El Señor Jesús había atravesado esta barrera racial y religiosa al entablar conversación con la mujer samaritana (Juan 4) y quedarse luego en la aldea de los samaritanos por dos días (Juan 4:40). A ella le enseñó que Dios no buscaba personas de una sola raza para que le adoraran, sino a los que lo hicieran de corazón (Juan 4:21-24). A pesar de esto, acercarse a un samaritano era un desafío para cualquier cristiano judío.

La práctica del bautismo por inmersión que es mencionada en este capítulo, no había sido una invención cristiana. Tampoco había sido Juan el

Bautista el primero en sumergir a las personas en agua simbolizando una transformación espiritual. Cuando un extranjero escuchaba la enseñanza de un maestro judío y era persuadido a ser judío de religión, tenía que pasar por el bautismo de inmersión como símbolo de purificación. Dejaba de ser un inmundo gentil para ser un judío casi puro, y podía disfrutar de ciertos privilegios. Desde la primera vez que el evangelio fue predicado por los discípulos, se invitó a los que creyeran a expresar su fe por medio del bautismo (Hech. 2:38).

───────────── *Estudio del texto básico* ─────────────

Lea su Biblia y responda

1. ¿Qué era lo que Felipe anunciaba? (Hech. 8:12) _____
_____.

2. ¿De qué manera recibieron el Espíritu Santo estos nuevos creyentes? (Hech. 8:18) _____.

3. ¿Por qué motivo fue reprendido Simón? (Hech. 8:18, 19)
_____.

4. ¿Qué estaba haciendo el hombre que iba en el carro? (Hech. 8:30)
_____.

Lea su Biblia y piense

1 Felipe predica en Samaria, Hechos 8:12, 13.
V. 12. Este *Felipe* es el que servía los alimentos, y no el apóstol (Mat. 10:3; Hech. 6:5). Luego de la muerte de Esteban, la mayoría de los cristianos salieron de Jerusalén huyendo de la persecución encabezada por Saulo. El Espíritu Santo motivó a Felipe a que en su huida viajara a Samaria. No era común que alguien viajara de Jerusalén a Samaria. Por lo general, los samaritanos no recibían con agrado a un viajero proveniente de Jerusalén. Pero allí estaban, escuchando con gran atención cada palabra y mirando con asombro las maravillas que eran hechas. Lo que *anunciaba* Felipe era *el evangelio del reino de Dios*. Así como Juan el Bautista y como Jesús al comienzo de su ministerio, hablaba de las buenas noticias del reino de Dios. También su tema *incluía el nombre de Jesucristo*. Este énfasis estaba relacionado con los milagros y sanidades (Hech. 3:16). También quiere decir que predicaba que Jesús era el Salvador enviado por Dios.
Se bautizaban. En lugar de decir que creían, dice que se bautizaban, tomándolo casi como un sinónimo. Había una relación entre la fe y el bautismo. Si alguien creía, era bautizado. Si no había sido bautizado, era porque no había creído. No había creyentes sin bautizar.
V. 13. *Simón* era un mago mentiroso que había logrado impresionar a los samaritanos.

2 Felipe es apoyado por la iglesia, Hechos 8:14, 15.

V. 14. *Los apóstoles... les enviaron a Pedro y a Juan.* La predicación del evangelio fuera de Jerusalén era algo nuevo. Los apóstoles estaban respaldando con su autoridad la predicación en Samaria.

V. 15. *Oraron... para que recibieran el Espíritu Santo.* Este versículo presenta un desafío doctrinal. Las personas habían escuchado el evangelio predicado con claridad y respaldado por el poder de Dios. Pero a pesar de haber creído, aún no habían recibido el Espíritu Santo. La oración y la enseñanza de los apóstoles suplió esa necesidad.

3 Pedro reprende a Simón el mago, Hechos 8:18-21.

V. 18. *Simón vio.* Lo único que hacían los apóstoles era orar por los nuevos creyentes. Pero como consecuencia de ello había algo *visible* que manifestaba la presencia del Espíritu Santo en la vida de la persona. No se dice aquí que hablaran en lenguas o profetizaran, pero había algo visible, y tal vez audible, que manifestaba la unción del Espíritu. Ni tardo ni perezoso *les ofreció dinero.*

V. 19. *-Dadme... este poder.* Lo que pedía era tener la autoridad para trasmitir el poder a otras personas.

V. 20. Pedro le dijo: *¡Has pensado obtener por dinero el don de Dios!* Lo que Dios regala no es posible comprarlo. Simón había querido utilizar un medio tan corruptible como el comercio para recibir algo de Dios.

V. 21. *Tú no tienes parte.* Simón no recibiría nada de lo que Dios estaba haciendo en los demás creyentes. Pedro le dijo el motivo: *Porque tu corazón no es recto delante de Dios.* Una vez más, Pedro estaba hablando de lo que sucedía en el corazón de alguien. El corazón de cada ser humano carece de rectitud hasta que es redimido por Jesucristo. Al parecer, eso no había ocurrido con el de Simón.

4 Felipe testifica de Jesús a un etíope, Hechos 8:29-31, 36-38.

V. 29. *El Espíritu* de Dios tiene su forma de hacer las cosas. Felipe aún estaba en plena campaña de evangelización en Samaria, con muchas personas dispuestas a escucharle, cuando el Espíritu le dio órdenes precisas acerca del lugar al que tenía que ir: el desierto. El Señor siempre sabe lo que hace. *Acércate.* Este relato es comparable con la parábola de la oveja perdida (Luc. 15:1-7). Jesús, como el buen pastor (Juan 10:11), estaba buscando especialmente a este hombre. La orden de que Felipe se acercara era para que escuchara lo que el otro estaba leyendo.

V. 30. *Leía el profeta Isaías.* Este etíope venía de Jerusalén, donde había ido a adorar a Dios. Había obtenido una copia del libro de Isaías y su sed de Dios era tanta, que no pudo esperar hasta llegar a su hogar para comenzar a leer. *-¿Acaso entiendes lo que lees?* Debe haber sido una escena muy particular. Un hombre viajando de regreso a su hogar cruza un lugar desierto. De repente, hace su aparición otro hombre que empieza a correr junto a su carro. Sin mediar ninguna presentación, le pregunta si comprende lo que está leyendo. ¡El etíope podría haber reaccionado de cualquier manera!

V. 31. *-¿Pues cómo podré yo, a menos que alguien me guíe?* Supo de inmediato que Felipe no preguntaba si entendía el idioma. Ya había una inquietud en su corazón. Tal vez ya se preguntaba cómo podría entender lo que leía. Fue la pregunta apropiada, hecha en el momento correcto. Justamente frente a él tenía a alguien deseoso de guiarlo para que entendiera.

V. 36. *¿Qué impide que yo sea bautizado?* Una vez más, la voluntad de bautizarse representaba la fe que había nacido en el corazón. Había entendido el evangelio, creído en él, y ahora quería obedecerlo. La manifestación de fe que incluyen algunos manuscritos como el v. 37 confiesa lo mismo que su deseo de bautizarse.

V. 38. *Descendieron ambos al agua, y él le bautizó.* La mención del descenso al agua es un respaldo más a la práctica del bautismo por inmersión. Una vez bautizado el eunuco, se separaron y no sabemos qué más sucedió con él.

―――――――――― *Aplicaciones del estudio* ――――――――――

1. A Dios le agradan los testigos audaces. Cuando encuentra uno que está dispuesto simplemente a ir y predicar, quiere respaldar con todo su poder su testimonio. (Hech. 8:12).

2. Las personas que ejercen autoridad espiritual están puestas por Dios para bendecirnos. Nuestra actitud hacia ellas debe ser de sumisión y disposición para colaborar en todo lo que emprendan. (Hech. 8:14, 15).

3. Los favores de Dios no pueden ser comprados. Hay veces que ofendemos a alguien, y en lugar de pedirle perdón le hacemos un favor o lo tratamos bien. Está mal hacerlo con ellos y más aun con Dios. (Hech. 8:18-21).

―――――――――――― *Prueba* ――――――――――――

1. Anote aquí lo que hizo Felipe.

a. En Samaria _____

_____

b. En el desierto _____

2. Felipe atravesó valientemente todas las barreras necesarias para obedecer al Señor. Piense ahora en alguna persona en particular y tome ahora mismo la decisión de acercarse a ella con la intención de llevarle el evangelio del reino de Dios y el nombre de Jesucristo.

Lecturas bíblicas para el siguiente estudio

Lunes: Hechos 9:1-7   **Jueves:** Hechos 9:19b-22
Martes: Hechos 9:8, 9   **Viernes:** Hechos 9:23-25
Miércoles: Hechos 9:10-19a   **Sábado:** Hechos 9:26-31

Unidad 3

Saulo, el perseguidor, se convierte

Contexto: Hechos 9:1-31
Texto básico: Hechos 9:3-8, 15-18, 27-29
Versículo clave: Hechos 9:15
Verdad central: La conversión y el llamamiento de Saulo demuestra que Dios salva a sus hijos para que se conviertan en testigos de su fe en Jesucristo.
Metas de enseñanza-aprendizaje: Que el alumno demuestre su conocimiento de la conversión y llamamiento de Saulo, y su actitud de obediencia al llamamiento de Dios al servicio cristiano.

--------------- *Estudio panorámico del contexto* ---------------

Es impresionante descubrir la manera en que Dios influye en cada aspecto de la vida de una persona, primero con el propósito de atraerla hacia él, y luego de usarla para su gloria. Uno de los ejemplos más claros de esa influencia que encontramos en la Biblia es el del apóstol Pablo.

Saulo nació en una ciudad muy importante, Tarso de Cilicia. A pesar de no haber nacido en Palestina, era judío, dado que su padre y su madre lo eran. Como él mismo lo expresaría más adelante, era de la tribu de Benjamín. Tal vez por algún mérito de sus padres, era ciudadano romano, un privilegio que no muchos podían gozar. Más adelante, esto le sería útil para poder viajar libremente por todo el Imperio y para poder llegar hasta Roma. Sus padres le dieron la mejor educación. Por vivir en una ciudad que no era judía, aprendió el idioma y la cultura de los griegos, los gigantes culturales de la época. Al mismo tiempo, estaría aprendiendo el idioma hebreo y asistiendo a la sinagoga desde muy pequeño. Cuando tuvo la edad suficiente, fue enviado a Jerusalén para estudiar más profundamente todo lo relacionado con Dios, las Escrituras y la religión judía. Fue elegido para él el mejor maestro de ese tiempo, Gamaliel. Así como él, Saulo se convirtió en fariseo, un meticuloso y celoso defensor de la ley y las tradiciones judías. Luego de todo este estudio, lo que hoy conocemos como el Antiguo Testamento no tendría secretos para Saulo, lo que se ve reflejado en las cartas que escribió. Dios no ignoraba toda la preparación que tenía este hombre, y también sabía perfectamente para qué propósitos serviría.

Saulo tendría unos treinta o treinta y cinco años cuando el Señor Jesucristo desarrolló su ministerio en Palestina. No sabemos dónde estaba él en ese entonces, pero lo que sí sabemos es que, como la mayoría de los religiosos de su época, su reacción frente a la "nueva doctrina" fue negativa. Desde su punto de vista, Esteban, aquel hombre que con tanta valentía declaró el pecado de los líderes religiosos, merecía la muerte. Hasta creía estar sirviendo a Dios al llevar a la tortura o a la muerte a los que confesaban ser seguidores de Jesús. Pero el mensaje de Esteban, su actitud hacia la muerte y el valor de los que eran perseguidos por Saulo ya estaban preparando su corazón para encontrarse con Jesús en persona.

———————— *Estudio del texto básico* ————————

Lea su Biblia y responda

1. Relacione los nombres con lo que hicieron. (9:5, 17, 27)
　　＿＿＿＿＿ a. Ananías　　　a. Dijo: "¿Quién eres, Señor?"
　　＿＿＿＿＿ b. Saulo　　　　b. Llevó a Saulo a los apóstoles
　　＿＿＿＿＿ c. Bernabé　　　c. Puso sus manos encima de Saulo

2. Marque con una F las declaraciones falsas y con una V las verdaderas. (9:7, 8, 17, 28, 29)
　　＿＿＿＿＿ Cuando Saulo cayó al suelo en el camino, los que lo acompañaban huyeron.
　　＿＿＿＿＿ Después de conversar con Jesús, Saulo no veía nada.
　　＿＿＿＿＿ Ananías ya sabía que Jesús se había aparecido a Saulo.
　　＿＿＿＿＿ Después de que Bernabé lo presentó a los apóstoles, Saulo predicaba en Tarso.

3. Para el Señor, ¿qué era Saulo? (9:15)＿＿＿＿＿＿＿＿＿＿＿＿＿＿＿＿＿＿＿＿＿
＿＿＿＿＿＿＿＿＿＿＿＿＿＿＿＿＿＿＿＿＿＿＿＿＿＿＿＿＿＿＿＿＿＿＿＿＿＿＿

4. Según las palabras del Señor, Saulo llevaría su nombre ante tres grupos de personas. ¿Cuáles eran? (9:15) Los ＿＿＿＿＿＿＿＿＿＿＿＿＿＿＿＿＿＿＿＿＿＿＿＿,
los＿＿＿＿＿＿＿＿＿＿＿＿＿＿＿＿＿＿ y los ＿＿＿＿＿＿＿＿＿＿＿＿＿＿＿＿＿＿

Lea su Biblia y piense

1 La conversión de Saulo, Hechos 9:3-8.

V. 3. Saulo no estaba haciendo un viaje de placer. Iba a Damasco con la intención de apresar a todo el que creyera en Jesucristo. *Mientras iba de viaje, ...le rodeó un resplandor de luz desde el cielo.* La luz puede considerarse como un símbolo de Dios. La Biblia dice que "Dios es luz" (1 Juan 1:5) y "que habita en luz inaccesible" (1 Tim. 6:16).

V. 4. —*Saulo, Saulo.* Sorprendido, tal vez asustado, tirado en el suelo y encandilado por la brillante luz, Saulo escuchaba ahora que alguien le llamaba por su nombre. Era alguien que lo conocía, y no era uno de los que iban con él. *¿Por qué me persigues?* Tal vez en el camino, la conciencia de Saulo se sintió acusada por el duro trato que estaba dándole a los cristianos. Y ahora, la persecución volvía a ser mencionada.

V. 5. —*¿Quién eres, Señor?* Saulo responde con una nueva pregunta, lo cual hace con mucho respeto y temor. —*Yo soy Jesús*, Saulo conocía ese nombre. Lo había oído una y otra vez en boca de los "del Camino". Era el nombre de quien insistían hasta la muerte en confesar que había resucitado, *a quien tú persigues*. Saulo perseguía a los seguidores de un maestro, pero Jesús le hace notar que en realidad, lo está persiguiendo a él. Jesús se identifica con sus discípulos maltratados, y considera que quienes buscan hacerles daño, se lo hacen a él.

Vv. 6, 7. Luego de ver lo que en realidad estaba haciendo, Saulo habría comprendido que era verdad que Jesús era el Salvador y estaba vivo.

V. 8. *Saulo …no veía nada,* no podía decir que todo fue producto de su imaginación, ya que había un resultado objetivo de su encuentro con Jesús. Ahora necesitaría ayuda para cada paso que diera.

2 Ananías ministra a Saulo, Hechos 9:15-18.

V. 15. -*Vé.* Ananías había opuesto cierta resistencia a la orden del Señor, conociendo las intenciones de Saulo al llegar a Damasco. El Señor le aclara el motivo de su orden: porque es *instrumento escogido.* Cuando leemos el resto del libro de Hechos, notamos que estas palabras se cumplieron en la vida de Saulo. Por más que Ananías lo conociera como un cruel perseguidor, el Señor lo consideraba una herramienta especial para realizar tareas que otros no podrían cumplir. Son mencionados tres grupos de personas que escucharían el testimonio de Saulo acerca de Jesús: *los gentiles*, los que no eran judíos. La lista está en orden de importancia, ya que Saulo se consideraría, más que nada, enviado a los gentiles (Gál. 1:16). *Los reyes*, varios gobernantes escucharon el evangelio de sus labios. Y los hijos de Israel.

V. 16 Este argumento del Señor, terminaría de convencer a Ananías. El que había hecho padecer a otros por el nombre de Jesús, ahora padecería en carne propia. El perseguidor sería perseguido (2 Cor. 11:23-28).

V. 17. *Ananías fue...* Si la vida de Saulo no hubiera cambiado, este hombre estaría arriesgando la suya. Ananías le creyó al Señor y actuó en consecuencia. -*Saulo, hermano*. En su conversación con el Señor, Ananías se había referido a Saulo como el perseguidor. Ahora le llama hermano. Estaba convencido de que Saulo había creído en Jesús. Para el corazón de Saulo, esta palabra sería una nueva muestra del amor de Dios hacia él. Había dos propósitos para los que Jesús enviaba a Ananías: para que Saulo recuperara *la vista*. Saulo se habría dado cuenta de que por sus pecados, merecería más que estar ciego. El amor de Dios aún lo sorprendería. También debía orar por Saulo para que fuera *lleno del Espíritu Santo*. Saulo estaría muy bien educado, pero sin ser lleno del Espíritu no sería útil en las manos de Dios.

V. 18. *Volvió a ver.* Así como habían caído de sus ojos espirituales las escamas que le impedían ver la salvación en Jesús, lo mismo sucedió con su vista física. *Y fue bautizado.* También para él, el bautismo fue la expresión externa de la nueva vida que había ahora en su interior.

3 Saulo en Jerusalén, Hechos 9:27-29.

Vv. 27, 28. Era natural que los creyentes no quisieran acercarse a él. Los había perseguido y había salido de Jerusalén para hacerlo con otros. Era posible que estuviera fingiendo para atrapar a más cristianos. *Pero Bernabé* *le recibió...* Hubo alguien que estuvo dispuesto a escucharlo y se arriesgó a creer en su testimonio. Dios seguía mostrándole a Saulo su amor a través de sus siervos.

V. 29. *Discutía con los helenistas,* predicando lo que antes perseguía. Como judío que no vivía en Palestina, era uno de los helenistas. A ellos les resultaría difícil entender cómo era que ahora creía en Jesús. Tenían temor de que convenciera a muchos, así que *procuraban matarle.*

──────────── *Aplicaciones del estudio* ────────────

1. Debemos orar por la salvación de personas "difíciles". Como perseguidor, Saulo hasta entraba en los hogares de los creyentes para llevarlos a la cárcel (Hech. 8:3). ¿Cuál habrá sido la actitud de ellos? ¿Lo habrán maldecido y le habrán guardado rencor? Es probable que en lugar de eso oraran por él, y que su conversión fuera la respuesta a sus oraciones. ¿Hay personas que usted conoce y que le parece imposible que crean en el Señor? Ore por ellas, y habrá otros Saulos convertidos.

2. Cuando sufrimos por algún problema o somos maltratados por las personas, algunas veces nos da la impresión de que Dios se alejó de nosotros. Pero sabemos que no es así. Jesús se identifica con nosotros y nuestro problema, y lo considera suyo. No perdamos nuestra confianza en él (Hech. 9:5).

──────────── *Prueba* ────────────

1. Trate de reconstruir el diálogo entre Jesús y Saulo.

Jesús: Saulo, _____

Saulo:¿_____?

Jesús: _____.

Pero levántate,_____

_____.

2. Saulo pasó de ser un persistente perseguidor de los discípulos de Jesucristo a un ferviente predicador del evangelio. Eso es un cambio importante en la vida. Ser discípulo de Jesús fue para él ser un siervo suyo dispuesto a lo que el Señor le pidiera. ¿Qué es lo que usted está haciendo para servir al Señor? Siervos de Dios no son sólo los que tienen un título de pastor. Tome ahora mismo su decisión y piense en algunas cosas prácticas que pueda empezar a hacer.

Lecturas bíblicas para el siguiente estudio

Lunes: Hechos 9:35-43   **Jueves:** Hechos 10:17-23a
Martes: Hechos 10:1-8   **Viernes:** Hechos 10:23b-43
Miércoles: Hechos 10:9-16   **Sábado:** Hechos 10:44-48

Unidad 4

Puerta abierta a los gentiles

Contexto: Hechos 9:32 a 10:48
Texto básico: Hechos 10:9b-15, 30-34, 45-48a
Versículos clave: Hechos 10:34, 35
Verdad central: La visión de Pedro y su encuentro con Cornelio demuestran que el evangelio es para todos.

Metas de enseñanza-aprendizaje: Que el alumno demuestre su conocimiento de la disposición de Pedro para hacer a un lado sus prejuicios raciales para compartir el evangelio con los gentiles, y su actitud de no hacer acepción de personas para llevarles el mensaje de salvación en Cristo.

Estudio panorámico del contexto

Luego de la resurrección del Señor, el apóstol Pedro había recibido de él una comisión especial: cuidar sus ovejas (Juan 21:15-17). Como ayudante del buen Pastor, cuando el Espíritu Santo fue derramado sobre los creyentes, Pedro cumplió esa función. Pero los discípulos de Jesús habían aumentado en número y no sólo vivían en Jerusalén, sino también en otras ciudades. Esto dio lugar a que Pedro viajara de una ciudad a otra, visitando las ovejas de Jesús. En uno de esos viajes, fue a la región de la costa del Mediterráneo. Primero visitó a los hermanos que vivían en Lida, una ciudad que estaba a unos veinte kilómetros de la costa. Allí fue donde sanó a Eneas (Hech. 9:32-34).

Cuando la hermana Dorcas murió, sabiendo que Pedro estaba en la zona, algunos hermanos lo mandaron buscar desde la ciudad de Jope, un puerto sobre el Mediterráneo a unos veinte kilómetros de Lida. Pedro accedió a la petición, oró, y ordenó a Dorcas que se levantara (Hech. 9:36-42). Todo esto edificó a los hermanos y atrajo nuevas personas a la fe en Jesús. Pedro se quedó en Jope, en casa de Simón, que se dedicaba a procesar pieles de animales para su venta. Mientras él estaba allí, Dios envió un ángel a hablar con el centurión Cornelio.

Un centurión era un oficial del ejército romano que estaba a cargo de cien soldados. El pasaje dice que Cornelio era "piadoso y temeroso de Dios" (10:2). La religión oficial de los romanos tenía cientos de dioses, y aun el emperador era adorado. Pero al mencionar lo que creía Cornelio, se habla sólo de Dios. Esto indica que era uno de los muchos paganos que habían decidido dejar sus dioses y adoptar la religión judía.

El término "piadoso" se refiere a las costumbres religiosas que tenía, tales como orar, dar limosnas y asistir a las fiestas en Jerusalén. El hecho de que era "temeroso de Dios" no quiere decir que fuera una persona con miedo.

Un miedoso nunca llegaría a ser centurión. La Biblia dice que el temor de Dios es el principio de la sabiduría (Prov. 1:7) y que temer a Dios es aborrecer el mal (Prov. 8:13). Cornelio era una persona que buscaba agradar a Dios en todo.

Vivía en la ciudad de Cesarea, y hasta allí mandó buscar a Pedro. Cesarea estaba al norte de Jope, a unos cincuenta kilómetros. Entre las dos ciudades, un poco más al oriente de la costa, estaba la llanura de Sarón.

--- *Estudio del texto básico* ---

Lea su Biblia y responda

1. Coloque una P junto a lo que corresponda a la visión de Pedro y una C a la de Cornelio. (10:11-14, 30-32)

_____ Un hombre con ropa brillante.

_____ Le dijo: "Mata y come."

_____ Un lienzo con animales de toda clase.

_____ Le dijo: "Tu oración ha sido atendida."

2. Explique brevemente cómo se relacionaban las dos visiones.

_____

_____

_____

3. ¿Cuál fue la lección aprendida por Pedro? (10:34, 35)

_____

_____

4. ¿Qué fue lo que sorprendió a los que acompañaban a Pedro? (10:45, 46)

_____

_____

Lea su Biblia y piense

1 La visión de Pedro, Hechos 10:9b-15.

V. 9b. *Pedro subió a la azotea para orar.* Estaba en casa de Simón, pero no por estar en casa ajena dejaba de buscar al Señor. La azotea puede haber sido elegida por ser un lugar solitario. Esto sucedió *como a la sexta hora*, es decir, mediodía.

V. 10. *Sintió mucha hambre.* Suena lógico, debido a la hora. Dios utiliza las circunstancias físicas para darnos enseñanzas espirituales. *Le sobrevino un éxtasis.* Una experiencia parecida estaría viviendo Juan cuando recibió la revelación para escribir el Apocalipsis (Apoc. 1:10). Se trata de un estado en el que un creyente puede recibir un conocimiento que no podría recibir en circunstancias normales.

V. 11. *Vio el cielo abierto.* Esta también es una expresión clásica de las revelaciones. Esteban tuvo una experiencia semejante (Hech. 7:56) y también el apóstol Juan (Apoc. 4:1). Al mirar al cielo, lo que se ve no es lo habitual, sino que el mundo espiritual, generalmente invisible, está a la vista. *Un gran lienzo, bajado por sus cuatro extremos.* Ya que el Apóstol tenía hambre, el Señor pondría la mesa. El lienzo representa un mantel siendo extendido.

V. 12. *En el lienzo había toda clase de cuadrúpedos y reptiles y ...aves.* Pedro no hubiera tenido problemas con algunas de los animales que vio, pero no podría aceptarlos a todos.

V. 13. El mantel estaba puesto, la mesa estaba servida, y la orden había sido ya dada: *mata y come.*

V. 14. *¡De ninguna manera, Señor!* A Pedro no le cabía duda de que estaba hablando con el Señor, pero en este caso, su orden le parecía contradictoria. Ante la orden, Pedro explicó la razón de su negativa a obedecer: *porque ninguna cosa común o inmunda he comido jamás.* El Apóstol tenía bien clara en su mente la diferenciación entre animales limpios e inmundos que le había sido enseñada de la ley (Lev. 11). Los judíos eran muy respetuosos de esa diferenciación y la tenían muy en cuenta en su dieta.

V. 15. —*Lo que Dios ha purificado, no lo tengas tú por común.* Por obediencia a Dios era que Pedro se había abstenido de ciertos alimentos hasta ese día. El no tenía intención de llamar inmundo a lo que Dios había purificado.

2 Pedro predica en casa de Cornelio, Hechos 10:30-34.

Vv. 30, 32. Al llegar a la casa, Pedro había explicado que Dios lo convenció de que fuera, y pidió a Cornelio que le explicara el motivo de su invitación. Cornelio le contó lo que había visto. Las características de este hombre, son dignas de nuestra admiración. Además de ser *piadoso y temeroso de Dios* (10:2), aquí nos dice que era una persona que oraba. Pero sus oraciones no eran un mero ritualismo, sino que habían sido escuchadas por Dios. Las *obras de misericordia*, limosnas y buen trato con sus semejantes, no eran sólo un intento de impresionar a los demás, sino que eran tenidas en cuenta por Dios. Por si todo esto fuera poco, había tenido oportunidad de ver un ángel. Pero a pesar de todo eso, no era salvo. Dios tenía en cuenta su oración y sus obras, pero sin Jesús no tenía salvación y estaba en la misma condición que el ladrón que fue crucificado con el Señor. Además, el ángel que lo visitó no le había podido predicar el evangelio. La participación de un discípulo de Jesús era imprescindible para esa tarea.

V. 33. *Estamos aquí en la presencia de Dios, para oír...* Una inmejorable situación para un discípulo de Jesús. A los que anhelan hacer la voluntad de Dios, él les provee las mejores posibilidades de cumplirla.

V. 34. *Dios no hace distinción de personas.* Hasta este momento, Pedro creía que Dios tenía preferencia por los judíos, y que todos los demás eran seres inferiores. De allí venía el intento de no contaminarse con los que eran considerados "inmundos". Ahora estaba descubriendo que Dios no considera mejores a unas personas que a otras, y a todos por igual les ofrece la salvación en Jesús.

3 Los gentiles reciben el Espíritu, Hechos 10:45-48a.

V. 45. Pedro todavía estaba hablando cuando el Espíritu Santo fue derramado sobre Cornelio y los que estaban con él. Los creyentes judíos que habían venido con Pedro y que no habían recibido la misma revelación que él, no podían entender cómo Dios podía estar bendiciendo a esos gentiles de la misma manera que a los judíos.

V. 46. *Pues les oían hablar en lenguas y glorificar a Dios.* Las manifestaciones del derramamiento del Espíritu eran audibles, similares a las del día de Pentecostés. Puede ser que las lenguas que son mencionadas aquí no fueran entendidas, ya que son diferenciadas del glorificar a Dios.

V. 47. En circunstancias normales, estos discípulos hubieran dudado en bautizar a estos nuevos creyentes. Pero en este caso, el Espíritu Santo ya había dado su voto a favor y ellos no se opondrían.

V. 48a. No hubo ningún período de tiempo entre la conversión de estas personas y su bautismo. Simplemente expresaron su sometimiento a Jesús en este acto.

Aplicaciones del estudio

1. Delante de Dios, no hay personas mejores ni peores que otras. Los borrachos, drogadictos y homosexuales también son amados por Dios y están dentro de la orden de predicar el evangelio "a toda criatura" (Mar. 16:15) (Hech. 10:15, 34).

2. Pedro aprendió una lección muy valiosa que empezó por tener un poco de hambre. Nosotros debemos prestar atención a las cosas comunes que nos suceden, porque Dios puede tener una lección para enseñarnos aun en lo más sencillo (Hech. 10:10).

3. Cornelio era muy buena persona, pero no tenía la salvación. No basta con que seamos muy buenos, oremos mucho, asistamos a todas las reuniones de la iglesia o demos muchas ofrendas. Nuestra salvación no depende de eso. Solamente en Jesús hay salvación.

Prueba

1. Anote aquí las cosas que hizo el Señor para enseñarle a Pedro, y qué fue lo que él aprendió._____

_____

2. ¿Cuáles son las personas a las que usted no se acercaría para predicarles el evangelio de Jesús? Ore ahora mismo seriamente acerca de este asunto, y haga planes específicos para acercarse a ellas. Descubra con sus compañeros si hay grupos de personas que no están siendo alcanzados por su iglesia. ¿Cómo pueden llevarles el evangelio?

Lecturas bíblicas para el siguiente estudio

Lunes: Hechos 11:1-3
Martes: Hechos 11:4-18
Miércoles: Hechos 11:19-21
Jueves: Hechos 11:22-24
Viernes: Hechos 11:25, 26
Sábado: Hechos 11:27-30

Unidad 4

Salvación para todos

Contexto: Hechos 11:1-30
Texto básico: Hechos 11:1-3, 17-22, 25-30
Versículo clave: Hechos 11:18
Verdad central: La predicación del evangelio entre los gentiles ilustra que Dios rompe las barreras y los prejuicios usando a siervos fieles para adelantar su reino.
Metas de enseñanza-aprendizaje: Que el alumno demuestre su conocimiento del extendimiento del evangelio entre los gentiles, y su actitud de responder a la necesidad de extensión del evangelio para todos.

Estudio panorámico del contexto

La estrategia que el Señor había planeado para llevar su Palabra a todo el mundo, estaba siendo cumplida al pie de la letra. Primero, Jerusalén había recibido todo el impacto de la predicación del evangelio en el poder del Espíritu. Ni la cárcel ni las amenazas pudieron impedir que cada habitante de la ciudad escuchara acerca de la resurrección de Jesús. La región de alrededor de la ciudad de Jerusalén, cuyo nombre era Judea, también recibió abundante testimonio del evangelio.

Para seguir adelante con la predicación, tenía que ser superada una barrera social, y Dios usó a Felipe para hacerlo. La tradicional distancia entre judíos y samaritanos no fue impedimento para que las noticias acerca de Jesús llegaran a estos últimos. Escucharon atentamente y de buen gusto el testimonio de Felipe y muchos creyeron en Jesús.

Para que el avance de la iglesia de Jesucristo no se detuviera, era necesario que fuera atravesada otra barrera, más difícil que la anterior. Los gentiles, los que no eran judíos ni tenían ninguna relación familiar con ellos, deberían escuchar también la Palabra de Dios. Dios le enseñó al apóstol Pedro su opinión acerca de las diferencias entre las personas, convenciéndolo de ir a predicar a casa del centurión Cornelio. Esto establecería el comienzo de la etapa de predicación y avance del reino "hasta lo último de la tierra".

Pero, en lo que hemos estudiado hasta ahora, sólo el apóstol Pedro y unos pocos que lo acompañaban habían aprendido la lección acerca de la predicación a los gentiles. Los judíos creyentes que habían quedado en Jerusalén necesitarían una explicación, y parte de este estudio tiene que ver con ella.

La ciudad de Antioquía era grande y muy importante. Era la capital de la provincia de Siria. A pesar de que en ella vivía un buen número de judíos, la mayoría de sus habitantes creía en muchos dioses, adoraba sus imágenes y practicaba cultos inmorales en honor a ellos.

Bernabé, uno de los protagonistas de este estudio, era un creyente piadoso que había confiado en el Señor de todo corazón, y había estado dispuesto a entregar todo lo que tenía por amor a sus hermanos. Cuando Saulo de Tarso creyó en el Señor, fue el primero en acercarse a él y facilitar su integración a la iglesia. En el presente estudio lo veremos en acción nuevamente.

--------- *Estudio del texto básico* ---------

Lea su Biblia y responda

1. ¿Cuáles son los tres personajes que destacan en este pasaje? _____,
_____ y _____.
2. ¿Por qué motivo discutían con Pedro los judíos? _____
_____ (11:3).
3. Coloque una F junto a las declaraciones falsas y una V junto a las verdaderas.
   ( ) En tiempos de Esteban, la iglesia fue perseguida (11:19).
   ( ) Los perseguidos no le hablaban a nadie acerca de Jesús (11:19).
   ( ) Unos hombres fueron de Antioquía a Chipre anunciando el evangelio a los griegos (11:20).
   ( ) Los hermanos de Jerusalén enviaron a Bernabé a Antioquía (11:22).

4. ¿Qué palabra muy común hoy en día fue dicha por primera vez en la ciudad de Antioquía? (11:26) _____.

Lea su Biblia y piense

1 Pedro interrogado en Jerusalén, Hechos 11:1-3, 17, 18.

Vv. 1, 2. *Oyeron que también los gentiles habían recibido la palabra de Dios.* Algo nuevo había ocurrido en relación con el extendimiento del reino de Dios. Pero en lugar de tener un culto de adoración y agradecimiento al Señor por el éxito de la obra, la actitud fue de reproche y censura.

V. 3. *-¡Entraste en casa de hombres incircuncisos y comiste con ellos!* Los gentiles tenían distintas costumbres, algunas de las cuales se consideraban pecaminosas. Para ellos, Pedro se había juntado con malas personas y eso los escandalizaba. Un judío piadoso no lo hubiera hecho.

V. 17. *Así que, si Dios les dio el mismo don también a ellos, como a nosotros.* Pedro había tenido que explicar cómo había tenido que luchar con los mismos prejuicios de los que ellos le hablaban ahora, antes de obedecer al Señor. Su argumento era que Dios los había tratado como a ellos mismos.

V. 18. *Al oír estas cosas se calmaron y glorificaron a Dios.* La contienda es transformada en alabanza y asombro. Pasó mucho tiempo antes de que pudieran comprender que el amor de Dios era tan grande, que podía salvar también a los gentiles.

2 La iglesia en Antioquía, Hechos 11:19-21.

V. 19. *La tribulación que sobrevino en tiempos de Esteban.* A pesar de que un buen número de creyentes tuvieron que sufrir en este tiempo, esto benefició a muchos más, ya que provocó la predicación del evangelio más allá de las fronteras de Israel. Algunos de los discípulos que luego de creer en Jesús se habían quedado en Jerusalén, ahora volvían a sus hogares, comunicando el evangelio *sólo a los judíos.*

V. 20. *Entraron en Antioquía y hablaron a los griegos.* Algunos no pudieron guardar silencio acerca de Jesús, dando a conocer las buenas nuevas entre los gentiles.

V. 21. Hay dos cosas que se necesitan para que las personas se conviertan: una o varias personas que decidan comunicar el evangelio y *la mano del Señor.* A través de estas personas, el Espíritu Santo estaba cumpliendo con su tarea de convencer (Juan 16:8).

3 Bernabé enviado a Antioquía, Hechos 11:22, 25, 26.

V. 22. La experiencia de Pedro ya había creado un antecedente que haría más fácil la aceptación de esta noticia. Pero los líderes de la iglesia consideraron que debía ser mantenida alguna clase de control, por lo que *enviaron a Bernabé.* Esto podría evitar que el mensaje que estaba siendo predicado fuera torcido o pervertido. La presencia de Bernabé en Antioquía traería mucha bendición a la iglesia recién nacida (11:23, 24). Como consecuencia de eso, *mucha gente fue agregada al Señor.*

V. 25. *Después partió Bernabé a Tarso para buscar a Saulo.* No es la primera vez que Bernabé toma la iniciativa de acercarse a Saulo por algún motivo. La primera vez fue cuando apenas había creído en el Señor. Con el antecedente de haber perseguido a los creyentes, nadie quería acercarse a él porque tenían serias dudas acerca de su conversión. Pero Bernabé corrió el riesgo de acercarse a él, creyó en su testimonio y lo presentó a los apóstoles (Hech. 9:27). *Y cuando le encontró, le llevó a Antioquía.* Estando ahora al frente de la iglesia de Antioquía, Bernabé vio una excelente oportunidad de desarrollar el gran potencial que había visto en Saulo. En cierta manera, Bernabé "se hizo cargo" del crecimiento espiritual de Saulo y de su desarrollo en el ministerio. Más adelante, él aplicaría esta misma estrategia para transformar nuevos creyentes en grandes siervos de Jesús.

V. 26. *Y los discípulos fueron llamados cristianos por primera vez en Antioquía.* Lo que comenzó siendo un sobrenombre en son de burla, hoy en día es el nombre más común para designar a los discípulos de Cristo. El término *cristianos* quiere decir, literalmente, "pequeños Cristos". Es probable que esta designación surgiera de las enseñanzas de Bernabé y Saulo.

4 Ayuda enviada de Antioquía a Jerusalén, Hechos 11:27-30.

V. 27. *Descendieron unos profetas.* Estos eran discípulos, en quienes el Espíritu Santo manifestaba el don de profecía (1 Cor. 12:10). Visitaron la iglesia, tal vez por mandato del Señor.

V. 28. Tal vez *Agabo* fuera el que más destacaba entre estos visitantes. Comunicó que vendría un período de hambre. Lucas anota aquí que esta profecía fue realmente cumplida, poniendo como referencia el nombre del emperador.

V. 29. Una enorme muestra de amor en Cristo, es esta ofrenda de los hermanos de Antioquía a los de Jerusalén. Este ejemplo sería seguido por otras iglesias (1 Cor. 16:1-4).

V. 30. El dinero reunido fue enviado a *los ancianos*, los líderes de la iglesia en Jerusalén, *por mano de Bernabé*, que probablemente aprovechara el viaje para informar del progreso de la iglesia, *y de Saulo*, confirmando con esto la confianza que le habían otorgado.

Aplicaciones del estudio

1. Debemos examinar nuestra actitud hacia las personas que no conocen al Señor Jesucristo. Hay determinados grupos de personas a quienes no nos acercamos por miedo a lo que puedan pensar nuestros hermanos en la fe. De esa manera nunca les vamos a llevar el evangelio. Son personas a quienes Dios ama, y hasta ellas debemos llegar (11:3, 17, 18).

2. Los que hemos creído en Jesús y queremos que muchos más alcancen la salvación, necesitamos que "la mano del Señor" esté con nosotros como lo estuvo con los discípulos de otra época. Debemos orar a Dios con insistencia para que nos dé un testimonio poderoso (11:21).

3. Desde que le entregamos nuestra vida a Cristo, hemos aprendido muchas cosas. Hay hermanos en nuestras iglesias que necesitan aprenderlas. Lo que hacemos por lo general, es esperar que el pastor o los maestros les enseñen. Podemos ser como Bernabé y acercarnos a nuestros hermanos para compartir con ellos lo que el Señor nos ha enseñado (11:25, 26).

Prueba

1. Anote brevemente aquí cómo llegó el evangelio a Cesarea (donde vivía Cornelio) y a Antioquía.

Cesarea _____

_____

Antioquía _____

_____

2. En la ciudad o el lugar en el que usted vive hay personas que aún no han sido alcanzadas por la predicación del evangelio. ¿Qué es lo que su iglesia puede hacer? ¿Hay algún barrio o localidad cercana donde no haya iglesia? Su iglesia debe hacer algo. Tome lápiz y papel y anote sus ideas. Compártalas con sus compañeros, y, luego de orar, hagan una lista entre todos para mostrársela al pastor. Propóngase orar todos los días esta semana por este motivo.

Lecturas bíblicas para el siguiente estudio

Lunes: Hechos 12:1-5a   **Jueves:** Hechos 12:16-19
Martes: Hechos 12:5b-11   **Viernes:** Hechos 12:20-23
Miércoles: Hechos 12:12-15   **Sábado:** Hechos 12:24, 25

Unidad 4

Prisión y rescate de Pedro

Contexto: Hechos 12:1-25
Texto básico: Hechos 12:1-7, 12-17, 24
Versículo clave: Hechos 12:5
Verdad central: La experiencia de Pedro demuestra que Dios cumplirá su plan redentor a pesar de la oposición humana.
Metas de enseñanza-aprendizaje: Que el alumno demuestre su conocimiento de las experiencias de Pedro al ser encarcelado y luego liberado milagrosamente, y su actitud de asignarle valor a la providencia divina en favor de sus siervos fieles.

Estudio panorámico del contexto

Ya eran varias las ocasiones en que la iglesia había sido perseguida luego de la resurrección del Señor. Primero las amenazas, luego la persecución y la tortura y finalmente la muerte de los cristianos. Fueron muchas y muy variadas las acciones de los perseguidores de los discípulos de Jesús. Pero nada de esto, ningún golpe o herida podría apagar el fuego que el Espíritu Santo de Dios había encendido en el corazón de estos hombres y mujeres.

Un buen número de personas ya se habían levantado con la intención de destruir la iglesia. Entre ellas se contaban el grupo de los saduceos, el de los fariseos y Saulo de Tarso, quien luego sería el valiente predicador de la doctrina que antes persiguió con tanto empeño. Pero, por supuesto, estos no serían los únicos ni los últimos que se levantarían para intentar detener la marcha triunfante del reino de Dios por parte de la iglesia de Jesucristo.

En el presente estudio surge un nuevo perseguidor. Su nombre es Herodes, y es necesario que aclaremos su identidad para que no lo confundamos. El pasaje que estudiamos no es el primero en el Nuevo Testamento en el que se menciona a un Herodes. Este nombre aparece en más de una ocasión en relación con el nacimiento del Señor Jesús (Mat. 2:1, 13; Luc. 1:5). Era una persona capaz de cualquier cosa con tal de impedir que su posición política le fuera quitada. Según nos lo cuenta la historia, no tuvo reparos en eliminar aun a miembros de su propia familia por impedir que se acercaran a su trono. Cuando este Herodes, a quien llamaban Herodes el Grande, murió, lo sucedió en el trono uno de sus tres hijos, también llamado Herodes Antipas, el tetrarca.

Juan el Bautista acusó públicamente sus actos inmorales por lo que este Herodes lo encarceló y poco después, presionado por su esposa, lo mandó decapitar (Mar. 6:14-29). También sería este el que cuando le llevaron arrestado al Señor, esperaba que hiciera alguna señal en su presencia (Luc.

23:8). Se burló de él y sus burlas provocaron que se terminara su enemistad con Poncio Pilato (Luc. 23:12).

La persona a quien hace referencia el pasaje que comentamos en este estudio es Herodes Agripa, nieto de aquel Herodes el Grande y sobrino de Herodes Antipas. Lo que nos cuenta el relato demuestra que actuó como los de su familia.

Estudio del texto básico

Lea su Biblia y responda

1. ¿Cuántos soldados custodiaban a Pedro en la cárcel? (12:4) _____

2. Ordene los hechos con un número junto a la frase (12:1-7)
   (   ) El ángel le dijo: ¡Levántate pronto!
   (   ) Herodes hizo matar a Jacobo, el hermano de Juan.
   (   ) Herodes puso a Pedro en la cárcel.
   (   ) Un ángel apareció en la cárcel.

3. Escriba las palabras que faltan (12:12, 13)
   Cuando _____ salió de la cárcel, fue a la casa de _____
   que era la madre de _____ a quien llamaban _____.
   Cuando golpeó a la puerta lo salió a atender _____.

4. ¿Qué hacía la iglesia mientras Pedro estaba en la cárcel? (12:12) _____
   _____.

Lea su Biblia y piense

1 La muerte de Jacobo, Hechos 12:1, 2.

V. 1. *Herodes echó mano de algunos de la iglesia.* Hasta ese momento, habían sido los judíos los que habían tomado la iniciativa de perseguir a la iglesia. Ahora es un gobernante, con la intención de agradar a los judíos.

V. 2. *Y a Jacobo, el hermano de Juan.* Este era uno de los doce apóstoles del Señor (Mat. 10:2). Se menciona el nombre de su hermano para distinguirlo del otro Jacobo, el hermano carnal del Señor Jesús. No se menciona aquí que haya habido alguna acusación que justificara la sentencia de muerte contra Jacobo. La sangre de otro mártir pasaría a formar parte de la historia de la iglesia. Jacobo fue el primero de los apóstoles en morir, "bebiendo de la misma copa" que Jesús (Mat. 20:23).

2 La prisión y liberación de Pedro, Hechos 12:3-7.

V. 3. *Al ver que esto había agradado a los judíos...* Herodes no trataba de hacer algo que considerara justo, sino de agradar a los judíos. Por eso *procedió a prender también a Pedro.* El objetivo ahora eran los líderes de la iglesia.

V. 4. *Le puso en la cárcel,... a la custodia de cuatro escuadras de cuatro soldados cada una.* Este exagerado cuidado no era porque Pedro fuera peligroso, sino por temor a que los otros discípulos intentaran liberarlo. Herodes no estaba teniendo en cuenta que los cristianos contaban con mejores armas que la fuerza física.

V. 5. *La iglesia sin cesar hacía oración a Dios por él.* Aquí está el arma de la iglesia de Jesucristo de todas las épocas. En las circunstancias que estaban viviendo, resultaba difícil creer que Pedro podía ser liberado. Era probable que fuera sentenciado a muerte. Pero estos cristianos sabían que lo imposible para los hombres está al alcance de la oración.

V. 6. *Pedro estaba durmiendo.* Este siervo de Dios estaba condenado a muerte. En cuanto saliera el sol perdería la vida. Cualquier persona en su situación hubiera pasado la noche por lo menos orando a Dios, pero Pedro dormía. La oración de sus hermanos le había dado la paz del Espíritu. *Dos soldados, atado con dos cadenas, y los guardias delante de la puerta* era su seguridad. El más mínimo movimiento de Pedro hubiera alertado a los soldados que estaban atados a él. Y aun en el caso de que hubiera podido vencerlos, no hubiera podido atravesar la puerta junto a la que había dos soldados más.

V. 7. *Se presentó un ángel del Señor.* No hay cosa que sea imposible para Dios (Luc. 1:37), ni siquiera difícil (Gén. 18:14; Jer. 32:27). Este ángel fue enviado en respuesta a las oraciones del pueblo de Dios. Con su presencia, el resto de la historia es fácil de suponer. *Despertó a Pedro dándole un golpe en el costado...* El ángel no se inclinó a susurrar unas dulces palabras al oído de Pedro. Eso no hubiera sido suficiente para despertarlo del profundo y tranquilo sueño que dormía. Un buen golpe era más apropiado. *Y le dijo:* —¡Levántate pronto! Cuando alguien es despertado súbitamente, no entiende muy bien lo que está sucediendo. Esta orden precisa facilitaría las acciones.

3 La visita de Pedro a la casa de María, Hechos 12:12-17.

V. 12. *Fue a la casa de María.* Cuando pudo reaccionar de la sorpresa, Pedro decidió ir a donde sabía que encontraría hermanos. *Muchos estaban congregados orando.* Que haya una reunión de oración en la iglesia no es raro, y menos habiendo un hermano en tan serios problemas. Lo significativo aquí es la hora. Debía ser muy tarde en la noche y, sin embargo la iglesia seguía orando.

Vv. 13, 14. Alguien golpeaba a la puerta. ¿Quién sería a esa hora? ¿Vendrían a buscarlos para encarcelarlos? No. Tal vez fuera otro hermano que llegaba para orar. Rode preguntó quién era y escuchó la voz de Pedro. Una profunda emoción la inundó. ¡Dios había respondido su oración y había logrado lo imposible! Lo primero que pensó no fue que tenía que abrir la puerta, sino que debía ir con la noticia a los demás.

Vv. 15, 16. Lo mismo pasa con los creyentes de todas las épocas: oramos a Dios pidiéndole algo que sabemos que sólo él puede hacer. Cuando sucede, no lo podemos creer. En lugar de abrir la puerta, los hermanos trataban de convencer a Rode de su error. Entre tanto, Pedro insistía en llamar.

V. 17. Lo que Pedro les contó los debe haber conmovido profundamente. Pero era prudente que Pedro no se quedara allí. *-Haced saber esto a Jacobo.*

Está hablando del hermano del Señor. Esto puede significar que era una persona muy importante en la iglesia. *Y a los hermanos.* No hacía falta que lo dijera. ¡Por supuesto que lo iban a contar! Este no era el único lugar donde estaban orando.

4 La iglesia continúa creciendo, Hechos 12:24.

V. 24. *Pero la palabra de Dios crecía y se multiplicaba.* La palabra era recibida por más y más personas. La palabra *pero* relaciona este versículo con el relato de la muerte de Herodes. Mientras los que se oponían al Señor eran consumidos por gusanos, la obra de Dios prosperaba y se multiplicaba.

─────────────── *Aplicaciones del estudio* ───────────────

1. La oración es un arma tremendamente poderosa. No hay obstáculos que sean imposibles para la oración de los hijos de Dios. Sea cual sea la situación, por pequeña que sea la esperanza de que cambie, está al alcance de la oración, porque está al alcance de Dios. Y Dios se ha puesto al alcance de la oración (12:5).

2. Dios no ha puesto a sus redimidos aislados unos de otros para que intenten vivir la vida cristiana como puedan. Nos hizo parte de un mismo cuerpo, la iglesia. Los creyentes no recibieron la noticia del encarcelamiento de Pedro y se fueron a sus casas diciendo piadosamente: "Vamos a orar." El poder de la oración es multiplicado cuando los creyentes están juntos, sin importar el cansancio o el programa que haya en la T.V. después de la reunión (Mat. 18:19, 20; Hech. 12:5, 12).

───────────────── *Prueba* ─────────────────

1. ¿Son verdaderas (V) o falsas (F) estas declaraciones?
  ( ) Pedro fue encarcelado y luego mataron a Jacobo.
  ( ) Doce soldados cuidaban a Pedro.
  ( ) La iglesia oraba por Pedro sin parar.
  ( ) Pedro dormía entre dos soldados.
  ( ) El ángel le dio un puntapié a Pedro.
  ( ) Al salir, Pedro fue a casa de María.

2. Hay problemas que por mucho tiempo hemos considerado imposibles de cambiar. Sólo Dios podría hacer algo. La conversión de un familiar, la sanidad de una enfermedad, una grave situación económica u otros problemas, están fuera del alcance de lo que nosotros podemos hacer. Ahora mismo, piense en esos imposibles y todos juntos en la clase, pídanle a Dios que haga con ellos como hizo con las cadenas de Pedro.

Lecturas bíblicas para el siguiente estudio

Lunes: Hechos 13:1-3   **Jueves:** Hechos 13:13-20
Martes: Hechos 13:4-8   **Viernes:** Hechos 13:21-43
Miércoles: Hechos 13:9-12   **Sábado:** Hechos 13:44-48

Unidad 5

Pablo comienza su misión

Contexto: Hechos 13:1-48
Texto básico: Hechos 13:1-3, 38, 39, 42-48
Versículo clave: Hechos 13:46
Verdad central: La comunicación del mensaje por Pablo a los gentiles demuestra que el evangelio no es exclusivo de un pueblo o raza.
Metas de enseñanza-aprendizaje: Que el alumno demuestre su conocimiento de la extensión del evangelio al mundo gentil a través del ministerio de Pablo, y su actitud de incluir a todas las personas para proclamarles el mensaje de salvación.

--------- *Estudio panorámico del contexto* ---------

Con el capítulo 13, empieza una sección de Los Hechos que ocupará desde aquí hasta el final del libro. Se trata del relato del ministerio del apóstol Pablo. Luego de su conversión, Bernabé facilitó su crecimiento espiritual y estuvieron un tiempo en Antioquía siendo los principales líderes de la iglesia. Luego de eso, la etapa de preparación ya estaría terminada, y sería el tiempo de comenzar con la tarea que ocuparía el resto de su vida.

Para el estudio de lo que queda del libro, sería conveniente tener siempre cerca un mapa de los lugares que Pablo visitó. Muchas ciudades y provincias son mencionadas y saber dónde están ubicadas puede ayudarnos a tener una idea de las distancias recorridas y el esfuerzo de los predicadores.

Hay varios lugares que son mencionados en este pasaje. El punto de partida de los misioneros es Antioquía, una ciudad ubicada en la provincia de Siria, al norte de Palestina. Como ya mencionamos en el Estudio 38, era una ciudad importante. Estaba a pocos kilómetros de la costa, y el puerto se llamaba Seleucia. Hacia allí se dirigieron los discípulos en primer lugar, dirigidos por el Espíritu Santo, para abordar el barco que los llevaría a Chipre, que era una gran isla. El barco los dejó en el puerto de Salamina, al oriente de la isla, y allí predicaron el evangelio. Luego cruzaron toda la isla hacia el occidente hasta la ciudad de Pafos, el puerto occidental de Chipre.

Luego de la conversión del procónsul Sergio Paulo, atravesaron nuevamente el mar dirigiéndose esta vez hacia el norte, y desembarcaron en Perge, desde donde Juan regresó a Jerusalén.

Pablo y Bernabé siguieron su viaje hacia el norte hasta llegar a una ciudad llamada Antioquía, como aquella de la que habían salido, que estaba cerca de la región de Pisidia, en la provincia de Galacia. Con los eventos sucedidos en esa ciudad, termina el presente estudio.

Debe notarse un gran cambio en la manera de ser extendido el evangelio. Hasta Antioquía, la predicación en los diferentes lugares había sido producida por las circunstancias (salvo en el caso de la predicación al etíope,

Hech. 8:26-39) y no fruto de un cuidadoso planeamiento. De aquí en adelante, el Espíritu Santo guía a sus siervos, ya no sólo por medio de las circunstancias, sino hablándoles directamente y guiándolos hacia donde debían tomar la iniciativa de ir a predicar.

─────────── **Estudio del texto básico** ───────────

Lea su Biblia y responda

1. Anote aquí los nombres de los líderes de la iglesia de Antioquía (13:1).

_____ , _____

_____ , _____ y _____

2. Dos de ellos fueron apartados para otra tarea. Ellos fueron_____

_____ y _____ (13:2).

3. ¿En qué consistía el mensaje de los apóstoles? (13:38, 39). _____

_____

4. ¿Qué les había mandado Dios a Bernabé y a Saulo? (13:47). _____

_____.

Lea su Biblia y piense

1 Bernabé y Saulo comienzan su primer viaje misionero, Hechos 13:1-3.

V. 1. *Había... profetas y maestros.* En el capítulo 11, la iglesia de Antioquía estaba a cargo de Bernabé y Saulo. Ahora, los líderes de la iglesia ya son cinco. Los dones del Espíritu eran manifestados y había palabra de Dios para todos.

V. 2. *Mientras ellos ministraban al Señor...* Las otras dos ocasiones en que el verbo que aquí se traduce "ministrar" aparece en el Nuevo Testamento es traducido como "servir" (Rom. 15:27; Heb. 10:11). Sin importar qué era lo que hacían, estaban juntos y atentos a la voz del Señor. *Y ayunaban,* El Señor Jesús dijo que cuando él no estuviera físicamente entre sus discípulos, éstos ayunarían (Luc. 5:35). No se nos dice que hubiera algún problema por el que estuvieran ayunando, sino que estarían simplemente buscando al Señor. El ayuno produce una sensibilidad especial y una comunión profunda con Dios.

El Espíritu Santo dijo:... El Espíritu Santo no es ninguna fuerza impersonal, como la energía eléctrica, sino una persona que siente y se comunica. Tal vez en un momento de oración, uno de los profetas alzó la voz y dijo: "Escuchen lo que dice el Espíritu Santo:..." *"Apartadme a Bernabé y a Saulo..."* Es una orden, una revelación directa de los planes de Dios. *Para la obra a la que los he llamado.* No dice a todos qué era lo que tenían que hacer. Eso ya lo había hablado personalmente con ellos dos.

V. 3. *Les impusieron las manos...* Los hermanos oraron ahora específicamente por este asunto mientras continuaban con su ayuno. Luego, dando el asunto por concluido, les impusieron las manos. La imposición de manos es usada en el Nuevo Testamento con varios propósitos: para sanar enfermedades (Mar. 1:41; 16:18; Hech. 9:12, 17), y para transmitir un don o encomendar un ministerio específico (Hech. 6:6; 2 Tim. 1:6). En esta oportunidad es hecho con este último propósito… y los despidieron. No había más preguntas qué hacer ni era necesaria más preparación. La tarea comenzó de inmediato.

2 Pablo y Bernabé en Antioquía de Pisidia, Hechos 13:38, 39, 42, 43.

Ya hemos señalado brevemente cuál fue el trayecto de los apóstoles. Las palabras que comentamos ahora corresponden a la predicación de Pablo en la ciudad de Antioquía de Pisidia.

V. 38. *Por medio de él se os anuncia el perdón de pecados.* Pablo estaba predicando un claro mensaje, demostrando con abundantes citas del Antiguo Testamento que Jesús era el cumplimiento de las promesas que Dios le hizo a David y que su resurrección había sido prevista por los profetas. Con esta frase anuncia el propósito de la venida del Señor. No venía a invitarlos a hacer nuevos méritos para agradar a Dios, sino a recibir el perdón por gracia por medio de Jesús.

V. 39. *En él es justificado todo aquel que cree.* Si eran sinceros, podían reconocer que sus intentos de cumplir con la ley de Moisés no habían tenido éxito. Para alcanzar la paz con Dios, sólo tenían que creer en Jesús (Rom. 8:3).

Vv. 42, 43. La predicación encontró una cálida bienvenida en la mayoría. No sería así en todos los lugares, donde las más de las veces no los dejarían terminar de hablar. La tarea de enseñar y hablar del evangelio apenas habría comenzado para los apóstoles.

3 Pablo se vuelve a los gentiles, Hechos 13: 44-48.

V. 44. La noticia de lo sucedido aquel sábado ya se había difundido. Es probable que en el correr de la semana unos cuantos hubieran creído en Jesús y luego invitaran a otros a escuchar. Todos estaban listos para oír hablar del Señor.

V. 45. *Los judíos… se llenaron de celos.* Ya había sido demasiada amabilidad la del sábado anterior. Lo que ellos no habían logrado en mucho tiempo, lo habían logrado estos maestros en una semana, hablando de Jesús. *Y blasfemando contradecían lo que Pablo decía.* Se oponían públicamente a las enseñanzas del evangelio, torciendo lo que decía el Antiguo Testamento.

V. 46. Pablo y Bernabé se dirigen directamente a los judíos. Les habían dado el primer lugar y ellos no lo habían aprovechado, rechazando la palabra de Dios. *Nos volvemos a los gentiles.* Esto podría sonar casi como un insulto para ellos. No insistirían con estos que se les oponían. Ya tenían otro auditorio deseoso de escucharlos.

V. 47. *Porque así nos ha mandado el Señor.* Citan el versículo 6 de Isaías 49, en el que Dios le dice a su siervo, el Salvador, que no sólo va a tener la tarea de redimir a Israel, sino también a los gentiles. Sin embargo, Bernabé y Saulo lo mencionan como algo que Dios les dijo a ellos en persona. No se trataba sólo de que hubieran descubierto que el evangelio era para todos, sino que estaban revelando la manera en que el Espíritu Santo los había llamado para esa tarea. En algún momento, como una profecía directa hacia ellos, ese versículo había sido su llamamiento.

V. 48. *Y creyeron cuantos estaban designados para la vida eterna.* Aquí no hay un relato presuntuoso acerca de los miles que se entregaron al Señor. Dios había designado con anterioridad a los que iban a creer. Esto no quiere decir que estas personas no tomaran su propia decisión de creer. Cada uno decidía libremente si aceptar la salvación en Jesús o no.

Aplicaciones del estudio

1. Hay algunas diferencias entre las reuniones de oración del primer siglo y las de hoy en día. A veces parece que estuviéramos deseando que termine la reunión para volver a casa a estar cómodos. ¿Cuánto hace que no se juntan un grupo de hermanos en su iglesia para ayunar y pasar algunas horas orando y buscando al Señor? Puede ser que Dios tenga algo que decir y no le estemos dando tiempo para hacerlo (13:2).

2. Debemos estar dispuestos a escuchar la voz de Dios. Lea el versículo 2 del capítulo 13 poniendo su nombre en lugar del de Saulo. ¿Está dispuesto a que Dios produzca un cambio tan grande en su vida? A veces, no escuchamos la voz de Dios porque no estamos dispuestos a oír lo que él quiere decir (13:2).

3. El Espíritu Santo es una persona, el amigo más íntimo que podemos tener porque vive dentro de nosotros y nos conoce muy bien. Es desagradable sentirse ignorado por una persona a la que amamos. Debemos buscar compañerismo con el Espíritu Santo en lugar de ignorarlo (13:2).

Prueba

1. Vuelva a leer el *Estudio Panorámico del Contexto* y anote aquí cuáles fueron las ciudades que Bernabé y Saulo visitaron.

2. La Biblia dice que Dios quiere que todos se arrepientan y sean salvos (2 Ped. 3:9). Bernabé y Saulo fueron usados por Dios para que muchos nombres fueran escritos en el libro de la vida. Ore ahora mismo y póngase en las manos de Dios para que en esta semana usted pueda ser un instrumento para que otro nombre sea anotado. Haga planes específicos para ir a hablar con una o dos personas.

Lecturas bíblicas para el siguiente estudio

Lunes: Hechos 13:49-52   **Jueves:** Hechos 14:8-12
Martes: Hechos 14:1-3   **Viernes:** Hechos 14:13-20a
Miércoles: Hechos 14:4-7   **Sábado:** Hechos 14:20b-28

Unidad 5

Pablo y Bernabé obtienen resultados

Contexto: Hechos 13:49 a 14:28
Texto básico: Hechos 14:1-10, 19-22
Versículo clave: Hechos 14:1
Verdad central: La experiencia de Pablo y Bernabé demuestra que nada ni nadie puede detener la marcha victoriosa del evangelio.
Metas de enseñanza-aprendizaje: Que el alumno demuestre su conocimiento de los resultados que Pablo y Bernabé obtuvieron en la obra misionera en Antioquía, Iconio, Listra y Derbe, y su actitud de consagración a la obra misionera.

Estudio panorámico del contexto

El Espíritu Santo había encomendado a Bernabé y a Saulo la tarea de la predicación del evangelio entre los gentiles. Viajar de una parte a otra predicando el evangelio y además encontrando dificultades y oposición debió ser un trabajo agotador. En el Estudio 40 dejamos a los apóstoles en la ciudad de Antioquía de Pisidia, de donde tuvieron que salir porque los judíos convencieron a las autoridades que los expulsaran. En el capítulo 14 son relatados los siguientes movimientos de los apóstoles por distintas ciudades de la provincia de Galacia y luego en Panfilia, en lo que hoy en día es Turquía.

Antioquía de Pisidia estaba cerca del límite entre la provincia de Galacia y la de Asia. De allí viajaron hacia el oriente unos 150 kilómetros hasta llegar a Iconio, una ciudad rica y próspera. Luego de la predicación allí, y ante una conspiración en contra de ellos, viajaron hacia el sur poco más de 30 kilómetros para llegar a Listra. Pablo recordaría con nitidez las piedras que cayeron sobre su cuerpo en esta ciudad.

De allí viajaron a Derbe, que estaba unos 100 kilómetros al suroeste de Listra. De allí recorrieron el mismo camino en sentido contrario para abordar el barco en Atalia y volver a Antioquía de Siria, la ciudad de donde salieron. Se nos dice también que "por toda la región de alrededor" (14:6). Esto quiere decir que no perdían la oportunidad de predicar el evangelio en cada lugar en el que estaban.

El valor de todo este viaje que los discípulos hicieron se acrecienta si nos ponemos a considerar lo primitivo de los medios de transporte con que contaban. Distancias que hoy en día se recorren en unos pocos minutos en avión, o en unas pocas horas cómodamente sentados al volante de un automóvil, en aquel tiempo requerían días, cansancio y mucho esfuerzo. A esto podríamos agregar lo desagradable de poner toda esta dedicación para luego resultar apedreado y tener que viajar cargando con el dolor de las heridas. Pero el fuego que el Espíritu Santo había encendido en el corazón de estos hombres de Dios no podía ser apagado por las largas distancias ni por el mucho cansancio ni tampoco por las cicatrices. Como diría Pablo algún tiempo después: "¡Ay de mí si no anuncio el evangelio!" (1 Cor. 9:16). Dios nos da la oportunidad de aprender de este ejemplo y compromiso en el presente estudio.

──────────────── *Estudio del texto básico* ────────────────

Lea su Biblia y responda

1. En el texto son mencionadas cuatro ciudades. ¿Cuáles son? _____, _____, _____ y _____.

2. ¿Cuáles frases son verdaderas (V) y cuáles falsas (F)?
   ( ) En Iconio creyeron sólo los gentiles (14:1).
   ( ) A Pablo lo apedrearon en Iconio (14:19).
   ( ) Quisieron matarlos en Iconio pero huyeron (14:5, 6).
   ( ) Luego que apedrearon a Pablo, los discípulos se desanimaron y volvieron (14:20, 21).

3. ¿Qué fue lo que Pablo vio cuando miró al paralítico? (14:9).
   _____

4. ¿Cuánto tiempo pasó desde que apedrearon a Pablo hasta su viaje hacia Derbe? (14:20). _____

Lea su Biblia y piense

1 Ministerio y oposición en Iconio, Hechos 14:1-7.
V. 1. *Entraron juntos en la sinagoga...* Venían de ser maltratados en Antioquía de Pisidia y, sin embargo, gozosos y llenos del Espíritu Santo (13:52). Los judíos son los primeros en recibir la oportunidad de creer en Jesús. *Hablaron de tal manera que creyó un gran número...* La frase de tal manera denota el poder de convicción que tenían las palabras de los apóstoles.
   V. 2. El ciclo se repite en cada lugar. Los que no creen tampoco quieren aceptar que los demás crean y producen la persecución.
   V. 3. *Continuaron mucho tiempo hablando con valentía...* Se necesitaba valentía para enfrentar la oposición y seguir adelante. Pero ellos estaban *confiados en el Señor.* Estaban seguros de que Dios era poderoso para protegerlos, y aunque permitiera que recibieran algún daño no dejarían de confiar en él. Este es el valiente carácter de los hijos de Dios de todas las épocas, con una confianza en Dios a toda prueba (ver Dan. 3:16-18). *Quien daba testimonio a la palabra de su gracia concediendo que se hiciesen señales y prodigios.* Estos hermanos no estaban predicando solos; Dios mismo lo estaba haciendo con ellos. Dios confirmaba por medio de los milagros que las palabras que sus siervos estaban diciendo eran ciertas. Esta confirmación por medio de señales era lo que Jesús mismo practicaba (Juan

5:36; 10:37, 38) y lo que la iglesia de Jerusalén le había pedido a Dios (Hech. 4:29, 30; ver Mar. 16:20; Heb. 2:3, 4).

Vv. 4-7. La oposición fue aumentando, casi de la misma manera que ocurriera con el Señor Jesús (Juan 5:16; Mar. 11:18; Juan 11:53; Luc. 22:2-4) hasta transformarse en un plan muy definido para quitarles la vida. Pero el evangelio no iba a ser detenido, porque ya había unos cuantos creyentes en la ciudad. Todavía había un mundo para llenar del evangelio.

2 Sanidad de un cojo de nacimiento, Hechos 14:8-10.

V. 8. Es probable que el hombre estuviera en el lugar en el que los apóstoles estaban predicando. El hecho de que nunca hubiera caminado disminuía sus posibilidades de hacerlo.

V. 9. *Este oyó hablar a Pablo.* Escuchó la predicación del evangelio. No lo dice aquí, pero puede ser que ya hubiera creído en Jesús. *Quien fijó la vista en él y vio que tenía fe para ser sanado.* La pregunta que puede surgir aquí es: ¿Puede ser vista la fe? El Señor Jesucristo ponía en práctica esta misma clase de visión (Luc. 5:20). Es evidente que para percibir esto, no estaba siendo usado sólo el sentido de la vista. En este caso, la fe de la persona enferma tuvo mucho que ver en su sanidad. La capacidad de verla provenía del Espíritu Santo.

V. 10. *-¡Levántate derecho sobre tus pies!* Solamente es dada una orden. No hay un anuncio previo de lo que va a ser hecho ni una solicitud para orar por el enfermo. Se le ordena que actúe como una persona sana, obteniendo la respuesta de que *él saltó y caminaba.*

3 Dios protege la vida de Pablo, Hechos 14:19, 20a.

V. 19. Este es el gran misterio del corazón humano. Como reacción a la sanidad del cojo de nacimiento, los habitantes de Listra quisieron adorar a Pablo y Bernabé, cosa que éstos apenas pudieron evitar. Pero, al venir los judíos, *apedrearon a Pablo.* Algo similar había sucedido con el Señor cuando la multitud que le dio la bienvenida a Jerusalén como el ungido de Dios cinco días más tarde estaba gritando: "Sea crucificado" (Mat. 27:22). Esta debilidad del corazón humano que permite que sea manipulado con tanta facilidad frente a determinados estímulos, no ha cambiado con el tiempo. Pablo estaba viviendo el principio del cumplimiento de las palabras del Señor en cuanto a él (Hech. 9:16). Dios aún tenía grandes planes para su vida, de manera que impidió su muerte.

V. 20a. *Los discípulos* están incluidos en estas acciones. Los que hacía muy poco tiempo, tal vez días, que eran cristianos ya estaban participando activamente. La iglesia ya estaba en funcionamiento para ayudar en la recuperación de los siervos de Dios.

4 Ministerio en Derbe y retorno a Antioquía de Psidia, Hechos 14:20b-22.

V. 20b. *Al día siguiente.* La rapidez de la recuperación de Pablo fue tan milagrosa como la sanidad del cojo. El resto del viaje se haría con sus heridas aún sin sanar. Para Pablo, habría cicatrices en su propio cuerpo que le darían testimonio de la fidelidad del Señor. En lugar de emprender el regreso, continúan la gira de predicación hacia Derbe.

V. 21. El ministerio en Derbe es solamente mencionado, sin dar detalles. *Volvieron a Listra, a Iconio y a Antioquía.* En la primera, habían sido apedreados, de la segunda y de la tercera fueron expulsados. Era arriesgado volver, pero ellos tenían algo muy importante que hacer.

V. 22. En cada ciudad quedaba ahora una iglesia establecida. Luego de lo ocurrido con ellos, muchos podrían pensar que era muy peligroso ser cristiano. Pero enfrentar ese peligro tenía el valor de la entrada en el reino de Dios.

Aplicaciones del estudio

1. Nosotros tenemos mejores medios para proclamar. Estos hermanos, sin una Biblia impresa ni un solo folleto, sin medios de transporte rápidos, sin medios masivos de comunicación como periódicos, radio o televisión, le llevaron el evangelio a miles de personas. Nosotros tenemos a nuestro alcance los medios para llegar en un día a los que ellos llegaron en meses. La diferencia es que nosotros no lo hacemos.

2. La oposición a la que nosotros nos enfrentamos, tiene muy poco que ver con aquella a la que se enfrentaron aquellos siervos de Dios. Debemos orar a Dios para que nosotros también tengamos aquella intrepidez y valentía para arriesgarlo todo con tal de que el reino de Dios sea extendido (14:3, 19, 22).

Prueba

1. En los pasajes que hemos estudiado no dice la cantidad de personas que creyeron en el Señor en las diferentes ciudades. Pero, cuando son mencionados los que creyeron, nos da la idea de si fueron muchos o pocos. Vuelva a leerlos y anote aquí cómo son mencionados los creyentes. Le damos un ejemplo.

Iconio: un gran número (14:1).

Listra: _____ (14:20).

Derbe: _____ (14:21).

2. Hoy es el día en que Dios espera que usted se ponga en sus manos para salvar a alguien. Confíe en él. El lo protegerá y lo guiará. Pero es necesario que usted le entregue todo. Piénselo. Piense en las cosas importantes que tendría que consagrar o a las que tendría que renunciar y hable con el Señor. El hará un "Pablo" de usted.

Lecturas bíblicas para el siguiente estudio

Lunes: Hechos 15:1-5   **Jueves:** Hechos 15:13-21
Martes: Hechos 15:6-11   **Viernes:** Hechos 15:22-29
Miércoles: Hechos 15:12   **Sábado:** Hechos 15:30-35

Unidad 5

Problemas y soluciones

Contexto: Hechos 15:1-35
Texto básico: Hechos 15:1, 2, 7-12, 23, 28-31
Versículos clave: Hechos 15:8, 9
Verdad central: La solución que el Espíritu Santo inspiró a la iglesia de Jerusalén demuestra que una verdadera relación con Dios depende de una respuesta comprometida a las demandas de Jesús.
Metas de enseñanza-aprendizaje: Que el alumno demuestre su conocimiento de los eventos que sucedieron en torno a la aceptación del evangelio por parte de los gentiles y las cargas que los judaizantes trataron de imponer, y su actitud de asignar valor a los requerimientos para llegar a ser cristiano.

Estudio panorámico del contexto

El Señor Jesucristo expresó con toda claridad que él era el único medio para alcanzar la salvación. Se anunció a sí mismo como el único camino, aclarando que no había otra manera que no fuera creer en él para llegar a Dios (Juan 14:6). Sin embargo, su iglesia ha enfrentado, en diferentes períodos de su historia, discusiones y diferencias de opinión en cuanto a los requisitos para recibir la salvación y estar en una buena relación con Dios.

Menos de 20 años después de la muerte y resurrección del Señor, surgió la primera discusión. A pesar de ser esta una situación negativa y destructiva en lugar de edificante, es digno de observarse el amor y la humildad con la que se llegó a una solución. El problema que se menciona en este capítulo es uno de los engaños que con más facilidad se cuelan en la iglesia y por eso una buena parte del Nuevo Testamento es dedicado a la lucha contra él, alcanzando su punto culminante en la carta a los Gálatas.

El legalismo que quiere someter a cada cristiano a una eterna lucha por tratar de obedecer un número indefinido de mandamientos tiene apariencia de religión sana y es algo socialmente aceptado por la mayoría. Quienes lo practican con algo de éxito adquieren un determinado prestigio. Pero, a la forma de decirlo de Pablo, esa forma de vida no tiene "ningún valor contra la sensualidad" (Col. 2:23) y no le da la oportunidad al Espíritu Santo de hacer libremente su obra de santificación en la vida de un creyente.

Sea como fuere, este problema trajo a luz unas cuantas cosas positivas que nosotros debemos aprender de la iglesia del primer siglo. La solución no vino a consecuencia de una división en la iglesia. Los cristianos que opinaban diferente unos de otros, siguieron siendo parte del mismo cuerpo, aunque no lograran comprenderse del todo entre sí, sin crear la denominación de los "Legalistas y Judaizantes" y la de los "Cristianos que no se sujetan a la ley". Esta es una lección que no hemos aprendido aún en nuestro tiempo.

Otra cosa que se desprende de este pasaje es la fuerte influencia de la iglesia de Jerusalén y sus líderes sobre el resto de las iglesias. Los protagonistas de este primer concilio son nuestros ya conocidos Bernabé, Saulo y Pedro y es reafirmada la importancia de Jacobo, el hermano del Señor y el respeto que se le tenía en la iglesia en Jerusalén.

--------------------- *Estudio del texto básico* ---------------------

Lea su Biblia y responda

1. En dos versículos es mencionada una "grande contienda". Son el v. _____ y el v. _____.

2. Cuatro personas hablaron en el Concilio. ¿Quiénes fueron?
_____, _____, _____ y _____.

3. ¿Cuál era el motivo de la discusión? (15:1) _____
_____.

4. ¿Qué efecto produjo en los hermanos de Antioquía la carta que les enviaron desde Jerusalén? (15:31) _____
_____.

Lea su Biblia y piense

1 La iglesia de Antioquía responde a la controversia, Hechos 15:1, 2.

V. 1. *Si no os circuncidáis... no podéis ser salvos.* Estos visitantes estaban negando la salvación de los que no se habían circuncidado. Esto desanimaría a los que escuchaban que la fe en Jesucristo no era suficiente para su salvación.

V. 2. Si lo que decían estos hombres era cierto, los creyentes de cada lugar en los que Pablo y Bernabé habían predicado estaban aún sin salvación. De ahí que se produjera *una contienda y discusión no pequeña* (bien podría leerse GRANDE) *por parte de Pablo y Bernabé contra ellos.* Pablo y Bernabé reaccionaron fuertemente ante las enseñanzas de los visitantes. Es probable que citaran el Antiguo Testamento y palabras dichas por Jesús para defender su posición. *Los hermanos determinaron que ...subieran a Jerusalén.* Cuando la iglesia apenas se formaba, Bernabé fue enviado desde Jerusalén representando la autoridad de los apóstoles. Lo mejor entonces, sería que en Jerusalén fuera dada la última palabra acerca de este asunto.

2 El testimonio de Pedro, Hechos 15:7-11.

V. 7. El testimonio de lo que Dios había estado haciendo más allá de las fronteras de Jerusalén no había sido suficiente para solucionar el problema.

En lugar de eso había levantado el comentario de que todas esas personas que habían creído debían ser circuncidadas y sometidas a obedecer la ley. La persona más indicada para hablar en favor de la salvación de los gentiles era Pedro, quien repite su testimonio de cómo llevó el evangelio a los gentiles.

V. 8. *Igual que a nosotros.* Este es el argumento de Pedro. Dios tuvo el mismo trato con las personas circuncidadas que con los que no lo estaban.

V. 9. *Ya que purificó por la fe sus corazones.* La parte importante había sido realizada en los corazones de los gentiles por medio de la fe. La fe, y no las obras o los méritos, era lo que les había provisto la salvación.

V. 10. *¿Por qué ponéis a prueba a Dios?* La iglesia de Jerusalén tenía recuerdos poco gratos de esas palabras en boca de Pedro (Hech. 5:9). *¿Un yugo que ni nuestros padres ni nosotros hemos podido llevar?* El sometimiento a la ley no le había traído paz con Dios y lo único que había logrado era sentirse culpable por no poder cumplir con todos los mandatos. Esto era lo que Pablo predicaba (Hech. 13:38, 39).

V. 11. *Creemos que somos salvos por la gracia del Señor Jesús.* En esta frase está encerrada toda la sencillez y el poder del evangelio. La gracia del Señor Jesús es suficiente para nuestra salvación.

3 El testimonio de Bernabé y Pablo, Hechos 15:12.

V. 12. Bernabé y Pablo ya habían intentado relatar la conversión de los gentiles (15:4, 5). Luego de la exposición de Pedro, estuvieron dispuestos a escucharlos.

4 La decisión de la iglesia de Jerusalén, Hechos 15:23, 28-31.

V. 23. Las palabras que habló Jacobo estaban llenas de humildad, amor y la unción del Espíritu Santo. Nadie lo pudo negar. La respuesta sería enviada en una carta. Tres grupos de personas son mencionados como sus remitentes: *Los apóstoles*, "los doce", los que también tenían la tarea de la predicación en diferentes lugares; *los ancianos*, los líderes de la iglesia local, entre los que destacaban Jacobo *y los hermanos*, el resto de la congregación.

V. 28. Estaban convencidos que la solución provenía del Espíritu Santo. Ellos solamente habían estado de acuerdo con él. No les envían un reglamento acerca de la circuncisión y la celebración de las fiestas anuales, sino unas sencillas recomendaciones.

V. 29. *Que os abstengáis de cosas sacrificadas a los ídolos.* Tres de las cuatro recomendaciones tienen que ver con la dieta alimenticia. Pablo más adelante enseñaría que el problema está en la conciencia y no en el alimento en sí, pero que debían ser respetados los que no comían (1 Cor. 8). *De sangre.* Para que un judío comiera carne, el animal debía ser completamente desangrado. Lo mejor sería que al ir a la carnicería los creyentes compraran sin preguntar de dónde venía o cómo fue hecho lo que iban a comer (1 Cor. 10:25-27). *De lo estrangulado.* El problema era el mismo. Si algo había sido estrangulado, no había sido desangrado. Hasta hoy en día hay diferencias de opinión entre cristianos acerca de lo que se ha de comer o no. El centro del asunto no está en el alimento, sino en la conciencia, y eso es algo muy personal. Es más importante el corazón que el estómago (ver Mar. 7:15, 18, 19). Pablo enseña que no hay por qué discutir acerca de esto, sino amar y respetar a los hermanos (Rom. 14). *Y de fornicación.* Muchos de los cultos a dioses paganos eran acompañados de inmoralidades sexuales. Dios creó el sexo para ser desarrollado dentro del matrimonio.

Vv. 30, 31. Bernabé y Pablo volvieron a Antioquía acompañados por Judas y Silas. En la primera reunión de la iglesia en la que estuvieron fue entregada la carta. Su lectura produjo alegría y alentó a los hermanos.

Aplicaciones del estudio

1. A veces somos muy duros al expresar nuestras opiniones. Al hacerlo corremos el riesgo de herir a nuestros hermanos o llenar de dudas sus corazones. Debemos tener cuidado de que las palabras que salen de nuestros labios siempre sean positivas y edifiquen a los demás (15:1, 4).

2. Las "contiendas no pequeñas" que surgen entre los que opinan diferente, no tienen por qué terminar en división o enemistad. Estos hermanos pudieron superar sus diferencias con amor y humildad. Podemos aprender de su ejemplo. Primero, recurrieron a una autoridad que no estuviera en la discusión, y luego de ser escuchados unos y otros llegaron a una conclusión que fue aceptada y respetada (15:2, 31).

3. Dios nos llamó a la comunión con él por gracia y por la fe en su Hijo. Corremos el riesgo de llenarnos de obligaciones que sólo logran que nos sintamos culpables por no poder cumplirlas. (Hechos 15:10, 11).

Prueba

1. Anote aquí:

Lo que causó el problema _____

_____

La solución que se propuso _____

_____

2. Haga un poco de memoria. ¿Recuerda cuándo y de boca de quién escuchó por primera vez el mensaje del evangelio? Su vida sería muy diferente sin Cristo. ¿Qué hubiera sido de usted a no haber sido por él? ¿Es Jesús su Salvador? ¿Es el dueño de su vida? Cierre los ojos ahora y ore agradeciéndole. Luego, cuéntele brevemente a sus compañeros cómo lo alcanzó la gracia del Señor.

Lecturas bíblicas para el siguiente estudio

Lunes: Hechos 15:36-41   **Jueves:** Hechos 16:11-40
Martes: Hechos 16:1-5   **Viernes:** Hechos 17:1-9
Miércoles: Hechos 16:6-10   **Sábado:** Hechos 17:10-15

Unidad 6

Evangelización en Macedonia

Contexto: Hechos 15:36 a 17:15
Texto básico: Hechos 16:9, 10, 25-31; 17:2-4, 11, 12
Versículo clave: Hechos 16:10
Verdad central: El ministerio de Pablo en Macedonia ilustra que un testimonio efectivo lo logran quienes responden al llamado de Dios haciendo a un lado sus propios planes para cumplir los de Dios.
Metas de enseñanza-aprendizaje: Que el alumno demuestre su conocimiento del ministerio de Pablo en Macedonia, y su actitud de sacrificar sus propios planes misioneros en obediencia a la dirección del Espíritu Santo.

Estudio panorámico del contexto

Bernabé y Pablo habían estado muy poco tiempo en cada una de las ciudades en las que predicaron el evangelio. No podían haberles dejado algo para leer, ni siquiera una revista con estudios para la escuela dominical para seguir cada domingo. ¿Qué harían estos creyentes? ¿Habrían vuelto a sus ídolos? No. Ahora que habían creído en Jesús, sus vidas le pertenecían. Se reunían para orar y se ponían a recordar juntos las cosas que los apóstoles les habían enseñado. Tal vez fueran edificados también por la visita esporádica de algún cristiano que estaba de viaje. Lo que era seguro que habían aprendido y que no dejaban de hacer, era de hablar a otros de Jesús.

Pero los que les habían compartido las verdades del evangelio no se habían olvidado de ellos y estaban considerando que ya era tiempo de regresar. Querían ver cómo estaban, animarlos y enseñarles algunas cosas nuevas. Tal vez, podrían también visitar la provincia de Asia, que estaba al oeste de Galacia, compartiendo el evangelio. Ese era el plan *de ellos*. Pero Dios pensaba diferente.

Pablo salió con Silas de Antioquía por tierra hacia el norte, probablemente visitando la ciudad de Tarso, de donde era natural el Apóstol. De allí fueron hacia el oeste hasta Derbe y luego al norte, alentando a los hermanos en Listra e Iconio. Quisieron, entonces, conforme a sus planes predicar en Asia, hacia el oeste, pero les fue prohibido por el Espíritu. Viajaron entonces hacia el norte, pensando en ir hacia la provincia de Bitinia, pero tampoco allí los llevaban los planes de Dios. Recorrieron entonces la distancia que los separaba hasta la costa, hacia el oeste, y llegaron a la ciudad de Troas. Fue entonces cuando vino la revelación en sueños y cruzaron el Mar Egeo por barco para llegar a la provincia de Macedonia, que quedaba exactamente al norte de Grecia. Desembarcaron en el puerto de Neápolis y de allí fueron a

Filipos, que estaba a unos 15 kms. del puerto. Luego de sus experiencias en esta ciudad, fueron hacia el suroeste, pasando por las ciudades de Anfípolis y Apolonia, sin quedarse en ellas, para luego llegar a Tesalónica, que era un puerto. Siendo acusados de "trastornar el mundo", tuvieron que abandonar también ese lugar, viajando hacia el oeste unos 85 kms. hasta Berea, cerca del límite de la provincia de Macedonia con la de Acaya. Hasta allí estudiaremos.

────────────── **Estudio del texto básico** ──────────────

Lea su Biblia y responda

1. ¿Por qué viajaron los discípulos a Macedonia? (16:9, 10)

_____

2. Ponga un número para ordenar cada frase.
   ( ) Hubo un gran terremoto.
   ( ) Pablo soñó con un hombre de Macedonia.
   ( ) El carcelero se iba a quitar la vida.
   ( ) Pablo y Silas, presos en Filipos, cantaban.
   ( ) Los judíos de Berea estudiaban para saber si creer.
   ( ) Pablo predicó en Tesalónica que Jesús es el Cristo.

3. De los eventos sucedidos en la cárcel de Filipos (16:25-31), anote aquí: Lo que hicieron los discípulos _____
Lo que hizo Dios _____
Lo que hizo el carcelero _____

4. ¿Qué diferencia había entre los judíos de Tesalónica y los de Berea? (17:11). _____

Lea su Biblia y piense

1 Pablo pasa a Macedonia, Hechos 16:9, 10.

V. 9. Los planes eran ir a predicar a la provincia de Asia, pero el Espíritu Santo lo impidió. Pensaron entonces que lo mejor era ir a Bitinia, pero tampoco los dejó el Espíritu. La dirección de Dios vino en este sueño que tuvo Pablo. *"¡Pasa a Macedonia y ayúdanos!"* Este era un clamor que no sólo tenía la intención de indicarles a los discípulos a qué lugar debían ir, sino también de moverlos a amar a los habitantes de esa región, que necesitaban la "ayuda" del evangelio de Jesús.

V. 10. Decidieron obedecer de inmediato sin dudar. No se sabe desde dónde, pero Lucas ya está con los otros discípulos en esta decisión.

2 Ministerio de Pablo en Filipos, Hechos 16:25-31.

V. 25. Una vez en Macedonia, la primera ciudad en la que predicaron el evangelio fue Filipos. Lidia creyó en Jesús y hospedó a los discípulos. Luego de repetidas molestias por parte de un espíritu de adivinación que habitaba en una muchacha, Pablo lo expulsó de ella, ganándose la enemistad de los que se aprovechaban de su condición para sacar dinero. Pablo y Silas terminaron siendo azotados, encarcelados y con sus pies en el cepo. Después de un día agotador, lleno de oposición, contratiempos y sufrimientos, *como a la medianoche, Pablo y Silas estaban orando y cantando himnos a Dios.* No es la reacción de seres humanos comunes, sino la de hijos de Dios. En lugar de llanto y amargos lamentos, de la boca de estos hombres salían alabanzas. Sabían que Jesús estaba con ellos también en estas difíciles circunstancias. *Y los presos escuchaban.* Claro que los discípulos no lo hacían con este propósito, pero los demás cautivos descubrirían con sorpresa cómo estos hombres reaccionaban de una manera diferente en la prisión. No lo dice aquí, pero es probable que el carcelero también los oyera.

V. 26. Dios responde con amor a la alabanza y fidelidad de sus siervos. Un terremoto normal destruiría los techos de la cárcel sobre los presos. Este, por ser provisión divina, rompió las cadenas y abrió las puertas.

V. 27. Cuando Dios le dio la libertad a Pedro, sus carceleros fueron condenados a muerte (Hech. 12:19). Lo mismo le esperaba a éste si los presos hubieran escapado.

V. 28. Los presos podrían haber huido. Pero estaban allí, casi con seguridad, gracias a la intervención de Pablo y Silas. No sería extraño que se hubieran quedado escuchando la predicación del evangelio.

V. 29. Su reacción inmediata no fue la de abrazar a todos los presos y agradecerles. Sabía que estos presos "diferentes" (o su Dios) eran la causa de que los otros no huyeran.

V. 30. "Gracias, me han salvado la vida." Hubiera sido la frase que podía esperarse. Sin embargo, este hombre preguntó acerca de su salvación. Las oraciones y los cantos habían producido un efecto que se manifiesta ahora. Es la segunda vez que es hecha esta pregunta en el libro de Los Hechos (Hech. 2:37).

V. 31. La respuesta fue sencilla y directa. La salvación proviene de Jesús, y se obtiene por la fe. Los de su casa se salvarían siempre y cuando ellos también creyeran en Jesús.

3 Pablo y Silas en Tesalónica, Hechos 17:2-4.

V. 2. Luego de salir de la cárcel, viajaron a Tesalónica. En esta ciudad sí había sinagoga, y ellos, como lo habían hecho en otras ciudades, discutían con los judíos.

V. 3. Pablo abría un pasaje del Antiguo Testamento tras otro, dejando en claro cómo la cruz del Calvario era el cumplimiento de las profecías acerca del Salvador. Relacionaba cada pasaje de las Escrituras con los relatos de la vida, crucifixión y resurrección de Jesús dejando en claro que él era el ungido de Dios.

V. 4. Como en la mayoría de los lugares, se convirtieron más gentiles que judíos.

4 Pablo y Silas en Berea, Hechos 17:11, 12.

V. 11. Luego de los problemas en Tesalónica, viajaron a Berea, donde otra vez se acercaron a los judíos primero. Estos reaccionaban de una manera más positiva frente a las enseñanzas de los apóstoles *pues recibieron la palabra ávidamente.* En lugar de rechazar inmediatamente lo que se les enseñaba, escucharon con atención, con "hambre". *Escudriñando cada día las Escrituras.* No iban a negar ciegamente todo lo que les decían. La palabra de Dios era su punto de referencia. En ella descubrirían que lo que les decía Pablo era cierto.

V. 12. *Creyeron muchos de ellos.* Al descubrir todo esto, sólo tenían que creer en Jesús. Un buen número lo hizo.

Aplicaciones del estudio

1. El tener planes definidos y saber lo que se quiere hacer y cómo hacerlo, es algo bueno. El Espíritu Santo, que siempre está con nosotros, querrá impedirnos una decisión equivocada, alentarnos hacia un buen camino, o mostrarnos la mejor opción (16:6-9).

2. Debemos revisar cómo reaccionamos y qué palabras decimos frente a las cosas aparentemente negativas que nos suceden. Pocos de nosotros hemos sufrido azotes y prisión por causa del evangelio. Sin embargo, habiendo sufrido mucho menos, nos consideramos desgraciados, nos quejamos, nos preguntamos por qué nos pasa eso y dónde está Dios. Debemos aprender de estos valientes hombres de Dios que con sus espaldas en carne viva y con sus pies en el cepo, no dejaban dormir a los demás con sus oraciones y alabanzas a Dios. Cuando eso suceda, los demás querrán oír nuestro testimonio (16:25).

Prueba

1. Responda. ¿Por qué viajó Pablo a Macedonia? _____

_____

¿Qué sucedió en Filipos? _____

_____

¿Qué hizo Pablo en Tesalónica? _____

_____

2. ¿Qué es lo que tiene pensado hacer hoy? Y, ¿cuáles son sus planes para mañana? Deténgase por un momento para orar acerca de lo que va a hacer. ¿No querrá el Espíritu Santo que usted haga alguna otra cosa? El Espíritu de Dios es un amigo que nunca se separa de usted, y quiere comunicarse con usted para guiarle. Dele la oportunidad. No se arrepentirá.

Lecturas bíblicas para el siguiente estudio

Lunes: Hechos 17:16, 17   **Jueves:** Hechos 18:1-4
Martes: Hechos 17:18-28   **Viernes:** Hechos 18:5-17
Miércoles: Hechos 17:29-34   **Sábado:** Hechos 18:18-22

Unidad 6

Evangelización en Acaya

Contexto: Hechos 17:16 a 18:22
Texto básico: Hechos 17:22, 23, 29-34a; 18:5-10
Versículo clave: Hechos 17:30
Verdad central: El ministerio de Pablo en Acaya enfatiza que los creyentes deben ser fieles en su tarea a pesar de los resultados aparentemente mínimos.
Metas de enseñanza-aprendizaje: Que el alumno demuestre su conocimiento del ministerio de Pablo en Acaya, y su actitud de persistencia en predicar el mensaje de salvación a pesar de la incredulidad de algunos.

────────── *Estudio panorámico del contexto* ──────────

Pablo, Silas, Timoteo y Lucas, estaban aún en pleno viaje. Hasta ahora, cada ciudad visitada había significado la conversión de un buen número de hombres y mujeres al evangelio de nuestro Señor, así como también unos cuantos alborotos y contratiempos, un promedio de uno por ciudad. A pesar de eso, estos incansables predicadores no se habían desanimado y seguirían adelante con su tarea.

Al norte de la provincia de Macedonia, estaba Acaya. Era y es un pedazo recortado de tierra rodeado por numerosas islas, pequeñas y grandes. Hoy conocemos ese territorio con el nombre de Grecia. Este lugar es conocido como la cuna de la civilización occidental. Las formas de arte que hasta hoy nos gustan, tuvieron su origen en Acaya. Los grandes filósofos de Grecia dejaron una influencia que hasta hoy permanece en el pensamiento de la mayoría de las personas. Antes del surgimiento del imperio romano, tuvo grandes conquistas y ganó muchas batallas. Y, fue en este lugar en el que surgió el primer estado democrático de la historia.

El imperio romano tenía el control político y militar de gran parte del mundo conocido. Sin embargo, el dominio cultural lo tenía Grecia. El idioma que más se había difundido en esta época era el griego y las obras griegas eran conocidas y leídas por todas partes. Esto dio lugar a que el evangelio tuviera menos barreras idiomáticas que atravesar y pudiera llegar fácilmente a muchos lugares. El Nuevo Testamento, fue escrito en griego. Sin lugar a dudas, Acaya era un lugar con historia e importancia.

Hacia allí se dirigirían los discípulos (primero sólo Pablo, luego lo alcanzarían los otros) luego de la predicación en Berea. Encontrarían ciudades en las que habría más dioses que habitantes, hombres y mujeres deseosos de escuchar cosas nuevas y una gran corrupción moral en todos los aspectos. Para llegar a Atenas, tuvieron que viajar cuatro días en barco hacia el sur. De allí viajarían también por barco a Corinto que no estaba muy lejos, hacia el oeste. En medio de burlas y oposición, estos creyentes nos dan testimonio de que Dios no desampara a los que se consagran de todo corazón a hacer su voluntad y su obra.

─────────── *Estudio del texto básico* ───────────

Lea su Biblia y responda

1. Marque con una A las cosas que sucedieron en Atenas y con una C las que sucedieron en Corinto.
   (   ) Silas y Timoteo llegaron de Macedonia.
   (   ) Pablo predicó en el Areópago.
   (   ) La gente se burló de Pablo.
   (   ) Dios le dijo a Pablo: "No temas."
   (   ) Pablo se sacudió la ropa.

2. Comparando la predicación en las dos ciudades, ¿en cuál de ellas se convirtieron más personas? (17:34; 18:8) _____

3. ¿De qué parte del mensaje se burlaban los hombres de Atenas? (17:32)___
_____

4. ¿Cuánto tiempo pasó Pablo en Corinto? (18:11)_____

Lea su Biblia y piense

1 El discurso de Pablo ante los filósofos, Hechos 17:22, 23, 29-31.

Algunos llevaron a Pablo hasta Atenas, mientras el resto de los hermanos se quedaba. Mientras los esperaba, viendo la idolatría que abundaba en la ciudad, no pudo evitar ponerse a predicar. Los atenienses, deseosos de escuchar una nueva filosofía o doctrina, lo llevaron al Areópago (el tribunal) para escucharle con comodidad.

V. 22. Para comunicar el evangelio con eficacia es bueno observar cuáles son las cosas que le importan a las personas que escuchan. Pablo observó que lo que más abundaba en la ciudad eran dioses e imágenes, de manera que comenzó su predicación desde ese punto.

V. 23. Los griegos vivían bajo el temor de que hubiera algún dios que se ofendiera por el hecho de que los humanos no lo adoraran, trayendo destrucción y desgracia sobre ellos. Así que además de los muchos altares con nombre que tenían, agregaron este *AL DIOS NO CONOCIDO.* Había un Dios que Pablo quería que dejara de ser desconocido para ellos.

V. 29. Pablo era un hombre que había leído mucho. En su mensaje, citó frases de poetas griegos. Si los seres humanos se movían dentro de Dios y eran "descendientes" de él, Dios no se parecía a las estatuas que ellos tenían.

V. 30. Hubo un tiempo en el que Dios soportó que los hombres lo ignoraran, pero ese tiempo se había terminado. *En este tiempo manda a todos los hombres, en todos los lugares...* Aquí hay algo que Pablo había aprendido muy bien: el mensaje de salvación era para todos. Este llamamiento era también para estos griegos idólatras. *Que se arrepientan.* Introduce de esta manera el asunto de los pecados. El mensaje no cambiaba, sin importar cuál fuera el lugar en el que era predicado (ver Hech. 2:38).

V. 31. El motivo por el que los hombres tenían que arrepentirse era que iba a haber un juicio en el que Dios pesaría las obras de cada uno. Ese juicio sería realizado *por medio del Hombre* a quien ha designado: Jesucristo. Para Pablo y para todos los que habían creído en Jesús hasta ahora, la resurrección había sido un motivo para creer, algo que llenaba de fe sus corazones, algo que alentaba la seguridad de la esperanza que era depositada en Dios.

2 Las diferentes respuestas al discurso de Pablo, Hechos 17:32-34a.

V. 32. Hasta allí escucharon. La resurrección de Jesús era para la mayoría algo tan alejado de la realidad que no valía la pena escucharlo. Para su opinión, si Pablo creía eso, debía ser un tonto o ingenuo.

V. 33. Viendo la poca aceptación que tenían sus palabras, el Apóstol consideró que sería inútil seguir hablándoles. Era preferible dedicar su tiempo a los que quisieran creer.

V. 34a. No todos habían tenido una reacción negativa. No eran muchos, pero eran nombres que habían sido anotados en el libro de la vida. Esto era un cambio con respecto a los demás lugares, en los que los que creían eran muchos.

3 El ministerio de Pablo en Corinto, Hechos 18:5-10.

Pablo viajó a Corinto, donde se encontró con Aquilas y Priscila, y se asoció con ellos en la tarea de fabricar carpas, lo que le proveería el sustento necesario para vivir.

V. 5. Cuando sus compañeros de viaje llegaron, ya estaba en contacto con los judíos del lugar, testificándoles *que Jesús era el Cristo*, como lo hacía en otros lugares.

V. 6. Dado que éstos le rechazaban, no valía la pena dedicarles más tiempo. Así como lo hizo en Antioquía de Pisidia (Hech. 13:46), los declaró responsables de rechazar la palabra de Dios y les anunció que los gentiles serían sus próximos oyentes.

V. 7. En realidad, se fue muy cerca, a casa de un simpatizante del judaísmo, junto a la sinagoga.

V. 8. *Crispo* fue uno de los pocos judíos, si no es que el único en creer, siendo uno de los principales. Fue quitado de su cargo, ya que más adelante se habla de otro "principal de la sinagoga" (18:17). Aunque no en todas las ocasiones es mencionado, el bautismo seguía siendo el paso siguiente a la declaración de fe. A diferencia de lo sucedido en Atenas, los que creían eran muchos de los corintios.

V. 9. *No temas.* Es muy probable que los judíos que no habían creído estuvieran muy descontentos con el progreso del evangelio, y tal vez hubieran hecho comentarios o proferido amenazas contra Pablo. Luego de sus experiencias en Listra y Filipos, puede ser que Pablo tuviera temor y estuviera planeando abandonar pronto la ciudad. Esos no eran los planes de Dios, quien iba a alentar al Apóstol con estas palabras. Si Dios dijo esto era porque Pablo lo necesitaba.

V. 10. Dios trataba específicamente con los temores de Pablo. Nadie le pondría la mano encima. *"Porque yo tengo mucho pueblo en esta ciudad."* Los planes de Dios para la ciudad de Corinto incluían que Pablo se quedara allí un tiempo más. Había más gente que debería escuchar el mensaje de salvación de boca del Apóstol y creería en él. A pesar de que Dios ya sabía quiénes iban a creer, cada uno decidiría.

––––––––––––––– *Aplicaciones del estudio* –––––––––––––––

1. No debemos ignorar las cosas que son importantes para los que nos rodean. En lugar de atacar a una persona porque cree en algo que no le proporciona salvación, podemos aprovechar su búsqueda religiosa para llevarla a Jesucristo. Lo mismo puede pasar con otros intereses o gustos de la gente. Cada conversación nos puede servir para presentar al Dios nuestro, que los demás no conocen (17:22, 23).

2. Sin un arrepentimiento sincero, aunque haya apariencia de religiosidad, no hay vida eterna. No podemos ofrecerle a nadie el evangelio de un Dios de amor que es ciego ante los pecados, negando así su propia justicia. Es cierto que Dios ayuda, bendice y responde a la oración. Pero la comunión con él viene a través del arrepentimiento y la fe en Jesús (17:30).

––––––––––––––– *Prueba* –––––––––––––––

1. En Acaya, Pablo predicó en dos ciudades: _____ y _____. En la primera no había judíos. Anote aquí cómo reaccionó la gente _____.
En la segunda, ¿cómo reaccionaron los judíos? _____.
¿Y los demás? _____.
2. ¿Conoce usted lo que es el desánimo? Tal vez hayan sido ya varias las oportunidades en las que se desanimó y sintió la tentación de no seguir adelante. En esas ocasiones usted piensa que Dios se olvidó de usted o que está muy lejos. Usted ya no quiere volver a ser herido. Seguramente Pablo pensó así. Hoy Dios se acerca para decirle: "No temas..." ¿No lo escucha? Cierre los ojos y abra su corazón. El está allí.

Lecturas bíblicas para el siguiente estudio

Lunes: Hechos 18:23-28	**Jueves:** Hechos 19:12-20
Martes: Hechos 19:1-7	**Viernes:** Hechos 19:21-34
Miércoles: Hechos 19:8-11	**Sábado:** Hechos 19:35-41

Unidad 6

Evangelización en Efeso

Contexto: Hechos 18:23 a 19:41
Texto básico: Hechos 18:24 a 19:12, 20
Versículo clave: Hechos 19:20
Verdad central: El ministerio de Pablo, Aquilas y Priscila al enseñar a los nuevos creyentes demuestra que la instrucción es importante para la madurez de los creyentes.
Metas de enseñanza-aprendizaje: Que el alumno demuestre su conocimiento del ministerio de Pablo, Aquilas y Priscila en Efeso, y su actitud de asignar valor a su participación en la tarea educativa de los nuevos creyentes.

―――――――― *Estudio panorámico del contexto* ――――――――

A esta altura del libro de Hechos, Lucas ya no se dedica a contar paso a paso lo que sucede en cada lugar que Pablo visitó, sino que ahora se conforma con relatar las situaciones destacables. En nuestro último estudio vimos el desarrollo del ministerio de Pablo primero en Atenas y luego en Corinto. Fue allí donde tuvo oportunidad de conocer a Aquilas y Priscila, quienes se convirtieron en sus amigos personales. Al salir de la ciudad, lo hizo acompañado por ellos, con la intención de llegar a Siria. Pero hubo algo que impidió que ellos completaran el viaje con él: la ciudad de Efeso.

Efeso era un lugar muy importante por su comercio y también por su religión. Cerca de la ciudad había un templo considerado como una de las siete maravillas del mundo, dedicado a la diosa pagana Diana, en cuyos cultos se practicaba la inmoralidad sexual. Cualquier visitante o turista que llegara a la ciudad, podía salir de ella con una miniatura del templo de Diana hecho en plata como recuerdo.

Lo sucedido con la ciudad de Efeso es una interesante demostración de lo importante que es someterse a Dios, no sólo en hacer lo que él quiere, sino también cuando él quiere. En el capítulo 16 los apóstoles, habiendo comenzado su segundo viaje, tenían planeado dar testimonio en la provincia de Asia. Efeso era su principal ciudad, ubicada en la costa occidental, sobre el mar Egeo. Si los discípulos querían difundir el evangelio en Asia, el mejor lugar para hacerlo era esta ciudad. Pero les fue prohibido por el Espíritu Santo. Aunque nadie podría decir que el plan de los apóstoles era malo, Dios tenía otros propósitos diferentes y mejores para aquel momento. Es mejor no imaginarnos lo que podría haber pasado si los discípulos hubieran desobedecido a la voz de Dios. Viajando con Aquilas y Priscila de regreso de ese segundo viaje, Pablo hizo escala en Efeso. Entró en la sinagoga y expuso las verdades del evangelio. Los que lo escucharon le pedían que se quedara por más tiempo, pero él estaba seguro de que debía completar su viaje. Aquilas y Priscila se quedaron allí, mientras Pablo se despedía diciendo que volvería "si Dios quiere" (Hech. 18:21). Evidentemente, había aprendido que Dios podía tener planes diferentes de los suyos. Pero al emprender su tercer viaje, el Espíritu lo guiaría directamente hacia Efeso. El tiempo había llegado.

──────────── *Estudio del texto básico* ────────────

Lea su Biblia y responda

1. Anote aquí tres características de Apolos (18:24-26) _____

_____

2. ¿En qué dos lugares estuvo Apolos? (18:24; 19:1).

_____

3. Ponga un número junto a cada frase para ordenar estos acontecimientos (18:24-19:9).
   (   ) Pablo habló de Jesús a los hombres en Efeso.
   (   ) Los judíos hablaban mal del Camino.
   (   ) Apolos llegó a Efeso.
   (   ) Pablo se fue a enseñar en la escuela de Tirano.
   (   ) Aquilas y Priscila le enseñaron a Apolos acerca de Jesús.
   (   ) Pablo encontró a unos discípulos que no sabían que había Espíritu Santo.
   (   ) Apolos se fue para Corinto.
   (   ) Pablo llegó a Efeso.

4. ¿Qué hacía Dios mientras Pablo predicaba? (19:11) _____

_____.

Lea su Biblia y piense

1 Aquilas y Priscila enseñan a Apolos, Hechos 18:24-28.

V. 24. Mientras Pablo salía en su tercer viaje misionero, un elocuente predicador llegó a Efeso. Hablaba con convicción y citaba las Escrituras para confirmar lo que decía.

V. 25. *Había sido instruido en el Camino del Señor... enseñaba con exactitud las cosas acerca de Jesús.* Alguien que había sido tocado de cerca por el ministerio terrenal del Señor le habló de él. Pero es evidente que la persona que lo hizo no conocía toda la historia, tal vez por haber abandonado Palestina antes de la crucifixión y resurrección de Jesús, ya que Apolos *conocía solamente el bautismo de Juan.*

V. 26. *Comenzó a predicar con valentía en la sinagoga.* Apolos había encontrado al Cristo, el Salvador prometido por Dios, y trataba de demostrarlo a los judíos. Priscila y Aquilas notaron de inmediato sus carencias y, sin perder el tiempo, le hicieron conocer todo el evangelio. Sería interesante tener una filmación de las entrevistas entre ellos y observar las expresiones de Apolos ("¡¿Cómo?!" "¿Hay más?" "¡Crucificado!" "¿El Espíritu Santo?"). Estas enseñanzas deben haber producido sorpresa y gran gozo en su vida. Si hasta aquí Apolos había sido elocuente y fogoso, ahora lo sería aún más.

Vv. 27, 28. Abandonó Efeso siendo un hombre nuevo. Los resultados de su presencia en Corinto son evidentes en la carta que Pablo enviaría después a esa iglesia.

2 Pablo enseña a unos discípulos de Juan, Hechos 19:1-7.

V. 1. Pablo llega a Efeso y encuentra a *ciertos discípulos*. En cuanto a ellos, hay dos opciones: 1) Que fueran discípulos de Juan el Bautista recién llegados, o 2) Que hubieran sido persuadidos por la predicación de Apolos. Si se tratara de esto último, este relato nos aclararía un poco más cuál era la doctrina que Apolos predicaba.

V. 2. *-¿Recibisteis el Espíritu Santo?* No sabemos cuáles fueron los preliminares de esta conversación. Por la pregunta de Pablo, ya sabía que estas personas habían creído pero notaba que les faltaba algo. No les hace un examen de doctrina, sino que les pregunta en cuanto a su experiencia. No sólo no habían experimentado nada, sino que ni siquiera sabían acerca de "la promesa del Padre" (Hech. 1:4, 5).

V. 3. Haciendo las preguntas correctas, Pablo llega hasta la raíz del problema. Pero, si estos eran discípulos de Juan, ¿por qué no sabían nada del Espíritu Santo, siendo que Juan el Bautista hablaba de él (Juan 1:32, 33)?

Vv. 4, 5. La enseñanza suplió las carencias. Creyeron y manifestaron su fe por medio del bautismo.

Vv. 6, 7. La próxima vez que les preguntaran si habían recibido el Espíritu Santo, dirían con toda propiedad que sí. La unción de Dios se manifiesta en ellos en forma evidente, de la misma manera que sobre los primeros discípulos (Hech. 2:4; ver Joel 2:28).

3 Pablo enseña en la escuela de Tirano, Hechos 19:8-12, 20.

V. 8. Los judíos de la sinagoga de Efeso deben haber sido de los que más oportunidades tuvieron de creer en Jesús. Pablo la visitó. Al irse él, quedaron Priscila y Aquilas. Estando todavía ellos, oyeron la predicación de Apolos. Finalmente, Pablo les dedicaría tres meses más de predicación.

Vv. 9, 10. Así como sucedió en otros lugares, ante el endurecimiento de los judíos, Pablo se retira a otro lugar con los que creyeron. El tiempo dedicado y la importancia de Efeso, dieron lugar a una gran difusión del evangelio.

Vv. 11, 12. Dios acompañaba y confirmaba el testimonio de los discípulos (ver Heb. 2:4). El autor de los milagros era Dios, aunque éstos eran hechos por mano de Pablo. Como en todas partes, la presencia de estas manifestaciones del poder de Dios atraen a mucha gente y despiertan su fe. Cualquier trozo de tela que hubiera tocado el cuerpo del Apóstol era objeto de la fe de las personas, y conforme a la fe de ellos sanaba a los enfermos (ver Mat. 9:29). Esto es diferente de la práctica ocultista en la que las prendas de los enfermos son consagradas a santos o espíritus y luego son llevadas a ellos. Estas sanidades nada tienen que ver con la magia. Esta clase de manifestaciones pueden verse también en los ministerios de Jesús (Luc. 8:44) y Pedro (Hech. 5:15).

V. 20. Desde la ciudad de Efeso, punto estratégico de la provincia de Asia, los que creían en Jesucristo se multiplicaban cada día. Es probable que en este tiempo fueran establecidas también las iglesias de Hierápolis, Colosas y Laodicea.

Aplicaciones del estudio

1. ¿Cuál es nuestra actitud hacia los nuevos creyentes o hacia los que saben menos que nosotros de la Palabra de Dios? Priscila y Aquilas podían haber criticado o ridiculizado públicamente a Apolos, pero no lo hicieron. Se acercaron a él en privado para enseñarle lo que ellos sabían y él no. Lo que hemos aprendido del Señor no es para enorgullecernos, sino para aplicarlo y compartirlo con otros (18:26).

2. Cuando alguien le entrega su vida al Señor Jesucristo, es muy posible que lo quiera compartir con otros. En lugar de decirle que no lo haga, debemos enseñarle con claridad el evangelio para que lo pueda hacer con propiedad (18:24-28).

3. Cuando el Espíritu Santo está en la vida de una persona, su presencia es evidente. Es cierto que no en todas las personas produce las mismas manifestaciones, pero siempre hay alguna manera en la que demuestra que está allí (19:2, 6).

Prueba

1. Efeso parece haber sido un lugar de enseñanza del evangelio. Aquilas y Priscila le enseñaron a _____. ¿Por qué le tuvieron que enseñar?____
_____.

Pablo también enseñó a personas que tenían un conocimiento parcial del evangelio. ¿Cuántas personas eran? _____.
¿Qué les enseñó? _____
_____.

2. Piense en las personas que asisten a la misma iglesia que usted. ¿Hay algunos que saben de la Biblia menos que usted? ¿Hay nuevos creyentes? Elija en oración a uno de ellos, y propóngase enseñarle todo lo que usted sabe de la Biblia y de la vida cristiana. Acérquese a su pastor y dígale que lo hará. Dios mismo le capacitará para hacerlo.

Lecturas bíblicas para el siguiente estudio

Lunes: Hechos 20:1-6
Martes: Hechos 20:7-12
Miércoles: Hechos 20:13-38

Jueves: Hechos 21:1-6
Viernes: Hechos 21:7-14
Sábado: Hechos 21:15, 16

Unidad 6

Pablo vuelve a Jerusalén

Contexto: Hechos 20:1 a 21:16
Texto básico: Hechos 20:18-22, 28-30; 21:8-14
Versículo clave: Hechos 20:28
Verdad central: La obediencia a la voluntad de Dios como lo más importante en nuestra vida afecta nuestros valores y metas.
Metas de enseñanza-aprendizaje: Que el alumno demuestre su conocimiento de los eventos ocurridos durante el viaje de Pablo a Jerusalén, y su actitud de desear hacer la voluntad de Dios.

Estudio panorámico del contexto

El prolongado ministerio del apóstol Pablo en la ciudad de Efeso había producido abundante fruto. Cuando él saliera, varias iglesias fuertes quedarían en la provincia de Asia. Los pastores y líderes ya estarían en condiciones de continuar con el ministerio. Y luego del último alboroto con los artesanos que fabricaban las miniaturas en plata del templo de Diana, Pablo supo que era tiempo de partir. Así que, luego de animar a los hermanos, viajó hacia Macedonia y Grecia, donde dedicó unos tres meses a la enseñanza y la predicación en las iglesias que ya habían sido establecidas.

Pero Pablo no viajaba solo. Al salir de Grecia ya eran ocho (contando a Lucas) las personas que lo acompañaban. Es probable que durante su estadía en Efeso algunos vinieran a él desde otras provincias y ciudades para ser educados en cuanto a las enseñanzas del evangelio. Puede ser también que, así como sucedió con Timoteo, Pablo viera en algunos el potencial para ser futuros líderes y los invitara a acompañarle. Mientras atravesaba Macedonia, algunos pueden haber decidido acompañarle. Lo cierto es que desde Grecia en adelante Pablo viajaba con un pequeño ejército de siervos del Señor de diferentes nacionalidades.

En su visita a Troas, hay una demostración de lo largo que puede resultar un culto con Pablo como predicador. Eutico, uno de los oyentes del sermón previo a la cena del Señor, se quedó dormido en la predicación y cayó de un tercer piso en el que estaban reunidos, perdiendo la vida. Pero eso no sería impedimento para el Apóstol, que luego de resucitarlo y celebrar la Cena, continuó enseñando hasta el amanecer.

Pero había algo en este viaje que lo hacía diferente de todos los demás. Un ambiente de despedida podía percibirse en cada lugar por el que pasaban. El Espíritu Santo estaba preparando a Pablo para los dolorosos acontecimientos que iba a vivir en Jerusalén y de allí en adelante. Todos trataban de recordarle que podía tener la opción de cambiar de rumbo y evitar ir a un lugar en el que sufriría. Pero Pablo sabía que su decisión ya estaba tomada hacía mucho tiempo, y era hacer la voluntad de Dios, costara lo que costara. De eso trata el relato que estudiaremos esta ocasión.

───────────── *Estudio del texto básico* ─────────────

Lea su Biblia y responda

1. Anote aquí tres características del ministerio de Pablo en Asia (20:19-21)
_____
_____

2. ¿Era fácil ser apóstol? (20:19) _____ ¿Por qué?_____
_____.

3. ¿Cuáles eran los dos aspectos del evangelio que Pablo predicaba? (20:21)
   a) _____.
   b) _____.

4. Lea 21:8-14. Luego escriba F junto a las frases falsas y V junto a las verdaderas.

( ) Pablo se quedó en la casa de Felipe el apóstol.
( ) Felipe tenía cuatro hijas solteras.
( ) Las hijas de Felipe profetizaban.
( ) Agabo era un profeta que llegó de Cesarea.
( ) Agabo se ató manos y pies con el cinto de Pablo.
( ) Los compañeros le rogaron que no fuera a Jerusalén.
( ) Pablo dijo que estaba listo para ser atado, pero no para morir.

Lea su Biblia y piense

1 Pablo afirma su dedicación a la voluntad de Dios, Hechos 20:18-22.

En su viaje a Jerusalén, Pablo pasó por Mileto, un puerto a unos pocos kilómetros de Efeso. Desde allí, mandó llamar a los pastores de la iglesia. A ellos les dirige estas palabras.

V. 18. Para comenzar, hace una pequeña descripción de su ministerio. Debe haber sido agradable escuchar hablar así a un líder de la importancia de Pablo, sabiendo que no se estaba enorgulleciendo sin justificación.

V. 19. *Sirviendo al Señor con toda humildad.* Esta es una de las características del servicio verdadero a Dios. Pablo actuaba sin buscar la aprobación de los demás, la fama o el aplauso. *Y con muchas lágrimas y pruebas...* "¿El apóstol Pablo llorando?" Sí, Pablo lloraba y sufría. Uno se puede formar un concepto equivocado de los líderes, llegando a pensar que son inmunes al dolor. Aunque uno los ve ayudando a todos y enseñando siempre, también tienen sus luchas.

V. 20. Se había dedicado con fidelidad a predicar y a enseñar sin restricciones. Esta tarea era realizada en lugares públicos o al aire libre, *y de casa en casa.*

V. 21. Los dos aspectos que no pueden faltar en la predicación del evangelio: *arrepentimiento para con Dios*, esto incluye el asunto del pecado que separa de Dios; y la fe en nuestro Señor Jesucristo. Sin Jesús, el reconocimiento de los pecados y el arrepentimiento producen dolor, pero no vida.

V. 22. El Apóstol se sentía *con el espíritu encadenado*. Estaba hablando ahora de su viaje a Jerusalén. ¿Qué habrá querido decir con esta declaración? Puede ser que estuviera hablando de un extraño presentimiento en su interior, provocado por el Espíritu Santo. De lo que estaba seguro, era de que nunca más iba a volver a ver a estos amados hermanos (20:25).

2 Pablo anima a los obreros a cumplir la voluntad de Dios, Hechos 20:28-30.

V. 28. Pablo está hablando con pastores, recordándoles su responsabilidad. Ser pastor puede ser algo muy hermoso, pero implica una gran responsabilidad. *Tened cuidado por vosotros mismos.* Este consejo es muy significativo. Antes de hablar de la iglesia, Pablo los anima al cuidado personal. Sin un atento cuidado de la vida personal cualquier obra será destructiva en la iglesia. *El Espíritu Santo os ha puesto.* En caso de que llegaran a ser obispos, habría sido obra del Espíritu. La tarea involucraba esa responsabilidad. *La cual adquirió para sí mediante su propia sangre.* Algo de tanto valor no podía ser descuidado en ningún sentido, sino que debía ser tratado con el mayor cuidado.

V. 29. La voz del Apóstol debía denotar dolor, y también muchísimo amor por las ovejas del rebaño del Señor. Los *lobos rapaces* traerían enseñanzas que podrían desviar a las tiernas ovejas del camino del Buen Pastor y, si fuera posible, las llevarían a la muerte.

V. 30. ¿Estaría llorando mientras decía esto? Se estaba refiriendo a las mismas enseñanzas torcidas de las que habló en el versículo anterior.

3 Pablo establece sus prioridades a la luz de la voluntad de Dios, Hechos 21:8-14.

Terminada la despedida de los efesios, el viaje continuó. Al llegar a Siria, se dirigieron hacia Cesarea.

V. 8. *Felipe el evangelista.* Ya no era "Felipe el diácono" (Hech. 6:5). Ahora era reconocido por el don de evangelismo que nadie podía negar que Dios le había dado.

V. 9. La mención al ministerio de las hijas de Felipe es un apoyo para el ministerio de las mujeres en la iglesia. El Espíritu Santo les había conferido un don, así como a cada uno en la iglesia (1 Cor. 12:7) y conforme a él ministraban.

V. 10. Al parecer, el ministerio de profetas itinerantes no era extraño en aquella época (Hech. 11:27, 28).

V. 11. Así como lo hacían los profetas del Antiguo Testamento (como por ejemplo Ezequiel), Agabo se comunica por medio de un acto simbólico. La profecía involucraba a dos grupos de personas: los judíos, quienes lo atarían, y los gentiles, a quienes sería entregado.

V. 12. Esta escena parece una repetición de algo sucedido en el ministerio del Señor Jesús. Cuando fue conocido lo que sucedería al llegar a Jerusalén, alguien trató de convencerlo de que no fuera allí (Mat. 16:21, 22).

V. 13. La pregunta es hecha en tono de reproche. No ganaban nada con producirle más dolor. Lo que ya había vivido le había enseñado a estar comprometido con la voluntad del Señor hasta las últimas consecuencias.

V. 14. Es en este punto en el que estarían todos de acuerdo. En el sometimiento a la voluntad de Dios está la vida y la victoria.

Aplicaciones del estudio

1. Si alguien quiere servir al Señor, debe armarse de humildad. Los líderes corren el riesgo de ser dominados por el orgullo. Sin la humildad, cualquier servicio que sea hecho lo es para uno mismo, y no para Dios (20:19).

2. La vida de un cristiano que se consagra para hacer la voluntad de Dios incluye llanto y dolor. Se viven las "alturas" pero también los "valles de sombra de muerte". Una buena descripción del cristiano consagrado es la que hay en el Salmo 126:6 (20:19).

3. El cuidado de uno mismo nada tiene que ver con el egoísmo. Para poder bendecir y edificar realmente a los que nos rodean debemos cuidarnos personalmente en el sentido de profundizar y disciplinar nuestra comunión con Dios y nuestra búsqueda permanente de hacer su voluntad (20:28).

4. Cristo se despojó de todo y lo dio todo por amor a nosotros (Fil. 2:6-8). ¿Qué estamos dispuestos nosotros a dar por él? Si nuestra vida no está consagrada a hacer la voluntad de Dios, está consagrada a nuestro egoísmo. Nosotros elegimos (21:13, 14).

Prueba

1. Anote aquí lo que sucedió en estos dos lugares:
Mileto _____
Cesarea _____
_____.

2. ¿Cuáles son las cosas más valiosas para nosotros? ¿Estamos dispuestos a poner todo eso en el altar delante del Señor? Si hiciéramos un orden de prioridades para ver qué es lo que más nos importa para tomar nuestras decisiones, ¿qué lugar ocuparía la voluntad de Dios? ¿Para quién realmente vivimos? Dedique ahora mismo unos minutos para orar y entregarle a Dios cada aspecto de su vida para que él haga con ella lo que quiera.

Lecturas bíblicas para el siguiente estudio

Lunes: Hechos 21:17-26   **Jueves:** Hechos 21:37-40
Martes: Hechos 21:27-32   **Viernes:** Hechos 22:1-16
Miércoles: Hechos 21:33-36   **Sábado:** Hechos 22:17-29

Unidad 7

Ataque y arresto en Jerusalén

Contexto: Hechos 21:17 a 22:29
Texto básico: Hechos 21:27, 28, 37-39; 22:20-22, 25-29
Versículo clave: Hechos 22:29
Verdad central: La respuesta de Pablo a las acusaciones de sus opositores nos enseña que debemos responder a quienes están en contra de nuestra fe con tacto, control y conocimiento personal de Jesús.
Metas de enseñanza-aprendizaje: Que el alumno demuestre su conocimiento del ataque y arresto de Pablo en Jerusalén, y su actitud de responder con tacto, control y conocimiento personal de Jesús a los que se oponen a su fe en Jesucristo.

——————— Estudio panorámico del contexto ———————

Las tristes despedidas que caracterizaron el viaje del apóstol Pablo desde Grecia hacia Jerusalén habían terminado. El corazón del Apóstol y los profetas habían estado de acuerdo en que le esperarían problemas. El tiempo de enfrentarlos había llegado.

Todos los eventos que son relatados en el Nuevo Testamento ocurrieron en el período de la historia en que el imperio romano era fuerte y poderoso, y gobernaba sobre una buena cantidad de naciones que había conquistado. Este vasto imperio estaba habitado por muchas personas de características muy distintas unas de otras, aún hasta con idiomas diferentes.

Había ricos terratenientes, y esclavos que eran vendidos al que pagara más por ellos, como si fueran objetos. Había fuertes mujeres que trabajaban en el campo, y valientes soldados que habían enfrentado mil batallas. Había personas que les cobraban tributos para el gobierno romano a sus compatriotas oprimidos, y todavía quedaban algunos que soñaban con la libertad. Y todas y cada una de estas personas gozaban de deberes y privilegios, de acuerdo con el lugar en el que habían nacido, o la cantidad de dinero que poseían.

Había algo que diferenciaba de manera muy clara a las personas. Hoy en día, cada persona que nace en el planeta es ciudadana de una nación. Eso le da determinados privilegios, como por ejemplo elegir a las autoridades en las naciones democráticas, y también deberes u obligaciones. También dentro del imperio estaban los que eran ciudadanos romanos, y los que no lo eran.

Los privilegios de los primeros los diferenciaban mucho de todos los demás, lo que provocaba que todos quisieran serlo. Un ciudadano romano nunca sería castigado físicamente de ninguna manera si su delito no era probado con muchísimo cuidado y luego de un juicio muy serio. La mayoría de los que no lo eran estaban cansados de los abusos y las injusticias, y deseaban con todo su corazón poder obtener la calidad de ciudadanos, estando dispuestos a pagar grandes sumas de dinero con ese fin. Así como hoy en día, muchos eran ciudadanos de Roma sin ningún esfuerzo, simplemente por el lugar en el que nacían y por quienes eran sus padres. Este último era el caso del apóstol Pablo, quien estaba dispuesto a hacer valer sus derechos.

Estudio del texto básico

Lea su Biblia y responda

1. ¿De qué acusaban al apóstol Pablo? (21:28) _____

2. El tribuno confundió a Pablo, ¿con quién? (21:38)_____

3. La gente escuchó a Pablo hablar hasta que pronunció una palabra (22:21, 22). Esa palabra fue _____.

4. ¿Qué fue lo que impidió que Pablo fuera azotado? (22:25-29) _____

Lea su Biblia y piense

1 Pablo es atacado y arrestado, Hechos 21:27, 28, 37-39.

A su llegada a Jerusalén, Pablo había tratado de no ofender ni lastimar a nadie. Los líderes de la iglesia le habían aconsejado qué hacer para no ganarse el rechazo del resto de los hermanos, y él hizo caso con la mejor disposición.

V. 27. Cuando faltaba poco tiempo para cumplir con su rito de purificación, se encontró con estas personas que lo conocieron. Eran *judíos de Asia*. Luego de su prolongada estadía en Efeso, Pablo era conocido por mucha gente de esa provincia, y más que nada por los judíos, por haber discutido con ellos en la sinagoga. Ofendidos como estaban por las enseñanzas de Pablo, le tomaron por la fuerza.

V. 28. Las acusaciones de los judíos asiáticos eran estas: *Enseñando a todos contra nuestro pueblo, la ley y este lugar*. El Nuevo Testamento contiene una buena cantidad de las cartas de Pablo que contienen sus enseñanzas, y en ninguna de ellas habla en contra del pueblo judío, ni contra su ley, ni contra el templo. *Ha metido griegos dentro del templo y ha profanado este lugar santo*. El versículo siguiente aclara que esta acusación fue provocada por una confusión. Pablo no había llevado al templo a nadie que no fuera judío.

V. 37. Pablo estaba siendo golpeado por la gente cuando llegó el tribuno, que no logró entender qué era lo qué estaba pasando. Cuando ya llegaban a la fortaleza, escuchó la voz de Pablo que le hablaba en griego. Esto le sorprendió, ya que debía estar seguro de que estaba tratando con un egipcio.

V. 38. No mucho tiempo antes de la llegada de Pablo, un judío egipcio había congregado mucha gente asegurando que tomaría la ciudad de Jerusalén. El levantamiento había sido dispersado por el ejército romano, pero él había escapado con la promesa de volver. Pablo fue confundido con él.

V. 39. *Soy judío, ciudadano de Tarso.* Pablo no quería que su identidad fuera desconocida. Quería hablarle al pueblo y trataba al tribuno con todo respeto y cortesía.

2 Discurso de Pablo a los judíos, Hechos 22:20-22.

Pablo se dirige a los judíos hablándoles de él, su pasado y su conversión. Lo que menciona de su educación lo hacía digno de ser escuchado por cualquier judío. Cuenta luego cómo persiguió a los cristianos y su encuentro con Jesús en el camino a Damasco. Relata el éxtasis en el que cayó mientras oraba en el templo en su primera visita a Jerusalén luego de su conversión y parte de su diálogo con el Señor.

V. 20. El Señor le había ordenado que saliera de Jerusalén, ya que su testimonio no sería recibido en ese lugar. Pablo discute con el Señor esta decisión, argumentando que los judíos conocían cómo era él antes y cuáles habían sido sus cambios. Sabían cuál había sido su participación en ocasión de la muerte de Esteban.

V. 21. *"Anda, porque yo te enviaré lejos, a los gentiles."* Este era el llamamiento del apóstol Pablo. El pensaba que Dios podría usarlo entre los judíos, pero lo llevó para dar testimonio a los que no eran judíos.

V. 22. Hasta esa palabra le escucharon. Todo iba bastante bien hasta allí, pero al mencionar a los gentiles los judíos perdieron interés. No querían una religión que incluyera a los que ellos consideraban inmundos. Los cristianos que vivían en Jerusalén habían sobrevivido porque no habían mencionado una extensión hacia los gentiles.

3 Pablo apela a su ciudadanía romana, Hechos 22:25-29.

Las palabras de Pablo habían producido una fuerte reacción en el pueblo. El tribuno quería averiguar cuál era el motivo de tanto alboroto, de manera que lo quería interrogar. Aquí se nota cuál era el trato hacia una persona que no tenía la ciudadanía romana: es dada la orden de que sea maltratada sin saber si hay un delito o no.

V. 25. *Pero apenas lo estiraron con las correas.* Para azotar a una persona, la ataban por sus muñecas para estirarla lo más posible para que su espalda quedara indefensa. En ese momento Pablo habló. Podríamos preguntarnos por qué no lo hizo antes. Tal vez no haya estado seguro de si era mejor soportar el castigo o apelar a su ciudadanía. *-¿Os es lícito...?* Por supuesto que no era lícito, y tanto Pablo como el centurión lo sabían. De esta manera hizo saber que era ciudadano romano.

Vv. 26, 27. El primer sorprendido fue el centurión, que al escuchar esto, en lugar de obedecer la orden de su superior, fue inmediatamente a consultarlo. Este, también sorprendido se acercó a Pablo para confirmar lo que el otro decía.

V. 28. *—Yo logré esta ciudadanía con una gran suma.* He aquí un hombre que había estado dispuesto a pagar lo que fuera necesario para no estar del lado de los que eran tratados injustamente. Todavía no salía de su sorpresa. - *Pero yo la tengo por nacimiento*. La diferencia entre dos hombres. Pablo tenía desde la cuna algo que al tribuno le había costado un gran esfuerzo.

V. 29. Hasta el hecho de haber atado a un ciudadano romano era penado por la ley. Si Pablo los acusaba, podían ser castigados. La situación cambió completamente, y así también la actitud de los soldados, de autoridad y dureza, a temor.

Aplicaciones del estudio

1. Nuestra vida cristiana y el hecho de que prediquemos el evangelio pueden producir actitudes negativas de parte de la gente. Podemos llegar a ser acusados injustamente de cosas que no hemos hecho, o nuestras acciones pueden ser malinterpretadas. De todas maneras, nuestro Señor dijo que seríamos felices al ser acusados y perseguidos injustamente como lo fueron los profetas (Mat. 5:11, 12; 21:27-29).

2. Nuestro buen trato con las personas nos puede abrir las puertas para dar testimonio de nuestro Señor. El mundo nos enseña a ser agresivos con los que nos pueden agredir. Lo que Jesús nos enseñó fue a tratar con cortesía a los que nos agreden (Mat. 5:43-48. Ver Fil. 4:5).

3. El testimonio de nuestra experiencia con el Señor Jesucristo puede ser nuestra mejor defensa. Si en lugar de ofendernos o tratar de presentar un buen argumento, contáramos cómo llegamos a Cristo, muchas bocas guardarían silencio (22:1-21).

Prueba

1. ¿Cómo fue que Pablo terminó siendo apresado? Escriba aquí brevemente un resumen del relato. _____
_____
_____

2. ¿Conoce a alguna persona que se oponga a su fe en Jesucristo? Es probable que esa persona le trate mal o se burle de usted. ¿Cómo le responde? ¿Se ofende?, ¿le retira la palabra?, ¿le grita?, ¿le anuncia con amenazas que se irá al infierno?

Propóngase ahora mismo un cambio de actitud. ¿Conoce esa persona su testimonio de cómo llegó a conocer a Cristo? Si no es así, busque la oportunidad para que lo sepa, con gentileza.

Lecturas bíblicas para el siguiente estudio

Lunes: Hechos 22:30 a 23:5
Martes: Hechos 23:6-10
Miércoles: Hechos 23:11
Jueves: Hechos 23:12-22
Viernes: Hechos 23:23-31
Sábado: Hechos 23:32-35

Unidad 7

Estrategia de Pablo

Contexto: Hechos 22:30 a 23:35
Texto básico: Hechos 22:30; 23:6-12, 16, 17, 23, 24
Versículo clave: Hechos 23:11
Verdad central: La estrategia de Pablo al defenderse de sus enemigos demuestra que Dios obra a través de los eventos para ayudar a sus siervos a cumplir la misión encomendada.
Metas de enseñanza-aprendizaje: Que el alumno demuestre su conocimiento de la defensa de Pablo ante el Concilio, y su actitud de aceptar los eventos que están ocurriendo en su vida como oportunidades para cumplir la voluntad de Dios.

Estudio panorámico del contexto

A lo largo de su ministerio en diferentes partes del imperio romano, Pablo había enfrentado muchas dificultades, tanto de parte de los judíos como de los que no lo eran. Las acusaciones, los azotes, las cárceles y los apedreamientos no eran extraños para él. Pero nunca hasta ahora, se había enfrentado a las autoridades de su propia nación, es decir, los judíos. Luego de ser apresado en el templo, Pablo estaba en la misma situación que los otros apóstoles, los que vivían en Jerusalén, habían experimentado en otro tiempo.

El apóstol Pablo había sido apresado en el templo, en medio de un ruidoso tumulto, y el tribuno no había tenido la oportunidad de saber de qué se le acusaba. Había elegido la tortura como medio de averiguar de boca de Pablo mismo qué era lo que pasaba, hasta que se enteró de que era ciudadano romano. Recurrió entonces a otra manera de entender lo que sucedía: enfrentaría a Pablo con sus acusadores, y los escucharía. Para eso, debía recurrir a los que eran los representantes legales del pueblo, un concilio llamado Sanedrín, compuesto por destacadas personalidades del pueblo judío.

El Sanedrín había intervenido en el juicio al Señor Jesucristo y también en el de Pedro y Juan en más de una oportunidad. Básicamente, estaba dividido en dos grandes sectores que se oponían por sus ideas y creencias. De una parte estaban los fariseos, estrictos religiosos que fueran reprendidos por el Señor Jesús durante su ministerio (Mat. 23). Celosos cumplidores de una tradición escrita que interpretaba la ley, que creían en ángeles, demonios y en la resurrección, creencias que negaban los del otro sector. Los saduceos eran religiosos de alto rango, entre los que estaban los sacerdotes y el sumo sacerdote, más liberales que los anteriores y que buscaban una relación beneficiosa con las autoridades romanas. Según lo que nos dejan saber los relatos bíblicos, este concilio no tenía demasiados problemas en usar medios ilícitos para llegar a las conclusiones que se proponía (Mat. 26:59, 60).

Es evidente que el apóstol Pablo sabía quiénes eran las personas con las que trataba, y fue muy sabio al enfrentarse a ellas. Cada vez que el concilio se enfrentó con discípulos de Jesús, la victoria fue para el reino de Dios.

─────────────── *Estudio del texto básico* ───────────────

Lea su Biblia y responda

1. ¿Quién hizo qué cosa? (22:30; 23:6-12)
   a. El tribuno.   _____ Dijo: "Sé valiente."
   b. El Sumo Sacerdote.   _____ Desató a Pablo.
   c. Pablo.   _____ Dijo: "Yo soy fariseo."
   d. El Señor.   _____ Mandó golpear a Pablo.

2. Marque las declaraciones falsas con una F (23:6-10)
   ( ) Pablo sabía que en el Sanedrín había fariseos y saduceos.
   ( ) Pablo era fariseo, hijo de un sacerdote.
   ( ) Los saduceos empezaron a discutir con los fariseos.
   ( ) Los fariseos creían en la resurrección.
   ( ) El tribuno mandó a azotar a Pablo.

3. ¿Quién intervino para evitar la muerte de Pablo? (23:16)
   _____

4. Responda brevemente. ¿Cómo enfrenta usted los problemas que resultan en su ministerio?
   _____
   _____

Lea su Biblia y piense

1 La defensa de Pablo ante el Sanedrín, Hechos 22:30; 23:6-10.

V. 30. El tribuno tenía un problema. Tenía atado en la fortaleza a un ciudadano romano, y ni siquiera sabía de qué lo acusaban. Lo mejor que podía hacer para averiguar qué pasaba era enfrentar a Pablo con sus acusadores.

V. 6. La reunión había comenzado de una forma algo violenta. Cuando Pablo comenzó a hablar, el sumo sacerdote le mandó golpear. Pablo reaccionó llamándolo "pared blanqueada" (ver Mat. 23:27), sin saber que era el sumo sacerdote, y luego tuvo que retractarse. El sabía de antemano que estos hombres harían poco caso a sus argumentos, y su testimonio ya lo habían escuchado el día anterior. Debía actuar con mucho tacto y sabiduría. *Sabiendo que una parte del Sanedrín eran saduceos y la otra parte fariseos.* Este concilio tenía su punto débil y Pablo lo conocía muy bien, ya que él mismo fue educado por un integrante del mismo. Pablo iba a usar muy bien las diferencias de opinión entre los que formaban parte del concilio. —*Hermanos, yo soy fariseo, hijo de fariseos. Es por la esperanza y la resurrección de los muertos que soy juzgado.* No estaba diciendo nada falso, sino la estricta verdad. Pero estaba poniendo a uno de los sectores del Sanedrín a su favor. Lo lógico era que, al escuchar esto, el sector de los fariseos no encontrara nada digno de condenarse en él.

V. 7. Se produjo disensión. *La asamblea se dividió.* Simplemente ocurrió lo que Pablo esperaba. El Sanedrín quedó dividido por las diferentes opiniones de sus componentes. Cada parte estaría tratando de hacer conocer sus opiniones, agregando un nuevo capítulo a una rivalidad que ya tenía bastante tiempo.

V. 8. Aquí está la aclaración referente a las creencias de cada uno de los dos grupos. Los fariseos defenderían a un fariseo.

V. 9. —*No hallamos ningún mal en este hombre. ¿Y qué hay si un espíritu o un ángel le ha hablado?* En realidad, en esta reunión Pablo no había hablado de ninguna de estas cosas. Estos escribas estaban recordando el relato del testimonio de Pablo del día anterior.

V. 10. No hay duda de que Dios estaba interviniendo en todo esto. Las discusiones subieron de tono de tal manera que la vida del Apóstol ya peligraba. Era tiempo de que la reunión terminara.

2 La promesa de Dios a Pablo, Hechos 23:11.

V. 11. *Sé valiente, Pablo.* El hombre de Dios necesitaba del ánimo del Padre. No era la primera vez que Dios alentaba a Pablo en momentos difíciles (Hech. 18:9). El Señor no le asegura momentos agradables y placenteros, sino que le recuerda la necesidad de ser valiente para sobreponerse a lo que vendría. *Es necesario que testifiques también en Roma.* En medio de toda esta situación en la que Pablo estaba pasando por momentos difíciles, Dios seguía teniendo el control de la situación. El Apóstol todavía estaba dentro de los planes del Padre. Esta palabra le aseguraría que no moriría en Jerusalén, ya que Dios quería usarlo todavía en Roma.

3 El complot de los judíos para matar a Pablo, Hechos 23:12, 16, 17, 23, 24.

V. 12. El resultado de la reunión del Sanedrín con el apóstol Pablo no había sido satisfactorio para muchos. De manera que *tramaron un complot* para quitarle la vida. Es muy probable que entre los cuarenta hombres que juraron no comer ni beber hasta que Pablo hubiera muerto (¿habrán muerto de hambre todos ellos?) estuvieran sus acusadores de la provincia de Asia.

Vv. 16, 17. Algunos le llamarían coincidencia. Los hijos de Dios le llamamos un Padre amoroso que tiene control de las situaciones que nos rodean. Pablo tenía una hermana que vivía en Jerusalén con su familia. Cómo fue que el hijo de la hermana de Pablo escuchó el plan de los que querían la muerte de Pablo es cuestión de Dios. Fue la provisión del Padre para preservar la vida del Apóstol.

Vv. 23, 24. El tribuno no puso en duda la información que el sobrino de Pablo le daba, e inmediatamente tomó las previsiones del caso para trasladar a Pablo a un lugar más seguro. La cantidad de soldados empleados para proteger a un solo hombre parece exagerada, pero el tribuno no sabía cuántos eran los que podían atacar a Pablo. *La tercera hora de la noche* debe haber sido a las tres de la mañana, según la manera romana de contar las horas. El tribuno no quería que los rebeldes supieran el momento en que Pablo sería trasladado, de manera que eligió una hora poco común para un viaje. La cuestión es que el siervo de Dios estaba a salvo. Dios estaba llevando adelante sus planes.

Aplicaciones del estudio

1. Dios es nuestra eterna fuente de seguridad. Cuando el salmista llamaba a Dios su amparo y fortaleza (Sal. 46), sabía lo que decía. No importa lo negativas que parezcan las circunstancias a nuestro alrededor, nuestro Padre celestial sigue siendo el Señor y Rey que nos ama. Por más oscuro que sea el "valle de sombra de muerte", él siempre está cerca para alentarnos, protegernos y guiarnos según sus planes.

2. Dios tiene planes a largo plazo para los que se vinculan con él por medio de su Hijo y deciden servirle. El guía la vida de los suyos a través de las situaciones más difíciles y comprometidas para que a lo largo del camino cumplan con sus planes. Eso puede implicar ser echados en un horno de fuego, pero tendrán el privilegio de ser acompañados por el ángel de Dios y salir de allí sin siquiera olor a humo en la ropa (ver Dan. 3) (23:11).

3. Preste mucha atención a las que parezcan coincidencias que nos benefician. Si observamos con cuidado, quizás hasta podamos ver el último resplandor o agitar de alas de un ángel del Señor al retirarse. Dios interviene en lo que nos pasa de formas inesperadas (23:16, 17).

Prueba

1. ¿Cómo se defendió Pablo delante del Concilio? Escriba aquí lo que recuerde de esa situación. _____

_____

2. ¿Qué está pasando en su vida? ¿Está enfrentando problemas? ¿Hay situaciones difíciles de enfrentar en su familia, su trabajo, la iglesia, su relación con los demás o algún otro asunto? No se asuste. Si cierra los ojos por un momento, podrá apretar la gran mano de quien le está guiando a atravesar esta situación rumbo a sus planes eternos: su Padre celestial. Cierre ahora sus ojos y dele las gracias.

Lecturas bíblicas para el siguiente estudio

Lunes: Hechos 24:1-9
Martes: Hechos 24:10-15
Miércoles: Hechos 24:16-21
Jueves: Hechos 24:22-27
Viernes: Hechos 25:1-7
Sábado: Hechos 25:8-12

Defensa de Pablo ante Félix y Festo

Contexto: Hechos 24:1 a 25:12
Texto básico: Hechos 24:10-16, 22, 23; 25:9-11
Versículos clave: Hechos 24:14, 15
Verdad central: Debemos tener confianza y una clara conciencia de la voluntad de Dios como los recursos más importantes para enfrentar a los opositores.
Metas de enseñanza-aprendizaje: Que el alumno demuestre su conocimiento de la defensa de Pablo ante Félix y Festo, y su actitud de confianza en Dios para enfrentar a los opositores de su fe.

——————— *Estudio panorámico del contexto* ———————

El apóstol Pablo había tenido un ministerio muy fructífero predicando el evangelio a judíos y a los que no lo eran en distintas provincias del imperio romano. Se había encontrado con personas muy diferentes unas de otras, con distinta educación o con distinta religión. Pero ahora el Señor había preparado otro auditorio para su siervo. Cuando Pablo apenas se había encontrado con Jesús en el camino a Damasco, Dios le dio a un discípulo llamado Ananías la tarea de ir a orar por él para que recobrara la vista y fuera bautizado (Hech. 9:10-16). Este hombre, sabiendo quién era Pablo, y conociendo que el propósito de su visita a Damasco era encarcelar y torturar a los discípulos de Cristo, discutió con el Señor antes de cumplir con la tarea que le estaba encomendando. Entre las cosas que Dios le dijo para convencerlo que obedeciera, le anunció que Pablo predicaría el evangelio a los judíos, a los que no lo eran, y *a los reyes* (Hech. 9:15). Hasta ahora, el Apóstol había llevado las buenas nuevas a toda clase de personas, judíos y gentiles. Pero apenas en este momento empieza a cumplirse su predicación "a los reyes", es decir, a los gobernantes y autoridades.

El imperio romano era dirigido por una autoridad máxima que era el emperador. Unos cincuenta años antes del nacimiento del Señor Jesús hubo un emperador llamado Julio César, que terminó su gobierno siendo asesinado. Fue sucedido por miembros de su familia, y a ellos se les llamó "césares". Cada emperador, sin importar cuál fuera su nombre, era llamado "el César". Cuando Pablo fue tomado prisionero, estaba en el gobierno "el César" Nerón, famoso por su crueldad, desequilibrio y por haber incendiado Roma.

Como el imperio era tan grande, para facilitar su gobierno era dividido en provincias y gobernaciones que eran puestas bajo las órdenes de personas en las que confiaba el emperador. Entre esas personas estaban los procuradores que son los protagonistas del relato que estudiaremos. Tanto Félix como

Festo fueron procuradores (gobernantes) de Palestina, con capital en la ciudad de Cesarea. El primero gobernaba cuando Pablo fue apresado, y fue a él a quien lo envió el tribuno. Por algún motivo, tal vez por algún abuso bajo su gobierno fue sustituido por Porcio Festo en el año 57 d. de J.C. El cambio de mando sucede en el transcurso del relato que estudiamos.

Estudio del texto básico

Lea su Biblia y responda

1. Pablo expresó que "no lo hallaron" haciendo tres cosas. ¿Cuáles fueron?
   a. _____
   b. _____
   c. _____

2. Delante de Félix, Pablo hizo un resumen de lo que creía. ¿Qué confesó creer? (24:14, 15) _____
_____

3. Las órdenes que dio Félix con respecto a Pablo fueron que (24:23) "fuera_____, que tuviera algunos _____, y que no se impidiese _____."

4. ¿Qué podía suceder si Pablo aceptaba ser juzgado por Festo en Jerusalén? (25:3, 9) _____.

Lea su Biblia y piense

1 La defensa de Pablo ante Félix, Hechos 24:10-16.

El tribuno Lisias envió a Pablo a Cesarea, donde residía el procurador Félix. Cuando los judíos lo supieron, viajaron ellos también, acompañados de un orador llamado Tértulo. Luego de escucharlos, Félix le da la palabra al Apóstol.

V. 10. *Expondré mi defensa.* El Apóstol no adula al procurador como Tértulo lo hizo, sino que expresa su confianza en su buen juicio.

Vv. 11, 12. En algunos momentos de su vida, Pablo había disputado con judíos y aun se habían provocado tumultos del pueblo, en las sinagogas y en las ciudades por sus enseñanzas, pero cuando lo arrestaron ninguna de estas cosas estaba sucediendo. Se estaba comportando como un judío más.

V. 13. Pablo podía haber salido en libertad aquel mismo día. No había forma de probar ninguna de las acusaciones, sencillamente porque eran falsas.

V. 14. *Te confieso esto.* Entre las cosas que habían dicho acerca de él, mencionaron que era "cabecilla de la secta de los nazarenos" (24:5). El Apóstol no lo niega y aclara cuál es su fe, lo que hasta ese entonces no era ningún delito. *Sirvo al Dios de mis padres.* Pablo no había cambiado de Dios. Era el mismo al que sirvieron Abraham, Isaac y Jacob. *Conforme al Camino.* Una de las maneras favoritas para mencionar a un seguidor de Cristo, tal vez pensando en las palabras de Jesús en Juan 14:6. *Creyendo todo lo que está escrito en la Ley y los profetas.* Pablo tampoco había dejado de creer en las

Escrituras. Para él, Moisés seguía teniendo la vigencia de siempre. Este versículo desacredita a cualquiera que pretenda seguir a Cristo apoyando su fe sólo en el Nuevo Testamento e ignorando el Antiguo.

V. 15. *Ha de haber resurrección de los justos y de los injustos.* El Apóstol menciona la fe de los judíos en cuanto a la resurrección, aunque los saduceos no creían en ella. No es mencionada aquí, pero está implícita la idea del juicio frente a Dios. Aun presentando su defensa, Pablo no podía dejar de mencionar palabras e ideas que podían hacer reflexionar a sus oyentes.

V. 16. *Y por esto yo me esfuerzo siempre por tener una conciencia sin remordimiento.* La última vez que mencionó la conciencia (23:1), le costó una bofetada. El Apóstol había aprendido que una conciencia con remordimientos podía llegar a ser un problema muy grave, de manera que se preocupaba por mantenerla limpia. Este énfasis se refleja en sus enseñanzas. Había dos aspectos en los que cuidaba su conciencia: *Delante de Dios.* La conciencia es un vigía que hace saber el estado de la relación entre Dios y un hombre. Sabiendo de la resurrección y el juicio, es importante prestar oídos a la voz de la conciencia. *Y los hombres.* Pablo no diría: "Yo estoy bien con Dios; lo que piensen los demás o cuantos caigan a mi alrededor no me importa." La conciencia no sólo es afectada en cuanto a nuestra relación con Dios, sino también con respecto a nuestras relaciones con los que nos rodean. El rencor, la falta de perdón, la mentira, usar a las personas, son cosas que producen reacciones en la conciencia.

2 La razón de Félix para postergar su decisión, Hechos 24:22, 23.

V. 22. *Félix, estando bien informado acerca de este Camino.* Esto no es de extrañarse, ya que había muchos cristianos en el territorio que estaba bajo su gobierno. Este conocimiento evitaría que fuera engañado fácilmente. *Les aplazó* su decisión por tiempo indefinido con la excusa de que no estaba presente el tribuno. Luego de esto, pasaron más de dos años sin que se produjera este encuentro entre Félix y Lisias. Entre tanto, Pablo quedaba en prisión.

V. 23. Pablo quedaría en la cárcel, pero ya no en el calabozo "de más adentro" ni con los pies en el cepo como en Filipos (16:24), sino con algunas comodidades.

3 Pablo apela a César, Hechos 25:9-11.

Entre el pasaje anterior y este, hubo un cambio de mando. Festo, el nuevo procurador, y antes de llegar a Cesarea, donde estaba Pablo, pasó por Jerusalén, donde los acusadores del Apóstol le salieron al encuentro, todavía con la oscura intención de quitarle la vida al acusado (25:1-3).

V. 9. La historia se repite con el nuevo gobernante que quiere aprovechar la oportunidad para ganarse el favor de los judíos desde el principio. La vida de Pablo no le importa. En primer lugar está su carrera como gobernante. El viaje a Jerusalén podía costarle la vida a Pablo.

V. 10. Pablo se sabe inocente y lo dice con autoridad, y no hay nada que no haya dicho delante de los judíos. Festo también lo sabe, aunque no lo quiera reconocer.

V. 11. Lo que Pablo quiere es la justicia, sin importar el lugar en el que sea juzgado. *Yo apelo al César.* Detrás de las palabras de Pablo todavía suenan las del Señor: "Es necesario que testifiques también en Roma" (23:11). Las circunstancias, de las que Dios tenía absoluto control, estaban llevando a Pablo exactamente hacia el cumplimiento de su divina voluntad.

Aplicaciones del estudio

1. Todo lo que hay en la Biblia es importante. Hay creyentes que no leen el Antiguo Testamento porque les parece aburrido difícil de entender, o pasado de moda. Jesús mismo lo consideró muy importante (Mat. 5:17-20). Hay muchas riquezas que todavía tenemos que descubrir en la Palabra de Dios (24:14).

2. La conciencia es algo muy importante en nuestras vidas, y tenemos que prestarle la debida atención. Algunas ramas de la sicología moderna animan a las personas a no hacerle demasiado caso, lo que produce serios problemas para su futuro. La Biblia dice que hay sólo una cosa que puede restaurar completamente: la sangre de Jesucristo (Heb. 9:14). Esto no quiere decir que los pecados deben ser ignorados, sino confesados a Dios (1 Juan 1:9) (24:16).

Prueba

1. Trate de recordar y anote aquí: Lo que dijo Pablo en su defensa ante Félix

_____

_____

Lo que dijo Pablo en su defensa ante Festo _____

_____

_____.

2. Los hombres y mujeres de fe que a lo largo de toda la historia de la humanidad decidieron hacer la voluntad de Dios en sus vidas, vivieron grandes victorias y enfrentaron grandes sufrimientos (Heb. 11:33-38). Si Cristo es el Señor de su vida, usted es uno de ellos. No importa qué sea lo que usted está viviendo en este momento, confíe en que en esta victoria o en esta angustia, Dios le está guiando en sus planes eternos. Como tuvo planes para Pablo, Dios tiene planes para usted.

Lecturas bíblicas para el siguiente estudio

Lunes: Hechos 25:13-19   **Jueves:** Hechos 26:9-18
Martes: Hechos 25:20-27   **Viernes:** Hechos 26:19-23
Miércoles: Hechos 26:1-8   **Sábado:** Hechos 26:24-32

Unidad 7

El testimonio de Pablo ante Agripa

Contexto: Hechos 25:13 a 26:32
Texto básico: Hechos 26:2, 3, 12-19, 27-29, 32
Versículo clave: Hechos 26:18
Verdad central: La defensa de Pablo ante Agripa nos enseña que podemos usar nuestro testimonio para compartir el mensaje de Cristo.
Metas de enseñanza-aprendizaje: Que el alumno demuestre su conocimiento del testimonio de Pablo ante el rey Agripa, y su actitud de aprovechar su testimonio para compartir el mensaje de Cristo.

────────── *Estudio panorámico del contexto* ──────────

La larga lista de autoridades delante de quienes Pablo iba a presentar su testimonio y hablar de las verdades del evangelio estaba en pleno desarrollo. El Sanedrín de los judíos y los procuradores Félix y Festo eran sólo el principio. Las palabras de Dios acerca de Pablo, como las palabras de Dios acerca de cualquier cosa, se estaban cumpliendo al pie de la letra (Hech. 9:15), y estaba dando testimonio delante de los "reyes". El próximo sería literalmente un rey.

El procurador Félix había sido sustituido por el procurador Porcio Festo. Las personas que quedaban bajo su gobierno podían tener incertidumbre acerca de cómo sería la nueva autoridad. Para todos ellos, era conveniente entrar en una buena relación con el nuevo procurador desde el principio. De la misma manera, Festo quería, sin dejarse manejar, estar en una buena relación con sus súbditos. Uno de los más interesados en agradar al procurador sería el rey Agripa.

El rey Herodes Agripa II era hijo de aquel Herodes que mandara matar al apóstol Jacobo (Hech. 12:1, 2) y poco tiempo después muriera comido por gusanos como consecuencia de su orgullo (12:21-23). Seguía la línea familiar que gobernaba desde antes del nacimiento del Señor Jesucristo (Mat. 2:1) y era el protagonista de uno de los escándalos más publicitados del imperio. En el pasaje que estudiamos, Herodes Agripa II es mencionado acompañado por Berenice. La historia registra el hecho de que Berenice, la hermana carnal de Agripa II, era también su esposa. Esta situación había querido ser escondida en algún momento, pero en el tiempo de nuestro relato ya es una verdad aceptada. Agripa era rey sobre una buena parte de Palestina, pero su gobierno estaba bajo la autoridad del procurador, de modo que la visita a éste sería de su conveniencia.

El hecho de que tuviera sangre judía y hubiera nacido y crecido en Palestina lo convertía en un experto conocedor de la religión, la cultura y las costumbres de este pueblo, alguien apropiado para aconsejar a Festo en cuanto al caso de Pablo.

En esta entrevista, no había una decisión para tomar en cuanto al destino de Pablo, dado que ya estaba tomada. Puede notarse que la intención del Apóstol al hablar no es la de defenderse, sino la de dar testimonio del Señor.

───────────── *Estudio del texto básico* ─────────────

Lea su Biblia y responda

1. Marque con una F la declaración falsa (26:2, 3).

( ) Pablo estaba contento de hablar ante Agripa.
( ) Agripa conocía las costumbres de los judíos.
( ) Por la forma en que Pablo habla se nota que nunca había escuchado hablar de Agripa.

2. Ordene estas frases con un número (26:12-19).

( ) Al mediodía, lo rodeó una luz desde el cielo.
( ) Obedeció a la visión.
( ) Pablo viajaba rumbo a Damasco.
( ) Preguntó: "¿Quién eres, Señor?"
( ) Escuchó una voz que decía: "¿Por qué me persigues?"
( ) La voz dijo: "Yo soy Jesús. Irás a los gentiles."

3. ¿Qué efecto produjo el testimonio de Pablo en el rey Agripa? (26:27, 28)_____
_____.

4. ¿A qué conclusión llegó Agripa con respecto a Pablo? (26:32)_____
_____.

Lea su Biblia y piense

1 El testimonio de Pablo, Hechos 26:2, 3, 12-19.

Vv. 2, 3. A Pablo le da alegría hablar ante alguien que podía entenderlo y sentía el placer de poder contarle a alguien lo que Jesús había hecho en su vida.

Vv. 12-14. *"Saulo, Saulo, ¿por qué me persigues?"* En realidad, no había alguien en particular a quien estuviera persiguiendo, sino en general al grupo de los creyentes en Cristo. Pero, según esta voz, lo que estaba haciendo podía ser tan doloroso en su interior como dar puntapiés a un clavo.

V. 15. *"¿Quién eres, Señor?"* Pablo sabía de dónde provenía la voz. No llamaría Señor a otro que no fuera Dios. La respuesta era la que ya esperaba, y aclara la frase con la que comenzó esta conversación.

V. 16. El Señor no le habla acerca de la salvación de su alma porque ya había escuchado lo suficiente. Su visita confirma el testimonio que ya había podido recibir de sus discípulos. No podemos saber lo que estaba sucediendo en el interior de Pablo, pero el Señor no hace en persona ni por medio de sus ángeles las cosas para las que llamó a sus discípulos. Jesús venía a llamarlo para una tarea. *Testigo de las cosas que has visto de mí y de aquellas en que me apareceré a ti.* Pablo tendría que dar testimonio de este encuentro con Jesús y también de lo que había visto de Jesús en sus seguidores. El Señor también le asegura que volvería a aparecerle. Las cartas de Pablo nos hablan de lo que aprendió con él.

V. 17. *Yo te libraré.* El Señor no le asegura a Pablo (ni a nadie) que no tendrá problemas, sino que él lo librará de ellos y lo protegerá en ellos.

V. 18. *Abrir sus ojos.* Las personas no podían percibir muchas cosas que Dios les quería revelar. Pablo se las haría notar. *Para que se conviertan de las tinieblas a la luz.* La luz y la oscuridad es uno de los temas que recorren toda la Biblia. Satanás y las fuerzas demoniacas son identificados con la oscuridad (Ef. 2:2; 6:12), mientras se menciona que Dios es luz (1 Juan 1:5). Pero las tinieblas son una representación de la mentira, lo oculto, lo que hay que esconder para que otros no vean. Quien deposita su fe en Jesús abandona ese estilo de vida y pasa a vivir una vida visible, a la luz, que no oculta nada (ver 2 Cor. 4:2). *Y del poder de Satanás a Dios.* No hay otra opción. Si una persona no está bajo la autoridad de Dios, está bajo el dominio de Satanás. Cristo, con su muerte en la cruz, traslada a los que creen en él del reino del diablo al de Dios (Col. 1:13). *Para que reciban el perdón de pecados.* El motivo del sacrificio de Jesús fue cargar con los pecados que establecían una separación entre los hombres y Dios. *Y una herencia entre los santificados.* Hay una herencia para los que creen. Los detalles en cuanto a ella están por ahora alejados de la comprensión de la mente humana (1 Cor. 13:12). Por la fe en mí. Lo que puede hacer que una persona reciba todo esto no son ni obras, ni ofrendas, sino sólo la fe en Jesús.

V. 19. Pablo está allí como consecuencia de su obediencia a aquella visión que cambió su vida.

2 Pablo insta a Agripa a que crea, Hechos 26:27-29.

Mientras el Apóstol aún hablaba, Festo sugirió que había quedado loco de tanto leer (26:24). Pero hasta ahora Agripa no había pronunciado palabra.

V. 27. *¿Crees?... ¡Yo sé que crees!* Pablo sabe perfectamente con quién está hablando. No hay evidencia de que se hubieran conocido personalmente antes, pero de alguna manera sabría acerca de él. Ahora lo está presionando a manifestar su reacción ante sus palabras.

V. 28. *¡Por poco me persuades!* El que habla es un Agripa impresionado por lo que acaba de escuchar. Sería triste formularlo de esta forma: "Por poco fue salvo." No sabemos lo que pasó en el corazón del rey de aquí en más, pero lo que oyó de Pablo no sería olvidado fácilmente.

V. 29. *¡Fueseis hechos como yo, salvo estas cadenas!* Como Pablo, seguro del perdón de Dios, con la conciencia limpia, lleno del Espíritu Santo de Dios. Con una gloriosa herencia esperándolo para cuando dejara este mundo, con una misión por cumplir por amor a Jesús y siendo tan libre interiormente como para ignorar las rejas que lo rodeaban. ¡Qué buen deseo el de Pablo!

3 La inocencia de Pablo, Hechos 26:32.

V. 32. —*Este hombre podría ser puesto en libertad.* Nadie lo había dicho hasta ahora. Todos habían pensado en sus propios intereses pero no en lo que era justo. *Si no hubiera apelado al César.* Pilato no encontró en Jesús nada digno de muerte (Juan 18:38), pero lo condenó a la cruz. La historia se repite en su Apóstol. Pero Dios iba a llevar a su siervo hasta Roma para que diera testimonio acerca de él.

──────────── *Aplicaciones del estudio* ────────────

1. Nuestro testimonio puede ser un arma poderosísima en las manos del Espíritu Santo de Dios. Cada uno de nosotros, en algún momento, vivimos sin Cristo y sin esperanza. Nuestra vida iba rumbo al desastre o ya estaba allí. Entonces alguien nos habló de Jesús, nos contó lo que él hizo en su vida o nos dijo lo que podía hacer en la nuestra. Cuando creímos en él y aceptamos su perdón, su amor nos transformó. Hoy hay otros en la condición en la que nosotros estábamos antes. Debemos ir a contarles lo que Cristo hizo por nosotros y puede hacer por ellos.

2. Las personas sin Cristo están ciegas, a oscuras, bajo el poder de Satanás. Cuando se burlan de nosotros o rechazan lo que creemos es porque no lo entienden. Sólo nosotros podemos abrir sus ojos hablándoles de Cristo (26:18).

──────────── *Prueba* ────────────

1. Este pasaje es el tercero en el libro de Los Hechos en el que es contado el testimonio del apóstol Pablo. Eso quiere decir que a esta altura de nuestro estudio usted ya lo tiene que recordar. ¿Cómo fue que Saulo el perseguidor decidió creer en Jesucristo? Escriba aquí lo que recuerde. _____

_____

_____

_____

2. Tome una hoja de papel y anote su testimonio. ¿Cómo era su vida antes de conocer a Jesús? ¿Cómo escuchó de él y por medio de quién? ¿Cómo es su vida desde que él es su Señor? Escriba una carta a un familiar o conocido que viva lejos y cuéntele lo que hizo Jesús por usted. En esta semana, visite a alguien con el propósito de hablarle de lo mismo. Ore ahora por esto. Dios le sorprenderá.

Lecturas bíblicas para el siguiente estudio

Lunes: Hechos 27:1-8   **Jueves:** Hechos 27:21-38
Martes: Hechos 27:9-12   **Viernes:** Hechos 27:39-44
Miércoles: Hechos 27:13-20   **Sábado:** Hechos 28:1-10

Aprovechando las oportunidades

Contexto: Hechos 27:1 a 28:10
Texto básico: Hechos 27:13, 14, 21-25, 33-36; 28:7-10
Versículo clave: Hechos 27:25
Verdad central: Los acontecimientos en el viaje de Pablo rumbo a
Roma nos muestran que como seguidores de Cristo debemos estar
siempre atentos y sensibles a las oportunidades de ministrar en su
nombre.
Metas de enseñanza-aprendizaje: Que el alumno demuestre su
conocimiento de los acontecimientos que rodearon el viaje de Pablo a
Roma, y su actitud de prestancia para ministrar en el nombre de Dios
en todas las oportunidades que se le presenten.

--------- *Estudio panorámico del contexto* ---------

El apóstol Pablo había vivido experiencias muy variadas en su caminar
con el Señor Jesucristo. Muchas de ellas habían sido rotundas victorias y
maravillosas manifestaciones del poder de Dios. Había enfrentado también
grandes dificultades y problemas muy dolorosos en los que había conocido y
experimentado el amor y la fidelidad del Señor en cada circunstancia. Pero
en los últimos años, Dios había producido un cambio importante en su vida.
De la intensa actividad que estaba desarrollando mientras compartía el
evangelio con cientos de personas, edificaba a decenas de creyentes y
establecía muchas iglesias, pasó a ser un prisionero del imperio romano, con
algunos privilegios, pero prisionero al fin.

Tal vez pudiera recibir visitas o enviar cartas, pero de todas maneras era
un prisionero, y su actividad más importante consistía en contar una y otra
vez su testimonio ante los gobernantes. De todas maneras, la actitud de Pablo
no fue de rebeldía sino de humilde sometimiento al Señor de su vida.

Pero Dios tenía preparado un nuevo cambio para él. A pesar de que
seguiría siendo un prisionero, todavía quedaban algunos peligros y
emociones que enfrentar. Tal vez este tiempo de detenimiento lo estuviera
preparando para la intensidad de los días que vendrían. Hasta este tiempo,
los problemas del Apóstol siempre habían tenido que ver con personas. En
cada lugar en el que predicaba el evangelio, así como había algunos que lo
recibían con fe, otros reaccionaban con agresividad, buscando su muerte.
Pero ahora, Pablo tendría que enfrentar otras luchas y temores: los que tienen
que ver con la naturaleza.

El hecho de viajar no sería algo nuevo para el Apóstol. Pero las
dificultades que encontraría en este viaje hacia Roma no las había enfrentado
en ningún otro. La primera parte del viaje fue normal, aunque un poco lenta.

De Cesarea viajaron hasta Sidón, desde donde continuaron la larga travesía por mar. En Sidón se embarcaron, dirigiéndose hacia Chipre antes de dirigirse hacia la provincia de Licia. De allí navegaron hacia Creta, donde Pablo advirtió a los oficiales que sería sabio esperar mejor tiempo para viajar. Mientras bordeaban la isla para llegar a un puerto más cómodo para pasar el invierno, comenzaron los problemas. En medio de ellos, veremos a un hombre que nunca deja de servir a Dios.

―――――――――― *Estudio del texto básico* ――――――――――

Lea su Biblia y responda

1. En tres ocasiones Pablo anima a sus compañeros de viaje asegurándoles que vivirán. ¿Qué versículos son?

v. _____, v. _____ y v._____.

2. Marque con una F las declaraciones falsas. (27:13, 14, 21-25)

( ) Cuando iban bordeando Chipre empezó a soplar el Euraquilón.
( ) Cuando terminaron de comer, Pablo les habló.
( ) Les dijo que no moriría ninguno.
( ) Dios le dijo:"No temas."

3. ¿Qué dos cosas no habían hecho en catorce días? (27:33)

_____.

4. Anote aquí lo que hizo Pablo en la isla de Malta (28:7-10). Sanó a _____
_____ Sanó a _____.

Lea su Biblia y piense

1 La tempestad en el mar, Hechos 27:13, 14, 21-25.

Vv. 13, 14. Pablo les había advertido que hubiera sido mejor quedarse en Buenos Puertos (27:10), pero no fue escuchado. Viajaban bordeando la isla de Creta, intentando llegar a Fenice. El viento Euraquilón los alejó de la isla y perdieron el control de la nave y la esperanza de salvarse.

V. 21. *Entonces, como hacía mucho que no comíamos.* Lucas está viviendo esta experiencia en carne propia. El era uno de los que habían perdido la esperanza. No sabían en qué lugar estaban, temían hundirse o encallar en cualquier momento y lo único que podían ver era la tormenta. *Debíais haberme escuchado.* Lo que estaba sucediendo demostraba que el Apóstol había tenido razón.

V. 22. *Os insto a tener buen ánimo.* Tal vez los que escuchaban esperaban que Pablo dijera algo así como: "No me hicieron caso. Ahora vamos a morir." Pero en lugar de eso escucharon una palabra de aliento: *No se perderá la vida de ninguno de vosotros, sino solamente la nave.* Los que lo escuchaban estaban seguros de que ni uno de ellos viviría. Pero, ¿cómo estaba Pablo seguro de lo que decía? ¿Estaría enloqueciendo?

V. 23. *Porque esta noche estuvo conmigo un ángel.* En medio de toda la incertidumbre que reinaba en el barco, Pablo tenía las últimas noticias provenientes del cielo. Dios había enviado un ángel para comunicarse con él. *Del Dios de quien soy.* Este es Pablo: alguien que pertenece a Dios. *Y a quien sirvo.* Esto es lo que el Apóstol hace. Su condición como prisionero no lo había cambiado. Aun encadenado seguía sirviendo a Dios.

V. 24. *"No temas, Pablo."* No era la primera vez que Dios le enviaba un mensaje de aliento en el momento más apropiado (Hech. 18:9). Los siervos del Señor corren el riesgo de que el temor los domine, pero el Padre siempre los llama a que confíen en él (ver Deut. 1:21; Jos. 1:9; Is. 41:10; 43:5; Jer. 1:8, 17; Ez. 3:9; Luc. 1:30; Apoc. 1:17; etc.). *"Es necesario que comparezcas ante el César."* Con las pocas posibilidades de sobrevivir que tenían, Pablo podría dudar de su llamamiento a hablar frente al emperador. Dios le repite cuáles son sus planes para él. *"Y he aquí Dios te ha concedido todos los que navegan contigo."* Si Dios le estaba concediendo a Pablo las vidas de sus compañeros, era porque él se lo había pedido. Fueron bendecidos por la presencia de un siervo de Dios entre ellos.

V. 25. *Yo confío en Dios que será así como me ha dicho.* El Apóstol está convencido de lo que está diciendo. No es un triste intento de esperanzar a los demás, sino una firme convicción nacida en su comunión con Dios.

2 El ministerio de Pablo a sus compañeros de viaje, Hechos 27:33-36.

V. 33. *Pablo animaba a todos. -Este es el decimocuarto día.* Luego de las palabras en las que Pablo contó lo que el ángel le dijo, la situación no había cambiado. La tormenta seguía allí y el viento no había dejado de soplar. Mientras algunos estarían dudando si creerle o no, él seguía tratando de animarlos. Luego de catorce días sin probar bocado, no sobrevivirían sin comer.

V. 34. *No perecerá ni un cabello de la cabeza de ninguno de vosotros.* El ánimo que el Apóstol daba a sus compañeros de viaje surgía de su convicción de que el ángel le había dicho la verdad. Si iban a vivir, era tonto pasar más tiempo sin alimento.

Vv. 35, 36. *Tomó pan, dio gracias... comenzó a comer.* Las palabras estaban produciendo pocos resultados. Pablo eligió el camino del ejemplo. Los que lo veían con ese ánimo, comiendo agradecido a Dios, se animarían y lo imitarían.

3 Pablo en la isla de Malta, Hechos 28:7-10.

V. 7. *Publio... nos hospedó de manera amistosa.* La presencia del Apóstol en la isla no estaba pasando desapercibida, luego de haber sido mordido por una serpiente venenosa sin sufrir consecuencia alguna. Al enterarse del naufragio, Publio les ofreció su hospitalidad.

V. 8. *El padre de Publio estaba en cama, ...Pablo le sanó.* Tal vez en una conversación casual habló de la enfermedad de su padre. Pablo debe haber pedido verlo y, sorprendentemente, luego de su visita, la enfermedad se fue. Sin importar el lugar en el que estuvieran, Jesús era visto a través de Pablo con toda claridad.

V. 9. *Venían a él y eran sanados.* Donde está Jesús, también están las personas que le llevan su necesidad. Donde estaba Pablo, estaba Jesús.

V. 10. *Nos honraron con muchos obsequios... nos abastecieron de las cosas necesarias.* Por lo general, un naufragio es un accidente en el que hay personas a las que hay que atender. En este caso, para los habitantes de Malta, había sido una oportunidad para recibir, y expresaban su gratitud con sus obsequios y atenciones.

Aplicaciones del estudio

1. Dios nunca pierde el control de las situaciones que vivimos. Esta fue una de las convicciones que fortalecieron a Pablo. Dios conoce las tormentas, las angustias y los problemas. Y él sabe lo que está haciendo. Debemos confiar en él (27:23, 24).

2. Debemos buscar vivir en una profunda comunión con Dios. Podemos perdernos la bendición de ser animados y fortalecidos por él, por no dedicar tiempo a fortalecer nuestra comunión con él en oración y búsqueda de su Palabra (27:23, 24).

3. Debemos aprender a creerle a Dios más que a las personas y las circunstancias que nos rodean. Dios nunca miente, pero nosotros, algunas veces, desconfiamos de su Palabra. Nuestra confianza en el Señor puede parecerle rara a los demás, pero también puede darles testimonio de él (27:25).

4. Si esperamos para servir al Señor cuando todas las cosas están bien y no hay problemas, nos perderemos muchas oportunidades de hacerlo. Si esa hubiera sido la forma de actuar de Pablo, las cosas hubieran sido diferentes. Pertenecemos a Dios en Cristo, y debemos servirle en todo tiempo.

Prueba

1. ¿Qué le pasó a Pablo en su viaje a Roma? Anótelo aquí:
En el viaje por mar _____

_____

En Malta _____

_____

2. ¿Cuándo da usted testimonio del Señor Jesús? ¿Cuándo le sirve? ¿Sólo cuando las cosas marchan bien, o siempre? Tome lápiz y papel y haga una lista de las cosas que usted hace todos los días en relación con personas, como hacer compras o pagar una cuenta. Ore ahora mismo por esas situaciones y propóngase que cada una de ellas se convierta en una oportunidad para servir al Señor.

Lecturas bíblicas para el siguiente estudio

Lunes: Hechos 28:11-16
Martes: Hechos 28:17-19
Miércoles: Hechos 28:20-23

Jueves: Hechos 28:24, 25
Viernes: Hechos 28:26-29
Sábado: Hechos 28:30, 31

Unidad 8

Ministerio de Pablo en Roma

Contexto: Hechos 28:11-31
Texto básico: Hechos 28:16-24, 30, 31
Versículo clave: Hechos 28:23
Verdad central: El ministerio de Pablo en Roma, nos enseña que las circunstancias adversas pueden convertirse en momentos propicios para compartir las buenas nuevas de Salvación en Cristo.
Metas de enseñanza-aprendizaje: Que el alumno demuestre su conocimiento del ministerio de Pablo en Roma, y su actitud de transformar los momentos difíciles de la vida en oportunidades para compartir las buenas nuevas de Jesús.

--------- *Estudio panorámico del contexto* ---------

Habían pasado ya unos cinco o seis años desde el arresto de Pablo en el templo en Jerusalén. Para nuestro relato en el libro de Los Hechos, han transcurrido siete capítulos desde entonces, y cinco desde que el Señor pronunciara a oídos de Pablo la palabra "Roma" (23:11). El deseo de visitar esta ciudad hacía todavía más tiempo que latía en el corazón del Apóstol.

En el Nuevo Testamento tenemos la carta que dirigió a los romanos desde Corinto, donde les expresa el profundo deseo que desde hacía mucho tiempo tenía de visitar esa ciudad, y promete hacerlo (Rom. 15:22-25). En ese tiempo, estaba a punto de partir hacia Jerusalén, y no sabía todo lo que tendría que vivir antes de que ese deseo se viera cumplido. Puede ser que Pablo pensara que su visita a Roma sería parte de un nuevo viaje misionero, predicando de ciudad en ciudad, pero Dios tenía planes diferentes, y el Apóstol llegaría a la capital del Imperio con cadenas en sus manos.

Pablo había sido apresado en el templo en la ciudad de Jerusalén. Luego de su defensa pública ante el pueblo, y con la intención de frustrar las intenciones de los que querían quitarle la vida, fue trasladado a la ciudad de Cesarea, donde estuvo unos tres años, más o menos. Fue allí donde apeló a ser juzgado ante el César y de allí fue tomada la decisión de que fuera enviado a Roma bajo el cuidado de un centurión llamado Julio. Pasando por Sidón, navegaron hasta Chipre y de allí a la provincia de Licia, junto a la de Asia. Desde Licia viajaron lentamente hasta Creta, donde tenían la intención de pasar el invierno. Mientras bordeaban la isla fueron atrapados por la tormenta que los llevó a la deriva hasta la isla de Malta.

En esta isla, se embarcaron en otro barco que haciendo escala en Siracusa y en Sicilia, llegó a Italia pasando por Regio, en el extremo sur de la península, para llegar a Puteoli, un puerto muy importante, cerca de la ciudad llamada Neápolis. Desde allí, hicieron el resto del trayecto hasta Roma por tierra. Los hermanos de la iglesia en esa ciudad, sabiendo de su llegada, les fueron a encontrar a los parajes de Apio y Tres Tabernas.

Pablo había esperado mucho para llegar hasta Roma y allí tendría que enfrentar a la máxima autoridad del Imperio. Y desde allí en adelante, el Espíritu nos desafía a que sigamos nosotros completando el plan de Dios de llegar "hasta lo último de la tierra".

--------------- *Estudio del texto básico* ---------------

Lea su Biblia y responda

1. Hay una costumbre que fue mantenida por Pablo en cada lugar donde estuvo. Hablaba primero con los _____ (28:17).
2. Ponga una P junto a lo que dijo Pablo y una J junto a lo que dijeron los judíos (28:17-22).
    ( ) La secta es conocida.
    ( ) Tuve que apelar al César.
    ( ) No encontraron causa digna de muerte.
    ( ) No recibimos cartas de Judea.
3. ¿Por qué causa estaba Pablo encadenado? (28:20) _____
_____. ¿Cuál le parece que era la esperanza de Israel?
_____.
4. ¿A qué se dedicaba Pablo en Roma? (28:30, 31) _____
_____.

Lea su Biblia y piense

1 Pablo llega a Roma y testifica a los judíos, Hechos 28:16-22.

V. 16. *Cuando llegamos a Roma, a Pablo le fue permitido vivir aparte.* No lo dice en este versículo, pero aquí se ve cómo los planes de Dios no pueden ser detenidos por los hombres. Si el Apóstol hubiera sido puesto en una prisión, sus días como predicador y maestro hubieran terminado. Pero el Señor todavía tenía planes para él. Cuando un hijo de Dios recibe privilegios, no es casualidad. Su Padre invisible está abriéndole una puerta más.

V. 17. *Tres días después, Pablo convocó a los que eran los principales de los judíos.* El tiempo pasa, las situaciones cambian, el lugar no es el mismo, pero el apóstol Pablo sigue igual. Al llegar a Roma, su primera meta era hablar con los judíos y darles, antes que a nadie, la oportunidad de creer en el evangelio. —*Hermanos, sin que yo haya hecho ninguna cosa contra el pueblo... he sido entregado preso.* El primer tema a tratar era Pablo mismo. Estaba preso por las acusaciones de los judíos, así que era importante que hablara con sus representantes en esta ciudad, declarando su inocencia desde el principio.

V. 18. *Me querían soltar.* En realidad, ninguno de los gobernantes ante los que estuvo, encontraron que fuera culpable de algún delito (Hech. 23:29; 24:22, 23; 25:9, 19, 20; 26:32). Lo mismo que sucedió con el Señor había pasado con él: la influencia de los judíos pudo más que la justicia.

V. 19. *Me vi forzado a apelar al César, no porque tenga de qué acusar a mi nación.* Pablo quería dejar bien claro que no iba a desprestigiar a los judíos, lo que perjudicaría más que nada a los que vivían en Roma.

V. 20. *Por la esperanza de Israel estoy ceñido con esta cadena.* Los que lo escuchaban sabían perfectamente de qué estaba hablando. La esperanza de Israel era el Mesías, el Ungido, el Salvador que Dios había prometido. Pablo había descubierto que Jesús era el Salvador, y por eso estaba preso.

V. 21. *No hemos recibido cartas.* Este dato es interesante. Los judíos que vivían en Palestina sabían que Pablo había apelado al César y que sería llevado a Roma. Es raro que no hubieran enviado ninguna carta dando motivos a los judíos que vivían allí para que los acusaran.

V. 22. *Queremos oír... acerca de esta secta.* La actitud de estos judíos es muy noble. No se conformaban con lo que habían escuchado acerca de "esta secta", sino que querían conocer de boca de Pablo los detalles.

2 Respuesta de los judíos a la predicación de Pablo, Hechos 28:23, 24.

V. 23. *Habiéndole fijado un día, en gran número vinieron a él.* En su anterior conversación, establecieron el momento en el que hablarían del tema, considerando que no era algo para ser hablado en una conversación casual. Muchos interesados en el tema se acercaron a Pablo. *Desde la mañana hasta el atardecer, les exponía.* Las reuniones en las que Pablo participaba a veces podían ser largas. Esta duró todo el día. Es probable que tuvieran a mano algunos rollos de las Escrituras de los que leerían los pasajes que hablan del Salvador, comparándolos con Jesús.

V. 24. *Algunos quedaban convencidos.* El grupo quedó dividido por la forma en la que reaccionaban a lo que el Apóstol decía. Estos encontraban razonables sus argumentos y aceptaban lo que decía. *Pero otros no creían.* Como en cada lugar, también están los que rechazan el mensaje. No dice aquí los motivos, pero decidían no creer.

3 Libertad para predicar en Roma, 28:30, 31.

V. 30. *Pablo permaneció dos años enteros en una casa que alquilaba.* Esto es lo interesante del final del libro de Los Hechos. Al decir que se quedó allí dos años, es natural esperar que también se diga lo que sucedió después. Pero allí termina. El gobierno romano le dio ciertas libertades y privilegios. De nuevo la mano de Dios. *A todos los que venían a él, les recibía allí.* La presencia de Pablo en Roma no sería ignorada. Si yo tuviera cerca de mí a la persona que escribió la Carta a los Romanos, no podría evitar tratar de tener algunas profundas charlas con él. Creyentes y no creyentes vendrían o serían traídos a escucharlo.

V. 31. *Predicando... y enseñando.* Nuevos creyentes y pastores serían el fruto de la estadía de Pablo en aquella casa alquilada. *Con toda libertad y sin* *impedimento.* Sólo Dios podía hacer que en el imperio romano y siendo Nerón el emperador, un preso tuviera estas libertades. Al terminar esta frase empiezan los puntos suspensivos que duran hasta el día de hoy y que durarán hasta el día de la segunda venida de Jesucristo. El resto del libro todavía lo estamos escribiendo.

Aplicaciones del estudio

1. Nuestro Padre celestial quiere que seamos agradecidos. Debemos prestar especial atención a esas situaciones en las que recibimos beneficios o privilegios especiales. Dios está allí, tratándonos como a hijos amados (28:16, 30, 31).

2. Es importante que no nos dejemos llevar por lo que pensamos de las personas antes de escucharlas. Algunas veces, lo que nos dicen puede estar equivocado. Es importante que hablemos y nos comuniquemos con la gente para conocerla. Luego sabremos a qué atenernos (28:22).

3. El apóstol Pablo podía haber dedicado su tiempo a lamentarse porque el Dios a quien servía estaba permitiendo que él fuera un triste prisionero. En lugar de eso dedicó su tiempo a servirle de todo corazón y su vida produjo mucho fruto y a largo plazo. Debemos tratar de ver cada situación que vivimos como una nueva oportunidad de servir a Dios.

Prueba

1. ¿Qué hizo el apóstol Pablo al llegar a Roma? Relate brevemente su conversación con los judíos y cómo reaccionaron ellos. _____

¿Qué hizo después? _____
_____.

2. Las personas observan cuidadosamente la vida de los cristianos. La forma en que reaccionamos cuando tenemos problemas o cuando sufrimos es lo que más les llama la atención. Es en esos momentos cuando Cristo tiene que verse en nosotros con mayor claridad. Si ahora está viviendo problemas, ore para que los demás vean a Cristo en usted. Si no es así, ore para cuando los viva.

Lecturas bíblicas para el siguiente estudio

Pregunte a su maestro(a) cuáles serán las lecturas bíblicas para el siguiente estudio y anótelas en los espacios que siguen:

Lunes: _____
Martes: _____
Miércoles: _____
Jueves: _____
Viernes: _____
Sábado: _____